# DAS GROSSE GU KOCHBUCH FÜR
# BABYS & KLEINKINDER

# DAS GROSSE GU KOCHBUCH FÜR BABYS & KLEINKINDER

DAGMAR VON CRAMM
FOTOS: JÖRN RYNIO

4

## In der Schwangerschaft

8

## In der Stillzeit

26

## Fürs Baby

48

## Fürs Kleinkind

78

## Hilfe bei Problemen

## Familienfeste

## Küchen-Know-how

## Zum Nachschlagen

## Tipps und Infos, die weiterhelfen

Meine Rezepte enthalten viele Tipps, die aufs Kochen in dieser speziellen Phase abgestimmt sind.

**Das schmeckt (auch) dazu** Beilagen, die das Gericht ideal ergänzen.

**Praxis-Tipp** Wie das Gericht noch besser gelingt – auch für Ungeübte.

**Blitz-Idee** Wenn es noch schneller gehen soll!

**Austausch-Tipp** So können Sie einzelne Zutaten ersetzen.

**Mehr draus machen** Damit können Sie ein Rezept aufpeppen oder ergänzen.

**Noch gesünder** Wie das Gericht mit Nährstoffen aufgepeppt werden kann.

**Veggi-Tipp** Wie Fleisch vollwertig ersetzt werden kann.

**Info** Zusätzliche Informationen zu Rezept und Zutaten.

**Kinder machen mit** Hier können auch schon die Kleinen helfen.

**Pluspunkt** Was das Rezept so gesund macht, Wirkung und Bedarf.

**Variante** Wie andere Gerichte aus dem Rezept gezaubert werden können.

# HERZLICH WILLKOMMEN

… im Club der Mütter! Ihr Leben ändert sich gerade gewaltig – das ist schön, aufregend und manchmal beunruhigend. Denn es vergeht kaum ein Tag, an dem es nicht irgendeine alarmierende Neuigkeit gibt, Sie und Ihr Kind betreffend. Aber lassen Sie sich nicht verunsichern: Ihr gesunder »Mutterverstand« ist zuverlässiger als jede Studie.

Die Basis dafür ist eine solide Rundum-Information: Mein Buch begleitet Sie mit aktuellen Informationen, praktischem Rat und fixen Rezepten, und das von der Schwangerschaft über die Stillzeit bis zum Ende der Kleinkindphase.

Neue Erkenntnisse und Empfehlungen gibt es zum Thema Allergie-Vorbeugung: Monotonie, Keimfreiheit und extrem späte Beikost sind kontraproduktiv – eine neue natürliche Lässigkeit mit Probierhäppchen, Haustieren und Abwechslung ist angesagt. Dazu steuere ich eine Fülle von einfachen und wohltuenden Rezepten bei. Im Mittelpunkt stehen Sie mit Ihrem Kind.

Nach dem ersten Jahr ist es wichtig, einen neuen Rhythmus zu finden und zum gemeinsamen Essen zu kommen. Mit Rezepten für Mutter und Kind schlagen Sie zwei Fliegen mit einer Klappe: Schließlich brauchen auch Sie eine gesunde Ernährung, um Ihre Aufgaben erfüllen zu können. Aber auch das Sonntagessen, Familienfeste oder gemeinsame Mahlzeiten zu dritt oder viert kommen nicht zu kurz. Ebenso gibt es Rezepte für die Krabbelgruppe.

Dazu finden Sie Tipps für den Umgang mit Lebensmitteln, Küchen-Infos und Ernährungsrat. Vor allem möchte ich Ihnen Mut machen, die gemeinsamen Mahlzeiten in Ihrer Familie zur Quelle von Energie, Freude und Gesundheit werden zu lassen. Mit einem guten Essen halten Sie die Familie zusammen!

Viel Erfolg wünsche ich Ihnen dabei,                              *Ihre Dagmar v. Cramm*

**Geht es Ihnen gut?** Genießen Sie die kommenden Monate: Sie haben etwas Wunderbares vor sich. Es gibt viele Fragen und manchmal auch Probleme. Die richtige **Ernährung** spielt eine wichtige Rolle. Hier finden Sie Rezepte, Tipps und Ratschläge für typische Beschwerden. **Sich Gutes zu tun,** gehört auch zur **Schwanger**schaft.

Nutzen Sie die Zeit, um **Energie** zu sammeln für die Geburt, füllen Sie Ihr Nährstoffkonto auf. Lassen Sie sich nicht von jeder Meldung in Panik versetzen: Ihr Körper ist **fit fürs Baby.** Das Wissen um wichtige Einflüsse und die optimale Versorgung **schützt Ihr Kind** und hilft Ihrem Körper, gesund und vital zu bleiben.

## Gesunde Mutter – gesundes Kind

Vom Tag der Empfängnis an versorgen Sie Ihr Kind mit allem, was es zur gesunden Entwicklung braucht. Ihr Blut transportiert die Nährstoffe in die Plazenta, die Pforte zum kindlichen Blutkreislauf. Ihr Kind bedient sich aus Ihrem Angebot: 30 g Kalzium, 17 g Phosphor, 700 mg Magnesium und 300 mg Eisen lagert es bis zur Geburt als Bausteine in seinem Körper ein. Darüber hinaus braucht sein intensiver Stoffwechsel ständig Nährstoffe. Wenn die Mutter schlecht ernährt ist, wirkt sich ein Mangel bei den meisten Substanzen auf den Fetus aus: Er entwickelt sich nicht optimal. Bei Nährstoffen wie Kalzium, Eisen oder Eiweiß holt sich das Kind, was es braucht – auf Kosten der Mutter.

## Das 3 x 3 der Schwangerschaft

→ **Das erste Trimester** In den ersten drei Monaten ist der Embryo am empfindlichsten. Gerade jetzt ist es besonders wichtig, Gifte wie Alkohol und Nikotin (s. Seite 15) zu vermeiden. Andererseits ist der Embryo noch winzig. Sie brauchen deshalb nur etwa 100 Kalorien mehr am Tag als bisher. Allerdings genug von den Vitaminen, die bei der Zellteilung eine Rolle spielen, denn in den ersten 12 Wochen bilden sich bereits alle wichtigen Organe! Zu wenig Folsäure – und das kommt gar nicht so selten vor – kann in den ersten Wochen zum so genannten → Neuralrohrdefekt führen. Auch die Vitamine $B_6$ und $B_{12}$ sind für die Zellteilung jetzt besonders wichtig. Die hormonelle Umstellung führt bei manchen Frauen zu Übelkeit, manchmal verändern sich Geruchs- und Geschmackssinn. Am besten kleine Mengen besonders hochwertiger Lebensmittel essen: Nüsse, Obst, Milchprodukte.

→ **Das zweite Trimester** Es ist die ausgeglichenste Phase der Schwangerschaft. So langsam macht sich das Bäuchlein bemerkbar. Der wachsende Fetus braucht mehr Energie: 300 Kalorien pro Tag Extra-Babyzulage sollten Sie sich gönnen. Wichtig ist vor allem, Vorräte an Mineralstoffen wie Kalzium, Eisen und Zink anzulegen, außerdem Eiweiß für die letzte Phase der Schwangerschaft. Denn Sie nehmen jetzt durchschnittlich etwa 6 Kilo zu, etwas mehr ist auch kein Problem: Ihr Körper legt Fettreserven für Geburt und Stillzeit an, Ihr Busen wächst. Meist verschwindet jetzt die Übelkeit, der Körper hat sich umgestellt. Dafür sind viele werdende Mütter jetzt manchmal müde.

→ **Das dritte Trimester** Die Zunahme des Kindes macht sich deutlich bemerkbar: Etwa 400 Kalorien mehr am Tag brauchen Sie – aber vom Feinsten. Denn Ihr wachsendes Kind benötigt jede Menge Bausteine: → Eiweiß, essentielle → Fettsäuren, Mineralstoffe und → Vitamine. Es greift auf Ihre Reserven zurück – gut, wenn die Nährstoffspeicher der Mutter gefüllt sind. Völlegefühl und Sodbrennen machen manchen Frauen jetzt zu schaffen. Da heißt es »kleine Brötchen zu backen«, lieber mehr Zwischenmahlzeiten einzunehmen. Sie werden etwas unbeweglicher und behäbig. Das Gewebe lagert zunehmend Flüssigkeit ein, abends können die Beine geschwollen sein. Durch den wachsenden Druck auf den Unterleib treten manchmal Hämorrhoiden auf, bei starker Gewichtszunahme können Risse in der Unterhaut am Bauch, so genannte Schwangerschaftsstreifen (s. Seite 13) entstehen. Viel Vitamin C und → Omega-3-Fettsäuren stärken jetzt das Bindegewebe, damit es elastisch wird für die Geburt.

## Diese Nährstoffe sind jetzt besonders wichtig

→ **Folsäure** ist unentbehrlich für Zellneubildung und Zellteilung, spielt bei der Blutbildung eine wichtige Rolle und ist am Eiweißstoffwechsel (wichtig fürs Wachstum) beteiligt. Tipp: Täglich 2–3 Portionen Gemüse und Rohkost essen, Salz mit Folsäure verwenden (s. Seite 174).

→ **Vitamin B₆** ist unentbehrlich für den Auf- und Umbau von Eiweiß, also Voraussetzung für ein gesundes Wachstum des Kindes. Es unterstützt die Immunabwehr, ist an Blutbildung und Nervensystem beteiligt. Tipp: Einen Löffel Weizenkeime täglich ins Essen geben.

→ **Vitamin B₁₂** wirkt bei der Blutbildung mit und wird zum Abbau einzelner Fettsäuren benötigt. Es kommt nur in tierischen Lebensmitteln vor. Mütter, die schon lange vegan leben, brauchen Präparate (s. Seite 174). Tipp: Camembert und ab und zu Leberwurst aufs Brot essen.

→ **Eisen** ist Bestandteil der roten Blutkörperchen, notwendig für eine optimale Gehirnentwicklung. Es ist vor allem in (dunklem) Fleisch enthalten. Tipp: Wer das nicht mag, isst Hirsemüsli mit Obst und Kürbiskernen!

→ **Zink** ist am Stoffwechsel aller drei → Ernährungsbausteine beteiligt und aktiviert das Immunsystem. Für Wachstum und Wundheilung unverzichtbar. Tipp: Ebenfalls Fleisch essen – Kürbiskerne sind auch hier top.

→ **Kalzium** ist der wichtigste Baustein für Knochen und Zähne, stabilisiert die Zellwände und ist an der Reizübertragung im Nervensystem beteiligt. Ihr Skelett ist ein großes Kalziumlager – sorgen Sie mit Milchprodukten dafür, dass es nicht geplündert wird. Tipp: Ein Stück Parmesan als Betthupferl

→ **Jod** wird zum Aufbau von Schilddrüsenhormonen benötigt, die den Energiestoffwechsel aktivieren, für gleich bleibende Körpertemperatur sorgen und das Zellwachstum fördern. Ein Mangel führt nicht nur bei der Mutter zum Kropf, sondern auch beim Neugeborenen. Im schlimmsten Fall gibt es dauerhafte Entwicklungsstörungen. Tipp: Jodsalz (s. Seite 175) und Seefisch

→ **Essentielle Fettsäuren** sind zur Entwicklung von Gehirn, Zentralnervensystem und Netzhaut der Augen unentbehrlich. Eine gute Versorgung scheint positive Auswirkung auf spätere Intelligenz und Leistungsfähigkeit zu haben. Tipp: Rapsöl in den Salat, Lachspaste aufs Brot geben.

### Besser essen, nicht mehr

Deutlich zu sehen: Durch das stürmische Zellwachstum steigt der Bedarf an vielen Vitaminen und Mineralstoffen stärker als der Kalorienbedarf. Deshalb sollte die → Nährstoffdichte Ihres Essens steigen. Für zwei essen sollten Sie vor allem Obst, Gemüse, magere Milchprodukte, Fisch und Vollkorn. Mageres Fleisch und Nüsse in Maßen genießen, Fast Food und Süßigkeiten trotz Heißhunger lieber nur ab und zu.

### Mehrbedarf an Nährstoffen und Vitaminen während der Schwangerschaft

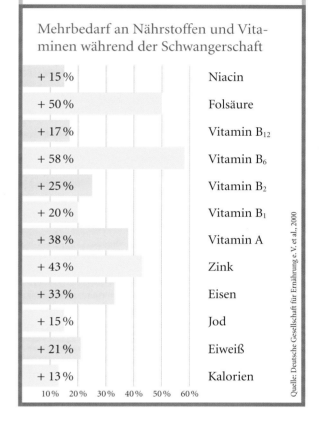

|  |  |
|------|-----------|
| + 15 % | Niacin |
| + 50 % | Folsäure |
| + 17 % | Vitamin B₁₂ |
| + 58 % | Vitamin B₆ |
| + 25 % | Vitamin B₂ |
| + 20 % | Vitamin B₁ |
| + 38 % | Vitamin A |
| + 43 % | Zink |
| + 33 % | Eisen |
| + 15 % | Jod |
| + 21 % | Eiweiß |
| + 13 % | Kalorien |

10 %  20 %  30 %  40 %  50 %  60 %

Quelle: Deutsche Gesellschaft für Ernährung e. V. et al., 2000

### Der Ess-Fahrplan

→ **Frühstück** Müsli lässt sich gut vorbereiten. Morgenmuffel können einen Smoothie trinken. Oder 2 Scheiben Vollkornbrot, dünn gebuttert, mit fettarmem Belag essen. Höchstens 1 Tasse Kaffee oder Schwarztee trinken (s. Seite 16–19).

→ **Snack** 1 Stück Obst oder 1 fettarmer Joghurt oder 1 fettarmes Milcheis oder 1 Kakao

→ **Mittagessen** Salat oder Sandwich für die Arbeit, zu Hause ein Süppchen mit Vollkornbrot (s. Seite 20–23). In der Kantine eine extragroße Gemüseportion nehmen. Auswärts gegrillten Fisch, Fleisch mit Salat, Pasta oder Risotto bevorzugen.

→ **Snack** 1 Mini-Stück gesunden Kuchen oder Kekse von zu Hause mitnehmen (s. Seite 22, 94). Oder 1 Becher Milchreis, Quarkspeise oder mehr Obst essen.

→ **Abendessen** Etwas Feines kochen, mit viel Salat (s. Seite 38–41), für Süßhunger Grießbrei mit Obst (s. Seite 138). Wer mittags warm gegessen hat, kommt aus mit 2 Scheiben Vollkornbrot, magerem Aufschnitt und Käse, dazu Knabbergemüse oder sauer Eingelegtes.

→ **Betthupferl** Ein Stückchen Käse oder 1 Keks oder 1 Stück Schokolade oder Marzipan

## Das tut Ihnen gut

→ **Artischocken gegen Sodbrennen** Artischocken in Wasser mit Salz und Zitronensaft ca. 40 Min. kochen, bis sich die Blätter herausziehen lassen. Mit Senfvinaigrette (s. Seite 39, Energie-Salat) dippen. Sind alle Blätter herausgezupft, den Boden vom »Heu« befreien und essen.

→ **Kraftsuppe gegen Erschöpfung** 500 g Suppenfleisch mit 2 l Wasser, 1 Bund Suppengrün, 1 Stück Ingwer, 3 Lorbeerblättern, 1 Rosmarinzweig und Salz 3 Std. (im Schnellkochtopf 1 Std.) kochen, absieben, mit Tahin binden, Fleischwürfel und Schnittlauch dazugeben.

→ **Minze gegen Übelkeit** 3–4 Minzeblätter am Vorabend mit 1 TL Honig im Glas bedecken. Am Morgen mit kochendem Wasser aufgießen, in Schlückchen trinken.

## Alarmsignale

→ **Gewicht** Nicht nur Ihr Kind wächst – auch Fruchtwasser, Plazenta und Busen nehmen zu, gleichzeitig steigt das Volumen von Blut und Körperwasser: Das macht zusammen schon 8–9 kg aus. Der Rest ist Fett als Speicher für die Geburt und die Stillzeit. Wie groß diese Reserve sein sollte, hängt von Ihrem Ausgangsgewicht ab. Insgesamt sollten sehr schlanke Frauen (→ BMI unter 18,5) 12,5–18 kg zunehmen, normalgewichtige (BMI 18,5–24,9) 11,5–16 kg und übergewichtige (BMI über 25 kg) 7–11,5 kg. Die Schwangerschaft ist nicht der richtige Zeitpunkt für Diäten – aber auch keine Rechtfertigung für endloses Futtern. Beides tut Ihrem Kind nicht gut. Ihnen auch nicht: Die Komplikationen, die unten beschrieben werden, können in engem Zusammenhang mit Übergewicht entstehen.

→ **Schwangerschaftsdiabetes** Insulin ist ein Hormon aus der Bauchspeicheldrüse, das den Zucker aus dem Blut in die Zellen transportiert. Ab der 24. Schwangerschaftswoche steigt der Insulinbedarf – dadurch kann es bei manchen Frauen zu leichtem → Diabetes kommen. Das bedeutet: Es ist zu wenig Insulin im Blut, der Blutzuckerspiegel steigt. Übergewicht verstärkt diese Neigung. Ein unerkannter Schwangerschaftsdiabetes erhöht das kindliche Risiko vor und während der Geburt. Der Arzt kann das durch einen Test feststellen. Und wenn ein Diabetes vorliegt? Meist reicht es, sich (noch) bewusster zu ernähren und auf Zuckriges oder sehr süßes Obst zu verzichten. Außerdem sollten Sie statt hellem Brot oder süßen Frühstücksflocken Vollkornprodukte essen. Deren Ballaststoffe sorgen nämlich dafür, dass die Nahrung langsamer verdaut wird und der Blutzuckerspiegel entsprechend langsam ansteigt. Außerdem sollten Sie Ihre Zunahme kontrollieren. In der Regel verschwindet der Diabetes nach der Entbindung.

→ **Gestose** Ödeme (Wasseransammlung im Gewebe), Eiweiß im Urin und Bluthochdruck zeigen diese Entgleisung des Stoffwechsels an. Deshalb werden bei der Vorsorgeuntersuchung der Urin getestet und der Blutdruck gemessen. Plötzliche Gewichtszunahme von mehr als 2 kg pro Woche und aufgequollenes Gewebe, Kopfschmerzen, Seh- und Hörstörungen sind Alarmsignale. Früher wurde salzfreie Kost empfohlen. Mittlerweile weiß man, dass das die Erkrankung noch verstärkt. Also in der Schwangerschaft nicht salzarm essen, bei Problemen eher kräftiger salzen, trotz Gewebswasser extraviel trinken (2–3 l am Tag). Reichlich Obst, Gemüse und Nüsse oder Samen verzehren, um extra viele Mineralstoffe und Vitamine zu tanken. Konsultieren Sie einen Arzt!

## Schwangerschaftsbeschwerden

## Rezepte, die helfen

**Übelkeit am Morgen** Gerade in den ersten Monaten leiden viele Schwangere unter Schwindel, Übelkeit bis zum Erbrechen. Lassen Sie den Tag langsam angehen, knabbern Sie noch im Bett ein trockenes Gebäck und trinken Tee. Ingwer, Anis, Fenchel, Kümmel und Minze tun gut. Wer niedrigen Blutdruck hat, darf 1 Tasse milden Kaffee oder Schwarztee trinken. Heißgetränk abends in einer Thermoskanne vorbereiten. Nach Erbrechen Salziges essen: Bouillon oder Vollkorn-Salzgebäck.

→ **Ingwerwasser** 2 cm Ingwer schälen, zerschneiden, mit der Schale von 1 Bio-Zitrone und nach Wunsch 1 TL Aniskörnern in ¾ l Wasser 10 Min. kochen, absieben, mit 4 TL Honig süßen.
→ **Magen-Makronen** 2 Eier mit 120 g Honig schlagen, 1 EL gehackten kandierten Ingwer, 1 TL Anis, 1 Prise Salz, 150 g Haferflocken und 50 g Sesamsamen unterziehen, 30 Min. quellen lassen. Häufchen aufs Backblech setzen, im Ofen bei 160° (Mitte) 25 Min. backen.

**Sodbrennen/Völlegefühl** Gegen Ende der Schwangerschaft kann es durch Hormoneinfluss und den Druck des Kindes zum Rückfluss von Magensaft in die Speiseröhre kommen: Sodbrennen ist die Folge. Außerdem wird's eng im Bauch, Völlegefühl tritt auf. Wichtig: viele kleine, leichte Mahlzeiten essen, nicht sofort nach dem Essen flach hinlegen. Gegen die Säure helfen Senf oder Senfgurken, Milch in kleinen Schlückchen, Tee aus Kamille oder Fenchel, japanische Salzpflaumen oder Oliven, roher Kartoffelsaft und Artischocken.

→ **Kartoffelsaft** Kartoffel schälen, raspeln und in einem Sieb abtropfen lassen. 1–2 TL Saft wirken wie ein Magenpflaster!
→ **Senfsüppchen** 250 g Kartoffeln waschen, klein schneiden, in ⅛ l Hefebrühe garen, zerstampfen, mit Milch zur Suppe auffüllen, mit 2–3 EL Senf, Salz und Sahne abschmecken.
→ **Artischocken** Ihre Bitterstoffe entlasten Leber und Niere und mildern Magenübersäuerung. Böden oder Herzen gibt es sauer eingelegt als Konserve. Passt zum Salat oder püriert als Brotaufstrich. Wie man frische Artischocken zubereitet, steht auf Seite 12.

**Verstopfung** Der Darm wird träge. Das fördert das Entstehen von Hämorrhoiden. Deshalb ständig für gute Verdauung sorgen. Morgens 1 Glas Wasser oder Pflaumensaft trinken, gelbe Leinsamen einweichen und im Müsli essen. Kost mit vielen Ballaststoffen essen, genug trinken, damit diese quellen können – sonst wirken sie wie ein Pfropfen. Milchzucker zieht Flüssigkeit in den Darm, deshalb damit süßen bzw. Molke trinken.

→ **Müsli** 1 EL gelbe Leinsamen und 2 gewürfelte Trockenpflaumen am Vorabend in ¼ l Naturmolke im Kühlschrank einweichen, mit 2–3 EL Vollkornflocken, 1 Hand voll Himbeeren, 1–2 EL Nüssen und Honig mischen.
→ **Molkedrink** 1 EL Pflaumenmus, 1 EL bittere Orangenmarmelade (mit Pomeranzen), ¼ l Naturmolke, 2 EL Instant-Haferkleieflocken, 2 EL ungeschälte gemahlene Mandeln und Milchzucker pürieren.

**Heißhunger** Saure Gurken, Süßhunger – die Gelüste sind legendär und verführen zum hemmungslosen Futtern. Wichtig sind gesunde Zwischenmahlzeiten, damit kein Heißhunger aufkommt. Schokolade stopft und Knabberzeug kann Sodbrennen auslösen. Lieber was Schönes kochen und genießen!

→ **Schoko-Schaum** 200 ml warme Milch aufschäumen. 1 TL Kakaopulver mit 1 Prise gemahlener Vanille und 2 TL Milchzucker in 50 ml heißem Wasser lösen, unterziehen.
→ **Knabbererbsen** Kichererbsen aus der Dose abtropfen lassen, mit Currypulver und Sesamöl in einer trockenen beschichteten Pfanne rösten: liefert Vitamine und hat halb so viele Kalorien wie Nüsse.

**Schwangerschaftsstreifen** Durch die starke Dehnung an Busen, Hüften und Bauch – vor allem bei schneller Zunahme – kann dort das Bindegewebe reißen: Es entstehen feine, rote Streifen, die mit der Zeit verblassen. Leichte Zupfmassagen mit einem Mix aus Weizenkeim- und → Borretschöl (Reformhaus) beugen vor. Zink, Vitamin C, Kieselsäure, Beta-Karotin, Vitamin E sowie Gamma-Linolensäure stärken und stützen das Bindegewebe.

→ **C-Drink** Frisch gepressten Saft von 1 Orange mit 3–4 EL Sanddornsaft mit Honig, 1 TL Borretschöl und 1 TL Weizenkeimen mixen, sofort trinken.
→ **Kressequark** 2 EL Magerquark, 1 TL → Borretschöl und 1 EL Zitronensaft verrühren, salzen und pfeffern, auf Vollkornbrot streichen, mit Kresse und Schwarzkümmel bestreuen.

**Muskelkrämpfe** Magnesium ist neben Kalzium für die Reizweiterleitung Nerven–Muskel zuständig. Ein Mangel kann zu Krämpfen führen und vorzeitige Wehen auslösen. Alle Samen und Nüsse, Vollkorn (Hirse!), Datteln und Krabben helfen.

→ **Hirsesalat** Je 1 Tasse gekochte Hirse, gegarte Krabben, gewürfelte Avocado, halbierte Kirschtomaten und 2 EL geröstete Kürbiskerne mit Ihrem Lieblingsdressing (Seite 39) mischen.

## Sind Kräuter, Gewürze und Zuckeraustauschstoffe gefährlich?

Kräuter und Gewürze können Wirkstoffe enthalten, die den Darm oder auch direkt die Gebärmutter zu Kontraktionen anregen. Manche wurden im Mittelalter als Abtreibungsmittel eingesetzt. Deshalb wird häufig vor ihrem Genuss gewarnt. Bekannt dafür sind Petersilie, Liebstöckel, Weinraute, Süßholz (Lakritz), Safran und → Zimt. Doch gilt diese Warnung für die konzentrierten Wirkstoffe (z. B. Aromaöle oder konzentrierte Präparate). Bei küchenmäßigem Gebrauch brauchen Sie keine Sorge zu haben: Ein Zimtstern hat noch keine vorzeitige Entbindung ausgelöst. Es gibt keine wissenschaftlichen Studien oder Einzelfälle, die eine Gefahr von Wirkstoffen in der Nahrung belegen.

→ **Zuckeraustauschstoffe** (Sorbit, Mannit, Xylit, Maltit, Laktit, Isomalt) können in größeren Mengen (über 30–50 g) zu Durchfall und Bauchkrämpfen führen. Sie werden selber merken, ob Sie empfindlich darauf reagieren.

Wer zu vorzeitiger Wehentätigkeit neigt, sollte in den ersten 4 Monaten diese kleinen Warnungen im Hinterkopf haben. In der Regel sind Darmträgheit und Verstopfung in der Schwangerschaft häufig und die Gefahr von Durchfällen ist ohnehin gering. Machen Sie sich keine unnötigen Sorgen!

## Was darf ich (nicht) essen?

Manche Lebensmittel können Keime wie Listerien oder Toxoplasmoseerreger enthalten. Diese können den Fetus schädigen (s. Seite 15). Deshalb sollten Sie auf diese Lebensmittel während der Schwangerschaft verzichten. Es sind immer rohe Lebensmittel, für die es Alternativen gibt. Wichtig: Alles, was frisch gegart oder gebacken ist, enthält keinen dieser in der Schwangerschaft gefährlichen Keime (s. Seite 15).

→ **Rohmilch und -produkte**
Nicht-wärmebehandelte Milch und daraus hergestellte Produkte (an der Deklaration zu erkennen) können Listerien enthalten. Das gilt vor allem für Frisch- oder Weichkäse aus Rohmilch, wie manche Sorten Edelpilzkäse, Brie oder Camembert. Rohmilchkäse muss als solcher auf der Packung deklariert werden.
Stattdessen nur pasteurisierte Frischmilch oder H-Milch und deren Produkte essen bzw. trinken. Wenn nicht anders angegeben, ist Käse aus pasteurisierter Milch hergestellt. Bei offener Thekenware sollten Sie nachfragen. Auch Hartkäse aus Rohmilch ist erlaubt, er ist durch seine lange Reifezeit unbelastet. Schneiden Sie zur Sicherheit von jedem Käse die Rinde ab. Hitze, also Kochen oder Überbacken, zerstört die Listerien sicher.

→ **Rohes Fleisch oder Rohwurst**
Carpaccio, Hackepeter, Tatar oder rosa (»rare«) gebratenes Fleisch (Roastbeef, Steak) kann Toxoplasmose (s. Seite 15) auslösen. Fleisch deshalb nur durchgegart verzehren. Streichfähige Rohwurst wie Tee- oder Mettwurst, rohes Pökelfleisch wie Bündner Fleisch, roher Schinken, Speck oder rohes Kassler sind ebenfalls riskant.
Schnittfeste Rohwurst wie Cabanossi, Salami, Katenwurst ist durch die längere Reifezeit unbedenklich. Brühwürste wie Fleischwurst, Leberkäse, Lyoner, Wiener oder Kochwurst wie Leber- oder Blutwurst, Aspik und Pasteten sowie gekochter Schinken und gekochtes Kassler sind okay. Auch luftgetrockneter Schinken mit langer Reifezeit (über 6 Monate) ist nicht bedenklich. Wichtig: Aufschnitt nicht zu lange lagern, lieber kleine Mengen frisch kaufen.

→ **Rohe oder geräucherte Fische & Meeresfrüchte**
Sushi, rohe Austern, Kaviar, Graved oder Räucherlachs, sanft gesalzener Matjes und Räucherfisch jeder Art sind tabu.
Besser auf gegarte Produkte wie Fisch in Saucen oder Aspik zurückgreifen: Hering in Tomatensauce, Aal in Aspik, Thunfisch oder Sardinen in Öl oder naturell. Alle Produkte in Dosen sind erhitzt und sicher (abgesehen von Kaviar). Auch in stark gesäuerte, gesalzene oder gezuckerte Marinaden Eingelegtes wie Sardellen, Rollmops sind in Ordnung. Und natürlich gegarter Fisch und Meeresfrüchte in jeder Form.

→ **Rohes Getreide**
Frischkornbrei, Keimlinge sowie selbst gemachte Haferflocken sind tabu.
Unbedenklich sind fertige Getreideflocken, sie sind erhitzt. Sie können selbst Geflocktes zur Sicherheit in der Pfanne rösten und Frischkornbrei als Grütze aufkochen. Beim Backen werden alle Keime zerstört.

→ **Rohes Ei**
Rohes Ei kann Salmonellen (verarbeitetes Ei Listerien) enthalten. Vorsicht bei Mayonnaise oder Tiramisu und Mousse au chocolat mit rohem Ei. Wenn Eier so gekocht sind, dass sie nicht mehr glibberig sind, besteht kein Risiko. Mayonnaise mit Konservierungsstoffen ist ebenfalls sicher.

→ **Abgepackte Salate und Obststückchen**
Rohe Fertigsalate, auch Obststückchen aus der Kühltheke können Keime enthalten. Das gilt nicht für rohes Obst oder Rohkostsalate, wenn Sie sie aus den ganzen Früchten zubereiten. Diese gut waschen, erst dann zerkleinern, frisch zubereiten und essen. Auch Gemüse und Obst zum Knabbern gründlich waschen. Frisch gepresste Säfte nur aus gründlich gewaschenen Zutaten herstellen.

→ **Fast Food**
Die Kühltheken in Supermärkten, Bäckerfilialen und Kioske bieten Sandwiches und Fertigsalate an – lieber nicht zugreifen. Das gilt auch für offen verkauftes Eis – lieber Industrieeis nehmen. Überhaupt: Wenn Ihnen ein Fast-Food-Stand oder -Restaurant nicht sauber vorkommt, lieber einen Bogen darum machen. Wenn etwas vor Ihren Augen erhitzt wird, wie beim Chinesen oder am Bratwurststand, gibt es kein Problem.

## Gefährliche Keime in Lebensmitteln

Die Angst, krank zu werden, kann für werdende Mütter sehr belastend sein. Dabei ist das Risiko, während der Schwangerschaft an einer Lebensmittelinfektion zu erkranken *und* das Kind zu schädigen, sehr gering: Pro Jahr sind etwa 0,005 % aller Neugeborenen von Listeriose betroffen und 0,003 % von Toxoplasmose. Und nicht alle dieser Babys tragen zwangsläufig bleibende Schäden davon. 0,3 % aller Neugeborenen (100-mal so viele!) sind dagegen durch den Alkoholgenuss ihrer Mütter gehandicapt! Natürlich sollten Sie alles tun, um Risiken zu vermeiden. Aber schränken Sie Ihren Speisezettel nicht unnötig ein – das kann zu Mangelversorgung führen. Folgende **Infektionskrankheiten** bei Schwangeren sind für den Fetus gefährlich und können zu Schädigungen führen.

→ **Toxoplasmose** wird durch Katzenkot auch auf Nutztiere sowie bodennahes Obst und Gemüse übertragen. Die Erreger werden durch Erhitzen, Tiefgefrieren und Reifen von gepökelten Fleischwaren abgetötet (s. Seite 14). Ihr Arzt kann testen, ob Sie schon Toxoplasmose hatten und Antikörper im Blut haben – dann sind Sie immun.

→ **Listeriose** Listerien sind kälteresistente Bakterien, die in vielen Lebensmitteln zu finden sind, doch selten in größerer Menge (s. Seite 14). Auch sie werden durch Hitze oder lange Reifezeiten bei Käse und Aufschnitt zerstört.

→ **Salmonellen** kommen in rohem Ei und Geflügel vor (s. Seite 14), werden durch Hitze zerstört und ihre Verbreitung wird durch Kälte gebremst. Die Krankheit überträgt sich nicht aufs Kind, doch kann sie schwere Durchfälle verursachen, die in seltenen Fällen vorzeitige Wehen auslösen.

→ **EHEC** *(Enterohämorrhagische Escherichia coli)* wird ebenfalls durch Bakterien in rohen tierischen Lebensmitteln übertragen und ist für Schwangere, besonders aber Säuglinge gefährlich. Die Erkrankung kann zu Nierenversagen und damit zum Tod führen.

### Genussmittel – nicht fürs Kind!

Alle Schadstoffe gehen in den Körper des Kindes über. Bei **Alkohol** ist das Risiko in den ersten Monaten besonders hoch. Deshalb: auch kein »Gläschen in Ehren«. **Nikotin** geht über die Plazenta ins kindliche Blut über und steigert die Gefahr des plötzlichen Kindstods; Neugeborene sind kleiner, Allergie- und Krebsrisiko steigen. **Koffein:** Bei mehr als 400 mg Kaffee (4–5 Tassen) verdoppelt sich im ersten Trimester das Fehlgeburtsrisiko. Wenn Sie Koffein im Blut haben, schlägt das Herz Ihres Kindes doppelt so schnell! Maßhalten bei Kaffee (1–2 Tassen sind erlaubt), Cola, Schwarz-, Grün- und Matetee sowie Energydrinks.

## Allergieschutz schon im Mutterleib?

Tatsächlich können Moleküle über das Fruchtwasser den Fetus erreichen. Wissenschaftler nehmen an, dass das Kind schon im Mutterleib eine Ahnung von den Nahrungsvorlieben und Essgewohnheiten seiner Mutter mitbekommt. Auch Allergene können so den Weg zum Ungeborenen finden. Andere Substanzen erreichen das Kind über die Plazenta. In verschiedenen Studien wurde deshalb untersucht, ob eine allergenarme Ernährung der Mutter einen Einfluss auf die Häufigkeit von allergischen Erkrankungen bei ihren Kindern hat. Das war jedoch nicht der Fall. Durch Weglassen einzelner Lebensmittel können Sie also einer Allergie bei Ihrem Kind nicht vorbeugen.

→ Und wenn die **Mutter selber Allergikerin** ist? Beginnen Sie nicht auf Verdacht eine Diät. Übelkeit, Magenkrämpfe und Verdauungsbeschwerden sind jetzt nur in seltenen Fällen Anzeichen einer Allergie, sondern können mit der hormonellen Umstellung zusammenhängen. Auch ein → **IgG-Test** gibt keine Auskunft über eine vorliegende Allergie – das kann nur eine → **Eliminationsdiät**. Dafür aber ist die Schwangerschaft der falsche Zeitpunkt.

→ **Einseitige Ernährung** während der Schwangerschaft kann nämlich eine Unterversorgung von Mutter und Kind zur Folge haben. Schwer zu ersetzen sind Kalzium aus Milch und Milchprodukten, aber auch Eisen aus Fleisch oder Jod aus Fisch (s. Seite 174–175). Am wenigsten Fehler macht man mit einer abwechslungsreichen Kost und möglichst frischen Lebensmitteln.

# Red Roibusch

stärkt die Abwehrkräfte | wärmt
**25 Min.**
*pro Glas ca. 70 kcal*
*0 g Eiweiß · 17 g Kohlenhydrate · 0 g Fett*

### ZUTATEN FÜR 2 GLÄSER

1 Stückchen Vanilleschote
1 Gewürznelke
1 Sternanis
1 TL Roibuschtee
⅛ l Cranberrysaft
2–3 TL Honig

### ZUBEREITUNG

**1.** Die Vanilleschote längs aufschlitzen. ½ l Wasser mit Vanille, Nelke und Sternanis zugedeckt in einem Topf etwa 10 Min. kochen.

**2.** Den Roibuschtee zugeben und 5 Min. ziehen lassen. Cranberrysaft erwärmen, den Tee durch ein Sieb zum Saft gießen und mit Honig abschmecken.

**Pluspunkt** Der Cranberrysaft beugt Harnwegsinfektionen vor, Honig ebenfalls. Vanille stimmt positiv, Nelken regen die Verdauung an, Sternanis wirkt gegen Husten.

## Das aromatische Kräuterwasser

… ist ein guter Durstlöscher. Hierfür 1–2 Zweige Zitronenmelisse gründlich waschen und in ein Gefäß (1 l Fassungsvermögen) geben. 1 l Wasser dazugießen. Das Kräuterwasser ca. 30 Min. im Kühlschrank ziehen lassen.

**Pluspunkt** Dieses aromatische Getränk enthält keine Zusatzstoffe und künstlichen Aromen.

**Austausch-Tipps** Statt der Zitronenmelisse können Sie auch Basilikum, Minze oder Estragon nehmen. Oder 2–3 Scheiben Bio-Zitrone oder die abgeschälte Schale von 1 Bio-Orange im Wasser mindestens 1 Std. ziehen lassen.

# Heißer Gewürz-Mandel-Kick

aromatisch | ohne Milch
**25 Min.**
*pro Glas ca. 250 kcal*
*5 g Eiweiß · 26 g Kohlenhydrate · 14 g Fett*

ZUTATEN
FÜR 2 GLÄSER

50 g ungeschälte
Mandeln
4 getrocknete Datteln
½ TL Lebkuchengewürz
2 EL Honig

ZUBEREITUNG

**1.** Die Mandeln in einen kleinen Topf geben, mit Wasser bedecken, zum Kochen bringen. Einige Min. kochen, dann kalt abschrecken und aus der Schale drücken.

**2.** Die Datteln entkernen, eventuell die harte Haut entfernen und das Fleisch mit den Mandeln hacken. Beides mit dem Lebkuchengewürz in 400 ml Wasser einmal aufkochen, dann 10 Min. ziehen lassen.

**3.** Den Honig dazugeben, alles im Mixer glatt pürieren.

**4.** Drink auf zwei hohe feuerfeste Gläser oder Becher verteilen.

**Pluspunkt** Datteln enthalten reichlich Eisen, Folsäure und Ballaststoffe. Der Drink bringt mit den Gewürzen gerade morgens den Körper in Schwung.

# Heidelbeerdrink

regt die Verdauung an | stärkt die Abwehrkräfte
**10 Min.**
*ca. 60 kcal*
*1 g Eiweiß · 1 g Kohlenhydrate · 12 g Fett*

ZUTATEN
FÜR 1 GLAS

50 g Heidelbeeren
125 ml kalte Natur-Molke
1 TL Vanillezucker
1 TL Zitronensaft
Zitronenmelisse
zur Dekoration

ZUBEREITUNG

**1.** Beeren waschen und verlesen. Mit Molke, Vanillezucker und Zitronensaft in einem Mixer fein pürieren.

**2.** Den Drink in ein Glas geben und mit einigen Blättchen Zitronenmelisse dekorieren. Sofort servieren.

**Austausch-Tipp** Statt Heidelbeeren Him- oder Erdbeeren, statt Molke Buttermilch oder Kefir nehmen.

**Pluspunkt** Molke enthält Kalzium, sehr hochwertiges Eiweiß und verdauungsanregenden Milchzucker. Heidelbeeren sind blutbildend und wirken antibakteriell.

# Rosa Tomatenmix

regt die Verdauung an | pikant
**5 Min.**
*ca. 60 kcal*
*3 g Eiweiß · 5 g Kohlenhydrate · 3 g Fett*

ZUTATEN FÜR
1 GLAS

1 vollreife Fleischtomate
75 ml kalte Buttermilch
einige Tropfen
Weizenkeimöl
Salz · Pfeffer
etwas Tabascosauce
nach Geschmack
1 Stängel Basilikum

ZUBEREITUNG

**1.** Die Tomate waschen und vierteln. Die grünen Stielansätze und die Kerne entfernen. Mit Buttermilch und Öl im Mixer fein pürieren.

**2.** Den Drink mit Salz, Pfeffer und etwas Tabasco pikant abschmecken. Ins Glas gießen, Basilikum hineinstellen.

**Pluspunkt** Tomaten liefern reichlich → **Lykopin,** das Weizenkeimöl gesunde Fettsäuren und Vitamin E.

## Ihr Trinkfahrplan

Mit reichlich Obst und Gemüse schaffen Sie 2–2½ l Flüssigkeit am Tag!

→ **Vor dem Frühstück** 1 Glas Mineralwasser mit 1 Schuss Zitronensaft oder Apfelessig trinken, das regt die oft träge Verdauung an (200 ml).

→ **Zum Frühstück** 1 Latte Macchiato (250 ml) oder Gewürz-Mandel-Kick mit 1 Tomate zum Brot (150 ml)

→ ½ l Ingwerwasser (s. Seite 13) kochen, in eine Thermoskanne füllen und über den **Vormittag** verteilt trinken.

→ **Zwischenmahlzeit** 2 Mandarinen oder 1 Schale Beeren (ca. 150 ml)

→ **Zum Mittagessen** 1 großes Glas Mineralwasser oder Kräuterwasser (300 ml), 1 Riesensalat (150 ml)

→ **Nachmittag** als Snack Molke (250 ml)

→ 1 Glas Roibuschtee (200 ml)

→ **Zum Abendessen** 1 Tasse Instant-Bouillon (250 ml)

→ **Zum Schlafengehen** 1 Apfel (100 ml)

## Alkoholfrei genießen

Alkoholfreies Bier bzw. Weißbier schmeckt gut und enthält sogar Folsäure. Spritzen Sie es mit Limo. Alkoholfreier Wein und Sekt enthalten dank schonender Herstellung gesundheitsfördernde → **Bioaktivstoffe** (Phenole) – schmecken aber eher wie Traubensaft. Auf Getränke wie Tonic oder Bitter Lemon sollten Sie verzichten, da → **Chinin** einen negativen Einfluss auf die Entwicklung des Babys haben kann. Ginger Ale ist eine gute Alternative. Bei Colagetränken koffeinfreie Varianten vorziehen. Alkoholfreie Cocktails lassen sich durch leckere Sirups wie Peffeminz-, Limetten- oder Blue-Curaçao-Sirup aufpeppen. Auch gut: Sanbitter oder ähnliche rote Bittersirups. Nicht vergessen: Gerade süße Getränke haben viele »leere« Kalorien: etwa 100 kcal pro 200 ml (1 Glas)!

## Power Müsli

gehaltvoll | stärkt die Nerven
**10 Min.**
*ca. 400 kcal*
*18 g Eiweiß · 12 g Fett · 56 g Kohlenhydrate*

**ZUTATEN FÜR
1 PORTION**

1 EL ungeschälte
Sesamsamen
½ Mango
150 g Naturjoghurt
(probiotisch, 1,5 %)
1–2 EL süßer
Sanddornsaft
1 EL neutrale Hefe-
flocken (Reformhaus)
1 EL Weizenkeime
3 EL Dinkelflocken
3–5 Stück Physalis

**ZUBEREITUNG**

**1.** Die Sesamsamen in einer trockenen
Pfanne rösten, bis sie duften. Mango
schälen und in Würfel schneiden.

**2.** Den Joghurt mit Sanddornsaft, Hefe-
und Weizenflocken cremig rühren,
mit Mango, Sesam und Dinkelflocken
mischen und mit Physalis dekorieren.

**Austausch-Tipps** Alle Obstsorten
sind möglich, außerdem gehackte
Walnüsse statt Sesam, Hafer- oder
Hirseflocken statt Dinkel, Honig oder
Agavendicksaft statt Sanddornsaft.

**Pluspunkt** Die Flocken sorgen für
B-Vitamine, Saft und Obst sind reich
an Vitamin C und Karotin, Weizenkeime liefern → essentielle Fettsäuren
und Vitamin E.

## Wake-me-up-Smoothie

gehaltvoll | einfach
**10 Min.**
*ca. 465 kcal*
*17 g Eiweiß · 16 g Fett · 61 g Kohlenhydrate*

**ZUTATEN FÜR
1 PORTION**

2–3 saftige Datteln
100 g TK-Himbeeren
250 g probiotischer
Joghurt
1 EL Weizenkeime
1 EL Mandelmus
(Reformhaus)
1 Prise Vanillepulver

**ZUBEREITUNG**

**1.** Die Datteln entsteinen und mit den gefrorenen Himbeeren, dem Joghurt und allen übrigen Zutaten im Mixer pürieren.

**2.** Den Smoothie in ein hohes Glas füllen, mit
Strohhalm trinken.

**Austausch-Tipp** Statt Himbeeren anderes
weiches Obst wie Mango, Pfirsich, Melone
nehmen, statt Datteln Rosinen.

**Pluspunkt** Für alle, die morgens noch keine
feste Nahrung zu sich nehmen können, ist der
Wake-me-up-Smoothie ideal. Der → probiotische Joghurt regt die Verdauung an. Himbeeren, Datteln und Mandeln liefern Eisen, Kalzium und Kalium. Weizenkeime versorgen Sie
mit Vitamin E.

# Basilikum-Oliven-Paste

vegetarisch | magenmild

**40 Min.**

*insgesamt ca. 570 kcal*
*16 g Eiweiß · 40 g Fett · 40 g Kohlenhydrate*

ZUTATEN FÜR
250 g AUFSTRICH

1 TL Olivenöl
40 g Bulgur
(Weizengrieß)
¼ l Hefebrühe (Instant)
75 g schwarze Oliven
1 Bio-Zitrone
1 Bund Basilikum
50 g gemahlene
Mandeln
Hefeflocken
Pfeffer

ZUBEREITUNG

**1.** Das Öl in einem Topf erhitzen, den Bulgur darin kurz andünsten, dann die Hefebrühe angießen und den Bulgur zugedeckt bei schwacher Hitze in 20–25 Min. ausquellen lassen.

**2.** Das Fruchtfleisch der Oliven vom Stein schneiden. Die Zitrone heiß abwaschen und die Schale fein abreiben. Basilikum
waschen, trockenschütteln und die Blätter von den Stielen
zupfen. Die Mandeln in einer beschichteten Pfanne ohne Fett
rösten, bis sie duften.

**3.** Oliven, Zitronenschale, Basilikum und Mandeln zum Bulgur geben und alles fein pürieren. Aufstrich mit Hefeflocken
und Pfeffer würzen und in ein gut schließendes Gefäß füllen.

**Tipp** Der Aufstrich hält sich im Kühlschrank etwa 1 Woche.

**Pluspunkt** Oliven enthalten wertvolle Fettsäuren und Eisen.
Basilikum wirkt magenberuhigend.

# Minz-Nektarinen mit Nusscreme

erfrischend | einfach

**25 Min. + 30 Min. Ziehen**

*ca. 380 kcal*
*13 g Eiweiß · 11 g Fett · 58 g Kohlenhydrate*

ZUTATEN FÜR
1 PORTION

3 EL Naturjoghurt
2 EL Quark
1 EL Honig
1 EL gehackte Walnüsse
2 frische Nektarinen
1 Stängel Minze
½ EL Zucker

ZUBEREITUNG

**1.** Joghurt, Quark und Honig cremig rühren. Nüsse in einer
trockenen Pfanne kurz anrösten, unterziehen.

**2.** Die Nektarinen waschen, halbieren und entkernen. Das
Fruchtfleisch in dünne Spalten schneiden und auf einem
großen Teller verteilen.

**3.** Die Minze waschen. Die Blättchen abzupfen und mit
dem Zucker im Mörser fein zerreiben, bis der Zucker ganz
grün ist. Zwei Drittel des Zuckers über den Nektarinen verteilen. Bei Zimmertemperatur 30 Min. ziehen lassen.

**4.** Die Nektarinen mit dem restlichen Minzezucker bestreuen
und mit der Creme servieren.

**Mehr draus machen** Besonders fein mit dem festen griechi-
schen Joghurt – dann Quark weglassen. Schmeckt auch toll
mit fertigem Nusseis.

**Pluspunkt** Minzöle übertragen sich auf den Zucker und
wecken die Lebensgeister.

## Den Morgen gut beginnen

In der Nacht verbraucht der Körper seine
Energiereserven. Deshalb sollten Sie, auch
wenn Ihnen morgens übel ist, nicht darauf
verzichten, ihm leicht verdauliche Kalorien
zu liefern, damit Ihr Blutzuckerspiegel ausgeglichen bleibt. Nehmen Sie noch im Bett
eine Kleinigkeit zu sich. Gegen Appetitlosig-
keit hilft es, sich das Frühstück von jemand
anderem (!) zubereiten zu lassen (s. Seite 13).
Beginnen Sie mit einem Getränk, ein paar
Weintrauben oder einer Knabberei. Legen
Sie später eine zweite, »richtige« Frühstücks-
pause ein.

Egal, ob Sie es morgens süß oder herzhaft
mögen, die leckeren Brotaufstriche auf Seite
88/89 versorgen Sie mit wichtigen Vitaminen
und Mineralstoffen, die Sie für den Tag brauchen. Bevorzugen Sie Vollkornbrot mit Saaten wie Leinsamen, Kürbis- und Sonnenblumenkernen oder Nüssen: Das enthält konzentrierte Nährstoffe, sodass auch eine kleine
Portion satt macht. Wer Müsli mag, kann
auf Seite 90/91 und 96/97 nachschlagen.

# Energie-Couscous

fürs Büro | macht satt
**15 Min.**
*ca. 500 kcal*
*22 g Eiweiß · 26 g Fett · 45 g Kohlenhydrate*

### ZUTATEN FÜR
### 1 PORTION

100 ml Gemüsebrühe
4 EL Instant-Couscous-
grieß (ca. 55 g)
1 rote Paprikaschote
1 Kästchen Kresse
75 g Feta-Käse
3–5 EL Zitronensaft
1 EL Rapsöl
Salz · Pfeffer

### ZUBEREITUNG

**1.** Die Gemüsebrühe aufkochen lassen. Den Topf vom Herd ziehen, Couscousgrieß einrühren und 5 Min. ausquellen lassen.

**2.** Inzwischen die Paprikaschote waschen, putzen und grob zerschneiden. Die Kresse waschen und vom Beet schneiden.

**3.** Paprika und Feta im Blitzhacker raspeln. Mit Kresse, Zitronensaft und dem Öl unter den Couscous ziehen, salzen und pfeffern.

**Praxis-Tipp** Am Vorabend den Couscous in kalter Brühe einweichen – er quillt auch so. Andere Zutaten auch vorbereiten, aber erst am Morgen untermischen.

**Pluspunkt** Kresse regt Magen und Organismus an, Paprika liefert Vitamin C, Feta Eiweiß und Couscous Kohlenhydrate.

# Tomaten-Brot-Salat

Resteverwertung | fürs Büro
**15 Min.**
*ca. 560 kcal*
*32 g Eiweiß · 31 g Fett · 39 g Kohlenhydrate*

### ZUTATEN FÜR
### 1 PORTION

1 Knoblauchzehe
2 Scheiben
altbackenes Brot
½ Salatgurke
4 Tomaten
1 Kugel Mozza-
rella (125 g)
1 Bund Basilikum
1 EL Olivenöl
½ EL Balsamessig
2 EL Kapern
Salz · Pfeffer

### ZUBEREITUNG

**1.** Den Knoblauch schälen und halbieren. Die Brotscheiben damit einreiben und würfeln.

**2.** Die Gurke waschen, längs vierteln, Kerne mit einem Löffel herauslösen und die Viertel in ½ cm dünne Scheiben schneiden. Die Tomaten waschen und in Achtel schneiden, dabei die grünen Stielansätze entfernen. Den Mozzarella würfeln. Das Basilikum waschen, trockenschütteln, die Blätter abzupfen.

**3.** Gurke, Tomaten, Mozzarella und Basilikum in einer Schüssel mit Öl, Essig und den Kapern mischen, salzen und pfeffern. Dann die Brotwürfel untermischen.

**Praxis-Tipp** Roggenbrot wird leicht etwas schmierig – am besten Weizen- oder Mischbrot nehmen.

**Pluspunkte** Tomaten liefern reichlich Folsäure und Zink. Die Milchsäure in den Kapern regt mild die Verdauung an.

# Wohltu-Suppe mit Schwarzwurzeln

*magenmild* | *sättigend*
**35 Min.**
*pro Portion ca. 285 kcal*
*9 g Eiweiß · 22 g Fett · 13 g Kohlenhydrate*

**ZUTATEN FÜR
2 PORTIONEN**

6 EL Zitronensaft
300 g Schwarzwurzeln
(s. Blitz-Idee)
1 kleine Zwiebel
1 EL Butter
½ l Gemüsebrühe
(Instant)
¼ l Milch
2 EL Crème fraîche
Salz · Pfeffer
Muskatnuss
Zucker
2 EL gehackte
Walnusskerne

**ZUBEREITUNG**

**1.** 4 EL Zitronensaft mit Wasser mischen. Die Schwarzwurzeln waschen, schälen (mit Haushaltshandschuhen) und in ca. 3 cm lange Stücke schneiden. Diese sofort ins Zitronenwasser legen. Die Zwiebel schälen und würfeln.

**2.** Die Butter in einem Topf erhitzen. Zwiebel darin glasig dünsten. Schwarzwurzeln kurz mitdünsten, die Brühe angießen und alles bei mittlerer Hitze ca. 15 Minuten köcheln lassen, bis die Schwarzwurzeln weich sind.

**3.** Mit Milch und Crème fraîche fein pürieren. Erhitzen, mit restlichem Zitronensaft, Salz, Pfeffer sowie je 1 Prise Muskat und Zucker abschmecken. Mit den Walnüssen bestreuen.

**Blitz-Idee** Schwarzwurzeln aus der Dose nehmen – das Inulin bleibt erhalten. Den Sud mitverwenden und die Brühe weglassen.

**Pluspunkte** Schwarzwurzeln haben einen hohen → Inulingehalt. Walnüsse sind zudem ideale Nervennahrung.

# Erbsen-Schaumsüppchen

*beruhigend* | *vegetarisch*
**20 Min.**
*pro Portion ca. 400 kcal*
*14 g Eiweiß · 28 g Fett · 22 g Kohlenhydrate*

**ZUTATEN FÜR
2 PORTIONEN**

1 kleine Zwiebel
1 kleiner Kopfsalat
1 EL Butter
300 g TK-Erbsen
100 ml Gemüsebrühe
(Instant)
einige Blätter Minze
weißer Balsamico-Essig
Salz · Pfeffer
100 g Sahne
1–2 EL Sesamsamen

**ZUBEREITUNG**

**1.** Die Zwiebel schälen und in Scheiben schneiden. Den Kopfsalat waschen, putzen und in Achtel schneiden.

**2.** Die Butter in einem Topf erhitzen, die Zwiebel darin glasig dünsten. Salat dazugeben und dünsten, bis er zusammenfällt.

**3.** Die Erbsen dazugeben und erhitzen, bis sie aufgetaut sind. Die Brühe und die Minze dazugeben, alles pürieren, nochmals erhitzen und mit Balsamico, Pfeffer und Salz würzen.

**4.** Die Sahne steif schlagen und unterziehen. Sesamsamen in einer trockenen Pfanne rösten und darüber streuen.

**Mehr draus machen** Statt Sesamsamen 150 g gewürfelten Kochschinken nehmen.

**Pluspunkt** Kopfsalat enthält beruhigende Bitterstoffe – gut zum Einschlafen. Erbsen, Sahne und Sesam liefern Eiweiß, Erbsen Lezithin für gute Nerven.

# Apfel-Leber-Sandwich

*eisenreich | anregend*
**20 Min.**
*ca. 510 kcal*
*24 g Eiweiß · 13 g Fett · 73 g Kohlenhydrate*

ZUTATEN FÜR
1 PORTION

75 g Putenleber
1 EL Mehl
1 kleine Zwiebel
1 roter Apfel
½ EL Öl
1–2 EL Apfelsaft
½ TL getrockneter
Thymian
Salz · Pfeffer
2 kleine Scheiben
Vollkornbrot
1 EL Meerrettich (Glas)
einige Salatblätter

ZUBEREITUNG

1. Putenleber mit Mehl bestäuben. Zwiebel schälen und klein würfeln. Äpfel waschen, vierteln, putzen, in dünne Spalten schneiden.

2. Das Öl in einer Pfanne erhitzen und die Zwiebel darin glasig dünsten. Die Leber kräftig anbraten. Die Äpfel einige Min. mitbraten, den Apfelsaft angießen und zu einer dicklichen Sauce einkochen. Mit Thymian, etwas Salz und Pfeffer würzen.

3. 1 Brotscheibe mit Meerrettich bestreichen. Salat waschen, gut trockenschütteln und darauflegen. Den Leber-Mix darauf verteilen und mit der zweiten Brotscheibe belegen.

**Praxis-Tipp** Putenleber gibt es meist tiefgefroren. Auch Hühnerleber aus Brathähnchen ist geeignet.

**Pluspunkt** Leber ist extrem eisenreich, enthält aber das fettlösliche Vitamin A, das der Körper speichern kann. Deshalb 1- bis 2-mal im Monat »auf Vorrat« essen, aber nicht zu viel auf einmal.

# Möhren-Ei-Sandwich

*abwehrstärkend | für schöne Haut*
**20 Min.**
*ca. 320 kcal*
*18 g Eiweiß · 13 g Fett · 34 g Kohlenhydrate*

ZUTATEN FÜR
1 PORTION

1 Ei
1–2 Blätter
Eisbergsalat
1 kleine Möhre
1 Stück Ingwer
2 EL Schnittlauch-
röllchen
1 TL schwarze
Sesamsamen
1 TL Borretschöl
(Reformhaus)
1 TL Senf
Salz · Pfeffer
1 Scheibe
Putenschinken
2 Scheiben
Leinsamenbrot

ZUBEREITUNG

1. Das Ei in etwa 7 Min. kernweich kochen, abschrecken. Salat und Möhre waschen, Möhre raspeln. Den Ingwer schälen und durch die Knoblauchpresse drücken.

2. Das Ei pellen und grob hacken, mit Möhrenraspeln, Ingwer, Schnittlauch, Öl, Sesam und dem Senf mischen. Salzen und pfeffern.

3. Beide Brotscheiben mit Eicreme bestreichen, mit Salat und Schinken belegen und zusammenklappen. Andrücken und in Frischhaltefolie packen.

**Austausch-Tipp** Statt Ei 100 g Thunfisch naturell verarbeiten. Zusätzlich 1 TL Kapern zufügen.

**Pluspunkt** Ingwer regt die Verdauung an und hemmt Übelkeitsgefühle. → Borretschöl enthält wertvolle → Gamma-Linolensäure. Schwarzkümmel stärkt das Immunsystem.

# Grapefruit-Schichtdessert

*gegen Süßhunger | sättigend*
**15 Min.**
*ca. 375 kcal*
*22 g Eiweiß · 7 g Fett · 58 g Kohlenhydrate*

ZUTATEN FÜR
1 PORTION

1 rosa Grapefruit
100 g Magerquark
100 g Joghurt
(3,5 % Fett)
1 TL Honig
2 EL Orangensaft
3 Stück Vollkorn-
zwieback
1 TL Schokostreusel

ZUBEREITUNG

1. Die Grapefruit bis auf das Fruchtfleisch schälen und halbieren. Fruchtfleisch aus den Häuten schneiden.

2. Quark und Joghurt mit Honig und Orangensaft verrühren. Zwiebäcke in einem Gefrierbeutel mit dem Nudelholz grob zerstoßen.

3. Alles in ein dicht schließendes Gefäß einschichten: Eine Schicht Zwieback auf den Boden geben, mit etwas Orangensaft beträufeln, mit der Quarkcreme bedecken und darauf einen Teil der Grapefruit verteilen. Den Rest in der gleichen Reihenfolge einschichten. Mit Schokostreuseln bestreuen und im Kühlschrank aufbewahren.

**Pluspunkt** Das Schichtdessert stillt den Süßhunger. Joghurt und Quark liefern wertvolles Kalzium. Das Vitamin C der Grapefruit stärkt das Immunsystem.

# Datteltarte

*für den Vorrat | gegen Süßhunger*
**25 Min. + 25 Min. Backen**
*pro Stück ca. 300 kcal*
*3 g Eiweiß · 12 g Fett · 46 g Kohlenhydrate*

ZUTATEN FÜR
1 TARTEFORM
(30 CM Ø,
12 STÜCK)

250 g saftige Datteln
250 g Mehl
2 EL Zucker
1 Päckchen Vanille-
zucker · Salz
1–2 EL saure Sahne
125 g kalte Butter
200 g Marzipan-
rohmasse
2–3 EL Zitronensaft
2 EL gehackte
Pistazienkerne
Butter für die Form

ZUBEREITUNG

1. Den Backofen auf 200° vorheizen. Die Form einfetten. Die Datteln aufschlitzen und entsteinen.

2. Mehl, Zucker, Vanillezucker und Salz mischen. Saure Sahne und Butter in Stücken dazugeben, zu einem glatten Teig kneten.

3. Den Teig zwischen zwei Stücken Frischhaltefolie rund ausrollen, in die Form legen und einen kleinen Rand hochziehen.

4. Die Marzipanrohmasse würfeln, zerdrücken und mit Zitronensaft verrühren. Auf den Teig geben und mit Datteln belegen. Die Tarte im Backofen (Mitte, Umluft 180°) 20–25 Min. backen. Mit Pistazien bestreuen.

**Pluspunkt** Datteln sind reich an Pantothensäure. Dieser Nährstoff macht vital und sorgt im Job für volle Konzentrationsfähigkeit.

## Vegetarische Universalsauce

ohne Milch und Ei
**35 Min.**
*pro Portion ca. 115 kcal*
*3 g Eiweiß · 8 g Fett · 7 g Kohlenhydrate*

ZUTATEN FÜR
6 PORTIONEN
250 g Möhren
250 g Knollensellerie
1 ½ EL Rapsöl
¾ l Tomatensaft
50 g schwarze Oliven
(ohne Stein)
50 g gemahlene
Mandeln
Salz · Pfeffer
Hefeflocken

ZUBEREITUNG

**1.** Das Gemüse waschen, schälen, putzen und grob raspeln.

**2.** Öl in einem Topf erhitzen, Gemüse darin bei mittlerer Hitze kurz andünsten. Tomatensaft angießen, aufkochen lassen und zugedeckt ca. 15 Min. garen.

**3.** Oliven klein schneiden. Mit den Mandeln kurz vor Ende der Garzeit unterrühren. Nochmal aufkochen, eventuell mit Wasser verdünnen und mit Salz, Pfeffer und Hefeflocken abschmecken.

**Das schmeckt dazu** Nudeln, Reis oder Kartoffeln. Wenn Sie Kapern mögen, mischen Sie noch ein kleines Glas unter.

**Pluspunkt** Sellerie enthält ätherische Öle, Oliven und Mandeln liefern wertvolle Fettsäuren und Eiweiß, Hefeflocken B-Vitamine.

## Universal-Ragout

eisenreich | gut verträglich
**40 Min.**
*pro Portion ca. 195 kcal*
*18 g Eiweiß · 11 g Fett · 5 g Kohlenhydrate*

ZUTATEN FÜR
4 PORTIONEN
250 g Möhren
200 g Staudensellerie
250 g Putenbrust
2 EL Rapsöl
300 ml Gemüsebrühe
½ Gurke
3–4 EL Schmand
2 EL Putenleberwurst
Salz · Pfeffer

ZUBEREITUNG

**1.** Das Gemüse waschen und schälen oder putzen. Mit der Putenbrust klein würfeln.

**2.** Das Öl in einem Topf erhitzen. Das Gemüse bei mittlerer Hitze kurz andünsten. Brühe angießen. Aufkochen lassen und zugedeckt ca. 20 Min. garen.

**3.** Die Gurke waschen, putzen und halbieren. Die Kerne mit einem Löffel auskratzen, Gurke klein würfeln. Kurz vor Ende der Garzeit Gurken und Fleisch dazugeben.

**4.** Schmand und Leberwurst unterrühren und aufkochen lassen. Mit Salz und Pfeffer abschmecken. Dazu schmecken Nudeln, Reis oder Kartoffeln.

**Pluspunkt** Pute und Leberwurst liefern wichtiges Eisen. Möhren enthalten Beta-Karotin. Staudensellerie versorgt Sie mit Folsäure und allen B-Vitaminen. Die B-Vitamine sind gut für die Nerven und sorgen zudem für gesunde Haut und Haare.

## Was Sie jetzt schon vorbereiten können

Die erste Zeit mit dem Baby wird turbulent, das Stillen kostet Kraft. Eine Ernährung mit hoher → Nährstoffdichte unterstützt Ihre Erholung, lässt die Milch fließen, steigert ihren Gehalt an wertvollen Fettsäuren und Vitaminen und gibt Ihnen Energie.

→ **Vorkochen und einfrieren** Die zwei Rezepte auf Seite 24 haben keine blähenden Zutaten und lassen sich gut portionsweise einfrieren. In der Mikrowelle sind sie im Nu heiß, während Sie die Beilage fertig machen (s. unten). Ebenfalls ideal zum Einfrieren: die Stillsuppe (s. Seite 41)

→ **Kräutertöpfe** Bepflanzen Sie Ihre Balkonkästen mit Kräutern. Gut in der Stillzeit: Petersilie (am besten glatte), Dill, Rosmarin, Thymian, Liebstöckel, Zitronenmelisse, Minze und Basilikum. Und fürs Abstillen Salbei

→ **Sprossen** Legen Sie sich Keimmischungen bereit und 1 oder 2 gelochte Schraubdeckel zum Ziehen der Keime. Dann können Sie frische Sprossen züchten, die einen extrem hohen Gehalt an Vitaminen und → Bioaktivstoffen haben. Vor dem Essen kurz in der Pfanne braten oder einfach erhitzen.

→ **Einmachen** Brotaufstriche (s. Seite 19, 89) helfen, den schnellen Hunger gesund zu stillen. Frische Minze, Lavendel oder Vanille in Honig oder Agavendicksaft einlegen für Tees.

→ **Getränkecheck** Gut, wenn Ihr Leitungswasser schmeckt und nicht aus alten Bleileitungen kommt (bei Altbauten beim Wasserwerk/Stadtwerke nachfragen). Sonst 2 Kästen schwach sprudelndes oder stilles Mineralwasser mit der Aufschrift »zur Babyernährung geeignet« einlagern. Und 6 Flaschen Saft – am besten milde Sorten. Außerdem Milchbildungstee (s. Seite 31), Ihre Lieblingstees ohne schwarzen oder grünen Tee, koffeinfreien Kaffee und/oder Getreidekaffee.

→ **Aus Reformhaus/Bioladen** Kaufen Sie gezielt für die Zeit danach ein: Hefeflocken und -brühe, Tees, Getreideprodukte und Brotaufstriche, Trockenfrüchte, Keimmixe, Nüsse, Samen, Essig und Öl.

→ **Tiefkühl-Heimdienst** Erkundigen Sie sich nach dem nächsten Heimdienst und legen Sie sich den aktuellen Katalog griffbereit.

→ **Lieferservice** Kennen Sie einen Lebensmittel-Händler, der frei Haus liefert? Testen Sie jetzt schon Qualität und Zuverlässigkeit.

### Proviant für die Klinik

Babys kommen gerne nachts und lassen sich Zeit. In Kliniken gibt's dann nichts Essbares. Nicht nur die Mutter – auch die Begleitung bekommt Kohldampf, wenn es länger dauert. Packen Sie also in Ihr berühmtes Köfferchen Studentenfutter – das liefert konzentrierte Energie und Nährstoffe. Außerdem Müsliriegel, Grissini und Mini-Salami – was Sie bzw. Ihr Partner gerne mögen. Dazu noch 2 Flaschen Wasser oder Saftschorle und Ihren Lieblingstee – eine Teeküche ist meist vorhanden. Haben Sie vor dem Aufbruch noch Zeit, richten Sie Obst wie Trauben, Banane oder Beeren her und Tee in der Thermoskanne.

### Vorratsliste für gesunde Lebensmittel

→ **Beilagen,** die fix fertig sind: Instant-Reis (natur, ohne Aroma), Couscousgrieß, Instant-Getreidegrütze, Mie-Nudeln, Haferflocken, Müslimix, Instant-Kartoffelpüree, Knäckebrot

→ **Konserven** Geschälte Tomaten, Maiskörner, grüne Bohnen, Kichererbsen, Thunfisch naturell, Ölsardinen, Pesto, Ajvar, Artischockenherzen, Oliven

→ **Tetrapak** H-Milch, H-Sahne, Schmand, Apfelmus, Tomatenpüree

→ **Getränke** Apfelsaft, Cranberrysaft, Teemischung (Milchbildungstee), Getreide-Instantkaffee, eventuell alkoholfreies Weizenbier, Wasser mit wenig Kohlensäure

→ **Gewürze und Saucen** Senf, Tomatenmark, Würz-Hefeflocken, Instant-Hefebrühe, Sojasauce, Fenchelsamen, Kümmel, Kreuzkümmel, Anis, Ingwer, Rapsöl, Olivenöl, Balsamico, Apfelessig

→ **Frischobst und -gemüse,** die sehr haltbar sind: Kartoffeln, Zwiebeln, Knoblauch, Kürbis, Apfel, Zitronen, Ananas, Melone und außerdem getrocknete Datteln

→ **Tiefkühlware** (ohne Gewürze und Aromen) Spinat, Erbsen (auch mit Möhren), Brokkoli, Pfannengemüse, Petersilie, Putenfilet naturell, Hühnerbeine, Schweinefilet, Lachs, Himbeeren

**Gratulation!** Sie haben Ihr Baby zur Welt gebracht und möchten mit dem Stillen beginnen. Nun brauchen Sie Hilfe von Familie oder Freunden. Denn im **Wochenbett** ist Schonung wichtig, damit sich Ihre **Milchmenge** auf den **Bedarf Ihres Babys** einpendelt, Sie sich erholen und auf den neuen Rhythmus einstellen.

**Stillen** kostet Kraft, tut aber Ihrem Körper gut und erleichtert Ihrem Kind den **Start ins Leben.** Der richtige Nährstoffmix baut Sie auf und lässt die Milch fließen. **Trinken** – und zwar das Richtige – ist sehr wichtig. Natürliche Rezepte helfen bei Alltagsproblemen. Wenn Sie **abstillen,** bringt unsere Diät Sie auf gesunde Art wieder **in Form.**

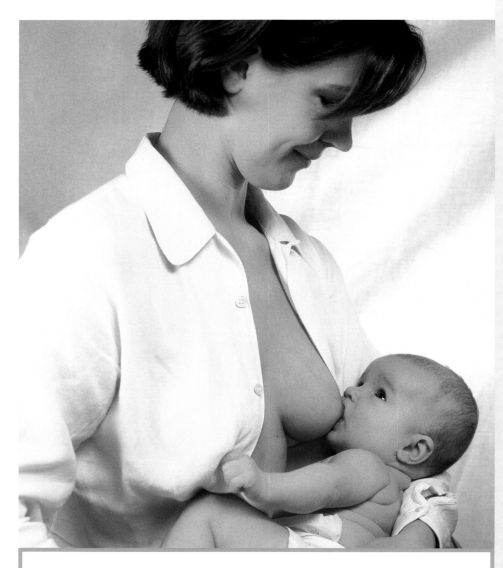

## Stillen tut Ihnen gut

Stillen sorgt dafür, dass Ihr Körper wieder in Form kommt: Das Hormon **Oxytocin,** das jedes Mal beim Saugen freigesetzt wird, lässt nicht nur die Milch einschießen, sondern regt auch die Gebärmutter zur Rückbildung an; sie zieht sich zusammen. Gleichzeitig baut Ihr Körper die Reserven ab, die er fürs Stillen angelegt hat – das Gewebe strafft sich. Stillen schafft Inseln der Ruhe und Intimität im Tagesablauf. Stellen Sie sich am Stillplatz etwas zu trinken hin – eine Thermoskanne mit Stilltee oder heißem Wasser. Und ein Schälchen gesundes »Stillfutter« – wenn Sie wieder mal nicht zum Essen gekommen sind.

## Das Wunder Muttermilch

Schon in der Schwangerschaft hat sich Ihre Brust aufs Stillen vorbereitet: Die Milchdrüsen sind gesprossen, Ihre Körbchengröße ist um mindestens zwei Nummern gewachsen. 2–5 Tage nach der Geburt beginnen die Milchdrüsen zu »produzieren«: Die Milch schießt ein, Ihre Brüste werden plötzlich schwer und hart. Gut, wenn Sie Ihr Kind bei sich haben: Häufiges Anlegen nimmt den Druck und die Spannung. Wenn nämlich die Brust zu prall ist, kann das Baby die Warze nicht mit seinem Mund umfassen. Durch den Saugreiz oder manchmal auch nur durch den bloßen Gedanken ans Baby werden das Hormon **Oxytocin** freigesetzt und der Milchflussreflex ausgelöst. Die Milch schießt zur Brustwarze und Ihr Baby kann nun trinken. Das Hormon **Prolaktin** wird beim Trinken ausgeschüttet und regt die Milchbildung selber an. Je öfter und länger Ihr Kind trinkt, desto mehr Prolaktin und entsprechend auch mehr Milch werden gebildet. Keine Säuglingsmilchnahrung erreicht diese individuelle Perfektion.

→ **Vormilch (Kollostrum)** Sie wird in den ersten Tagen nach der Geburt vor dem Einschuss gebildet – in sehr kleinen Mengen. Die Vormilch ist besonders wertvoll und reich an Mineralstoffen und Antikörpern, die Ihr Baby schützen. Auch wenn nur wenig Vormilch gebildet wird, wird Ihr Baby, wenn Sie es in den ersten Tagen häufiger anlegen, davon satt und braucht keine weitere Flüssigkeit.

→ **Übergangsmilch** 2–4 Tage nach der Geburt schießt sie ein. Sie enthält bereits mehr Fett und Milchzucker, aber weniger Eiweiß als die Vormilch. Die Milchmenge steigt.

→ **Reife Muttermilch** Sie fließt nach 2–3 Wochen und sieht weiß und fast wässrig aus. Sie enthält mehr Fett und Milchzucker, aber etwas weniger Eiweiß als in den Wochen davor. Der hohe Anteil an ungesättigten → Fettsäuren macht sie leicht verdaulich. Außerdem enthält die Muttermilch fettspaltende → Enzyme, die das Fett bereits vorverdauen. Die Fettsäuren Linol- und Arachidonsäure fördern die Gehirnentwicklung. → Immunglobuline schützen Ihr Baby vor Bakterien und Allergenen. Muttermilch enthält viel Milchzucker, der mit dem → Bifidus-Faktor für eine gesunde Darmflora und weichen Stuhl sorgt. Die Darmbakterien schützen zusätzlich vor Krankheitskeimen (s. Seite 30).

→ **Muttermilch ist flexibel** Sie passt sich an, im Sommer ist sie »dünner« und im Winter kalorienreicher. Die Milchmenge reagiert auf die Nachfrage, richtet sich also nach dem Hunger des Kindes. Ist Ihr Baby krank, wird Ihre Milch zur Medizin: Sie enthält dann bis zu fünfmal mehr Abwehrstoffe.

## Gut durchs Wochenbett

Die ersten 6 Wochen mit dem Baby haben Sie absolute Schonfrist! Ihr Körper macht eine hormonelle Karussellfahrt durch, und Sie schlafen viel zu wenig. Andererseits ist es die zauberhafte Zeit des Kennenlernens: Ihr Baby muss erst ankommen hier im Leben und in seiner Familie. Sie brauchen Ruhe, Unterstützung und Freiraum, damit Zusammenleben und Stillen gelingen.

→ **Hilfe organisieren** Versuchen Sie nicht, perfekt zu sein – junge Mütter brauchten schon immer Hilfe von älteren Frauen der Familie, Nachbarn oder Angestellten. Eine Hilfe im Haushalt erleichtert den Start und beugt Konflikten und Überforderung vor. Denken Sie nicht, ich bin ja zu Hause, das können wir uns sparen. Höchstens, wenn Ihr Mann das übernimmt.

→ **Besuche** Alle wollen das Baby sehen. Warten Sie damit, bis sich der Alltag eingespielt hat. Das Wochenbett ist für Besuche tabu. Danach können ja eine Freundin oder die Großeltern eine Begrüßungseinladung für Ihr Baby geben (s. Seite 151). Anrufbeantworter und Mailbox schützen vor zu viel Unruhe.

→ **Jeden Tag Gymnastik** Jetzt ist der Körper bereit, wieder in seine alte Form zu kommen. Nie ist Rückbildungsgymnastik so wirkungsvoll wie im Wochenbett. Besorgen Sie sich eine Rückbildungs-CD: Jeden Tag 15 Min. zu turnen bringt viel mehr als einmal in der Woche 1 Std. und ist einfacher durchzuhalten – am besten nach dem Stillen am Vormittag.

→ **Baby-Blues** Die Hormonumstellung der ersten Wochen, die Schlaflosigkeit und die neue Situation können zu deprimierter Stimmung führen: statt großem Glück das große Heulen. Kein Grund für schlechtes Gewissen – reden Sie darüber, denn das ist ganz normal. Sie brauchen Hilfe und Entlastung, viel Liebe und die Nähe Ihres Babys. Wenn sich der Blues nach 2–3 Wochen zur Depression verstärkt, unbedingt den Arzt kommen lassen.

→ **Einfach mal im Bett bleiben** Nicht umsonst heißt die Zeit Wochen-»bett«: Einige Tage im Bett können Sie ins Lot bringen und erleichtern den Stillstart. Die Rollen sind dann klar verteilt: Sie geben die Verantwortung für den Haushalt ab und lassen sich verwöhnen. Warten Sie nicht darauf, bis Ihr Mann Ihnen das anbietet – Sie müssen das schon selber einfordern.

### Mehr von allem!

Ihr Kalorienbedarf steigt um bis zu 600 kcal pro Tag. Ihr Nährstoffbedarf explodiert ebenfalls. Bei Mineralstoffen wie Kalzium, Magnesium und Eisen ist der Gehalt in der Muttermilch relativ konstant, sie werden aus Ihren Körperspeichern geholt. Mit Vitaminen und → Fettsäuren wird Ihr Baby nur ausreichend versorgt, wenn auch Sie gut versorgt sind (s. Kasten unten).

### Mehrbedarf an Nährstoffen und Vitaminen in der Stillzeit

|  |  |
|---|---|
| + 50 % | Vitamin C |
| + 33 % | Vitamin B$_{12}$ |
| + 58 % | Vitamin B$_6$ |
| + 50 % | Folsäure |
| + 30 % | Niacin |
| + 42 % | Vitamin E |
| + 33 % | Vitamin B$_2$ |
| + 40 % | Vitamin B$_1$ |
| + 88 % | Vitamin A |
| + 57 % | Zink |
| + 30 % | Jod |
| + 28 % | Phosphor |
| + 31 % | Eiweiß |
| + 27 % | Kalorien |
| + 16 % | Flüssigkeit |

10 %  20 %  30 %  40 %  50 %  60 %  70 %  80 %  90 %

Quelle: Deutsche Gesellschaft für Ernährung e. V. et al., 2000

## Was ist jetzt besonders wichtig?

→ **Omega-3-Fettsäuren** spielen eine zentrale Rolle in der Hirnentwicklung. Studien zeigen, dass viel Seefisch (Lachs, Thunfisch, Makrele, Hering) und Öle, die reich an Omega-3-Fettsäuren sind (Raps-, Walnussöl), im Essen der Mutter sich positiv auf den Gehalt in der Muttermilch und auf die Intelligenz des gestillten Babys auswirken. Japanische Kinder sind besonders klug …

→ **Wasserlösliche → Vitamine** können – bis auf Vitamin B$_{12}$ – nicht gespeichert werden. Ihr Gehalt in der Muttermilch ist deshalb von einer täglichen guten Versorgung abhängig. Das bedeutet: vielseitig essen und ursprüngliche, nicht so stark bearbeitete Lebensmittel bevorzugen: Vollkorn, Obst, Gemüse und Nüsse statt Fast Food und Knabberzeug.

→ **Mineralstoffe** Untersuchungen zeigen, dass Präparate wenig bringen. Wirkungsvoll sind Milch und Milchprodukte, Seefisch und dunkles Fleisch: Sie enthalten viel Kalzium, Zink und Eisen. Ein gutes Angebot über den Tag verteilt wirkt am besten. Wichtig: Einfluss auf den Selen- und Jodgehalt Ihrer Milch hat Ihre Versorgung. Essen Sie also Kokosnuss und Seefisch (s. Seite 175).

→ **Eiweiß** Tanken Sie nicht mit Fleisch, Wurst und Käse zugleich zu viel Fett. Vegetarier sollten viel Milchprodukte, Nüsse, Kerne und Vollkorn essen, um genug Eiweiß zu bekommen.

## Jetzt ist wieder viel erlaubt

Die gute Nachricht: Toxoplasmose, Listeriose und Salmonellen werden nicht über die Muttermilch übertragen. Rohmilch sollte aber weiterhin tabu sein, weil EHEC (s. alle Seite 15) damit übertragen werden können. Mit anderen Worten: Matjes, Räucherlachs, Sushi und Rohmilchkäse dürfen Sie wieder genießen. Und weil die → Omega-3-Fettsäuren in diesen Fischen konzentriert und sie »Fast Food« im besten Sinne sind, sollten Sie das auch tun. Und wenn Sie nach luftgetrockneter Salami oder Oliven lechzen – bitte sehr.

Wichtig ist nach wie vor Sauberkeit in der Küche (s. Seite 166/167). Denn von Mensch zu Mensch kann sich jeder anstecken – auch Ihr Baby. Übertreiben Sie es aber nicht mit der Hygiene: Normale Keime senken das Risiko, eine Allergie zu bekommen.

## Gut versorgt durch den Tag

Haben Sie »vor lauter Baby« keine Zeit mehr für das Alltags»geschäft«? Nur Mut – mit ein bisschen Organisation bekommen Sie das in den Griff: Legen Sie einen Vorrat an (s. Seite 42) und lernen Sie, regelmäßig den Speisezettel zu planen und die Einkäufe zu delegieren oder sich liefern zu lassen. So gesund ernährt, sind Sie wieder schneller auf dem Damm – eine ungesunde Ernährung mit zu wenig B-Vitaminen oder Zink kann nämlich den berühmten Babyblues zur Depression werden lassen. Die Rezepte aus der Schwangerschaft können Sie sich weiter gut schmecken lassen – sie haben eine besonders hohe → Nährstoffdichte.

→ **Morgens** 2 Scheiben Vollkornbrot dünn buttern, pikant mit Käse oder Ei oder süß mit Aprikosen-Mandel-Paste, mit Karibik-Butter (s. Seite 89) oder Quark mit Honig belegen. Dazu 2 große Becher Milch-Getreidekaffee trinken. Wer nur Tee trinkt, darf 1 Scheibe Brot mehr essen! Wenn Sie in Eile sind, machen Sie sich ein Power-Müsli (s. Seite 18) – das können Sie notfalls auch beim Stillen löffeln.

→ **Mittags** Das eingefrorene Ragout von Seite 24 mit 120 g Nudeln, 80 g Reis oder 300 g Kartoffeln essen. Oder eines der Vorratsgerichte von Seite 42/43. Im Prinzip sind alle Rezepte von Seite 102–115 (Mutter mit Kleinkind) jetzt für Sie allein geeignet, weil sie besonders mild sind und die Kinderportion Ihrem erhöhten Kalorienbedarf entspricht.

→ **Abends** Einmal am Tag Salat ist wichtig (s. Seite 38/39), weil die hitzeempfindlichen B-Vitamine darin erhalten bleiben und der Ballaststoffgehalt höher ist. Wenn die Zeit nicht reicht, mildes Gemüse roh essen: Gurke, Avocado, Tomate, rote Paprika und Kohlrabi sind gut geeignet. Dazu 50 g Räucherlachs und Pellkartoffeln oder 1 Scheibe Vollkornbrot. Oder ein Süppchen (s. Seite 21).

→ **Zwischendurch** Essen Sie auch zwischen den Mahlzeiten etwas Gutes – und zusätzlich vor dem Schlafengehen. Mindestens 2 Portionen Obst sollten das sein, ein Becher Joghurt oder Müsli oder ein großer Milchmix. Sorgen Sie für milde Vorräte: Melone, Apfel und Birne sind ideal.

## Trinken Sie reichlich vom Richtigen

3–5 Liter Flüssigkeit in 24 Stunden sollten es sein. Wer viel mehr trinkt, erreicht mitunter das Gegenteil: Die Milch kann dann zurückgehen. Und wichtig: Achten Sie auch auf die Kalorien.

→ **Tees ohne Koffein (Teein)** sind jetzt ideal: Roibusch, Lapacho, Verbenen sind besonders mild. Früchte-, Malven- und Hagebuttentees können zu säurereich sein. Kräuter- bzw. Stilltees enthalten starke natürliche Wirkstoffe: deshalb nicht mehr als 2–3 Tassen trinken. Mate, schwarzer, aromatisierter und grüner Tee enthalten Koffein, 2–3 Tassen am Tag sind aber erlaubt.

→ **Vorsicht mit Kaffee** Ihr Baby braucht 3 Tage, um Koffein abzubauen! Trinken Sie deshalb nicht mehr als 2–3 Tassen Kaffee, am besten direkt nach dem Stillen: Nach 3–5 Stunden hat Ihr Körper das Koffein abgebaut. Eine Alternative ist entkoffeinierter Kaffee oder Getreidekaffee.

→ **Milch und Joghurt** sind eher Zwischenmahlzeit als Getränk. Naturmolke (24 kcal/100 ml) oder Buttermilch (35 kcal/100 ml) sind besonders wertvoll.

→ **Säfte** am besten gespritzt trinken. Frisch gepresst ersetzt 1 Glas 1 Portion Obst bzw. Gemüse. Ein Entsafter kann dazu beitragen, dass Sie fit bleiben.

→ **Mineralwasser** enthält besonders viele Mineralstoffe. Bevorzugen Sie stilles Wasser.

## Was kann ich tun gegen ...?

**Zu wenig Milch** Genug zu trinken und häufig anzulegen ist am wichtigsten. Zusätzlich fördern Malzgetränke wie Malzkaffee, alkoholfreies Bier und Malzbier die Milchbildung. Gewürze wie Kümmel, Anis, Kreuzkümmel und Fenchel sollten ebenso wirken. → Hefe ist Vitamin-B-reich: Flocken, Instantbrühe und Aufstriche auf Hefebasis regen die Milchbildung an. Ebenso (Vollkorn-)Getreidespeisen wie Müsli, Graupen, Hirse, Grießbrei oder Milchreis. Nüsse und vor allem Mandeln tun ebenfalls gut (Mandel-Latte s. Seite 37). Auch Rosen-, Hamamelis- und Orangenblütenwasser. Wichtig: den Busen warm halten und kein Stress! Vorsicht: Sprudelndes Mineralwasser, Salbei und Pfefferminze sowie Alkohol hemmen die Milchbildung.

**Zu viel Milch** Ihre Brüste scheinen zu platzen, und Sie laufen bei jeder Gelegenheit aus? Bis sich nach den ersten zwei Wochen die Milchmenge auf die Nachfrage eingestellt hat, sollten Sie nicht versuchen, das zu verhindern. Danach helfen kühle Umschläge, weniger Trinken und Salbei sowie Minze. Vor allem aber sollten Sie nicht die Milch ausstreichen, das regt die Produktion weiter an.

**Verstopfung** Viel Platz im Bauchraum und die Hormonumstellung führen häufig zur Verstopfung. Das kann recht unangenehm sein, wenn Sie einen Dammschnitt hatten. Hier gelten dieselben Hilfen wie während der Schwangerschaft (s. Seite 13). Doch Sie können die Verdauung kräftiger anregen – das tut der Rückbildung gut.

**Kraftlosigkeit** ist normal, kann aber durch schlechte Ernährung verstärkt werden. Essen Sie im Sommer Spinat – im Winter Feldsalat. Trinken Sie Instant-Hefebrühe mit 1 verquirlten Eigelb. Schlafen Sie, wann immer möglich und atmen Sie tief und bewusst. Bewegen Sie sich täglich an der frischen Luft.

**Brustentzündung** Wenn Ihr Baby mit dem Trinken nicht nachkommt, kann es zum Milchstau kommen und dann zur schmerzhaften Entzündung (s. auch Seite 34). Wichtig: Stillen Sie weiter, aber kürzer und häufiger und machen Sie Umschläge mit Quark, essigsaurer Tonerde oder Frauenmantel-Tee mit Honig.

**Haarausfall** wird beim Abstillen erst richtig stark. Viel Biotin, Eiweiß und → Kieselsäure tun den Haaren gut. Und keine Sorge: Sie wachsen wieder in alter Pracht nach.

## Rezepte, die helfen

→ **Milchbildungstee** Je 50 g Kreuzkümmel, Anis und Kümmel (Apotheke) mit dem Mörser anstoßen und mit 100 g Verbenen- (Eisenkraut) oder Himbeerblättern mischen. Je 1 TL mit ¼ l kochendem Wasser aufgießen, 8 Min. ziehen lassen und absieben. Pro Tag nicht mehr als ½ l Tee trinken.

→ **Barley-Water** Für 1 l »Gerstenwasser« 1 l Wasser mit 40 g Gerstenschrot mischen und zugedeckt bei schwacher Hitze 30 Min. kochen, dann durch ein feines Sieb gießen und mit dem frisch gepressten Saft von 1 Orange mischen. Milder: mit 2–3 EL Holunderblütensirup oder Orangenblütenwasser abschmecken. Wirkt auch kalt.

→ **Abstilltee** Pro Tasse 1 TL getrocknete Salbeiblätter mit 200 ml kochendem Wasser aufgießen, 8 Min. ziehen lassen und mit 1 TL Honig süßen.

→ **Frischer Minztee** Das Rezept finden Sie auf Seite 37. Noch einfacher: Minzblätter wie im Praxis-Tipp auf Vorrat in Honig einlegen und bei Bedarf aufgießen.

→ **Molke-Mix** ¼ l Naturmolke mit 3–4 EL Milchzucker und 1 Tasse TK-Himbeeren mixen, 1 EL gelbe Leinsamen zugeben.

→ **Apfelessig** Je 1 TL Apfelessig und 1 TL Honig mit 1 Glas Wasser verquirlen. In kleinen Schlucken trinken.

→ **Hummus** Kichererbsen und Sesam sind reich an Folsäure, Eisen und Zink. 1 kleine Dose Kichererbsen (400 g) abgießen und mit 5 EL Sesampaste (Tahin), 1 geschälten Knoblauchzehe, 150 g Joghurt, 1 TL Kreuzkümmel, Salz und Pfeffer pürieren. Als Aufstrich oder Dip verwenden. Hält im Kühlschrank 1 Woche.

→ **Anti-Entzündungssuppe** 1 Suppenhuhn mit 2 Rosmarin- und 3 Thymianzweigen, 4 Zwiebeln, 4 Knoblauchzehen und Salz mit 1 ½ l Wasser im Schnellkochtopf 1 Std. kochen. Die Brühe absieben und portionsweise in Schlückchen trinken.

→ **Makronen** 2 Eigelbe mit 80 g Vollrohrzucker cremig rühren, 2 Eiweiße zu Schnee schlagen, 100 g gemahlene Haselnüsse, 1 TL Kakaopulver, etwas Zimt und 50 g Hirseflocken unterrühren. Häufchen aufs Blech setzen. Bei 160° (Mitte) ca. 20 Min. backen.

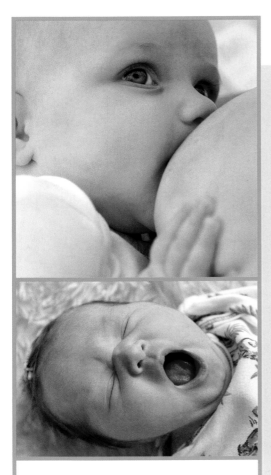

Wenn Ihr Baby trinkt, schüttet Ihr Körper das Hormon Prolaktin (s. Seite 28) aus. Das regt die Milchbildung an. Bei Wachstumsschüben wird Ihr Kind häufiger hungrig sein. Wenn Sie es entsprechend öfter stillen, steigt Ihre Milchproduktion an – bis es wieder passt.

*Gerade zarte Babys verschlafen gerne die Mahlzeit. Sie sind noch zu schwach, um lange zu saugen – und müssen gepäppelt werden. In den ersten Wochen deshalb kleine »Schlafmützen« alle 3 Stunden zum Füttern sanft wecken, bis sie vitaler und stabiler sind.*

## Warum Muttermilch Ihrem Baby gut tut

Kaum ein »Lebensmittel« ist so gut untersucht wie Muttermilch: Die Forschung bemüht sich, einen künstlichen Ersatz dafür zu schaffen. So ist Säuglingsmilchnahrung heute schon in hohem Maße dem Original angepasst. Trotzdem kann sie nie seine Qualität für das einzelne Kind erreichen. Denn die Muttermilch ist nicht nur in ihrer Nährstoffkombination auf den menschlichen Säugling zugeschnitten. Sie spiegelt auch den Lebensstil der Mutter wider. Was sie isst, findet sich in ihrer Milch. So schmecken indische Babys sicher etwas ganz anderes als europäische. Wenn Sie sich mit Keimen auseinandersetzen, finden sich die Abwehrstoffe auch in Ihrer Milch – und schützen so das Baby. Ganz praktisch aber bringt das Stillen Ruhe und Beständigkeit in die Beziehung von Mutter und Kind. Und das ist vielleicht am wichtigsten in unserer hektischen, mobilen Zeit.

Doch hier die erwiesenen gesundheitlichen Vorteile:

### → Leicht verdaulich
Das vorherrschende Eiweiß in Muttermilch ist Molkeneiweiß, das bei der Verdauung bereits im Magen eher locker gerinnt und deshalb leicht zu verdauen ist. Dagegen enthält Muttermilch nur halb so viel → Casein wie Kuhmilch; das gerinnt sehr kompakt und liegt schwer im Magen. Außerdem enthält Muttermilch → Enzyme, die bei der Verdauung der Nährstoffe helfen, weil das Baby davon selber noch nicht genug bildet. Schließlich enthält sie Hormone, die zur Reifung der Darmschleimhaut beitragen.

### → Stärkt die Abwehrkräfte
Ein vielfältiger Cocktail von Inhaltsstoffen schützt (fast immer) das Baby vor Krankheiten. Gestillte Babys sind seltener krank als Flaschenkinder: → Immunglobulin A schützt das Baby aktiv und trainiert gleichzeitig sein Immunsystem. Lymphozyten wehren Erreger ab. → Laktoferrin aus Muttermilch gelangt sogar in Blutbahn, Niere und Harnblase und tötet dort Keime ab. Mehrfachzucker legen sich auf die Darmschleimhaut und verhindern dort die Ansiedlung von Krankheitskeimen. Der → Bifidus-Faktor sorgt für eine gesunde Darmflora.

### → Fördert die Verdauung
Muttermilch enthält vorwiegend Milchzucker, → Laktose, und schmeckt deshalb süßer als Kuhmilch. Laktose wird vor allem im Dünndarm verdaut und zieht dabei Wasser in den Darm. Dadurch haben Stillbabys einen weichen Stuhl und leiden nie unter Verstopfung. Außerdem liefert Muttermilch → Enzyme, die Fett und Kohlenhydrate verdauen.

### → Schont die Nieren
Muttermilch enthält weniger Eiweiß und Mineralstoffe als Kuhmilch. Dadurch müssen die Nieren des Babys weniger Filterarbeit leisten. Trotzdem kann es genug Mineralstoffe und Eiweißbausteine aufnehmen, weil sie in gut verwertbarer Form vorliegen.

### → Macht schlau
Die Mischung aus → mehrfach ungesättigten Fettsäuren scheint die Gehirnreifung positiv zu beeinflussen. Der hohe Gehalt von → Omega-3-Fettsäuren in der Nahrung der Mutter wirkt sich positiv auf die Intelligenz des Kindes aus.

### → Anpassungsfähig
Wenn Ihr Kind krank ist, bilden sich in Ihrer Milch Abwehrstoffe gegen die Erreger.

### → Beugt Übergewicht, Diabetes Typ 1 und → Morbus Crohn vor
Auch hier sind die Ursachen ein Rätsel. Doch tatsächlich bekommen gestillte Kinder diese Krankheiten seltener als Flaschenkinder. Beim Übergewicht wird als Ursache vermutet, dass Muttermilch den Blutzuckerspiegel weniger steil ansteigen lässt. Und dass beim Stillen eine Überfütterung kaum möglich ist.

### → Trainiert den Geschmack
Muttermilch schmeckt jeden Tag anders – je nachdem, was die Mutter gegessen hat. Das führt dazu, dass gestillte Babys experimentierfreudiger sind, wenn es darum geht, etwas Neues zu probieren. Das kann später die Grundlage einer vielseitigen Ernährung sein.

### → Ist immer steril
Substanzen in der Muttermilch vermeiden, dass sich Keime entwickeln – zumindest, solange sie »gut verpackt« in der Brust ist.

## Vorsicht – Baby isst mit

Es gibt eine Menge Vorschriften, was eine stillende Mutter alles nicht essen sollte, damit ihr Baby keine Blähungen hat, nicht schreit, keine Pickel bekommt und überhaupt perfekt ist. Vergessen Sie diese Regeln – solch ein Kind gibt es nicht. Natürlich bekommt Ihr Kind alles mit, was Sie essen. Das macht es fit fürs Leben. Es gibt einige wenige Lebensmittel, die gerade in den ersten Stillwochen Ihrem Kind zu schaffen machen – sein Verdauungssystem muss ja erst reif werden. Probieren Sie aus, ob Weglassen etwas bringt. Manchmal hilft auch, weniger davon zu essen. Probieren Sie es nach 2 Wochen wieder: Ihr Baby wird täglich stabiler.

→ Was bei Ihnen **Blähungen** verursacht, kann in seltenen Fällen auch Ihr Kind quälen. Verdächtig sind derbe Kohlsorten, Milch (außer gesäuerten Milchprodukten und Käse), Zwiebeln, Knoblauch und Lauch – vor allem roh –, Hülsenfrüchte, frisch Gebackenes, rohes Steinobst. Probieren Sie aus, ob Weglassen etwas ändert.

→ **Wund werden** Obst mit viel **Fruchtsäure** kann das im Einzelfall auslösen: Zitrusfrüchte, Ananas, Kiwi, Johannis- oder Stachelbeeren, aber auch Früchtetee oder saures Gemüse wie Tomaten. Ebenso können Zwiebeln und scharfe Gewürze wie Chili, Pfeffer, Curry oder Meerrettich die Ursache sein, aber auch Schokolade.

→ **Unruhe** Koffein (s. Seite 30) in Kaffee, Tee und Cola reichert sich im Blut des Kindes an. Verstärkt wird der Effekt durch Alkohol. Auch → Theobromin in Schokolade kann Ihrem Kind den Schlaf rauben. Am besten weglassen, wenn es keine Ruhe findet. Oder direkt nach dem Stillen in kleinen Mengen genießen.

→ **Ablehnung** Treiben Sie vor dem Stillen intensiv Sport, kann das Ihre Milch säuerlich machen. Intensiv schmeckende Lebensmittel, die reich an ätherischen Ölen sind, wie Knoblauch, Zwiebeln und Gewürze, können Ihrem Kind die Milch ebenfalls verleiden. Am besten, Sie essen so wie in der Schwangerschaft, das ist Ihr Kind gewöhnt. Bedenken Sie auch, dass duftende Körperpflege Ihrem Kind nicht schmecken könnte.

### Allergene in Muttermilch?

Eiweißmoleküle geraten über die Muttermilch in den Verdauungstrakt des Babys. So kommt es mit fremden Proteinen von Kuhmilch, Fisch oder Nüssen in Kontakt. Doch Allergologen empfehlen Stillenden heute keine »Diät« – die Gefahr von Mangelernährung ist zu groß, der Nutzen unsicher. Nur, wenn der Kinderarzt mit einer Blutuntersuchung beim Baby eine allergische Erkrankung festgestellt hat, sollten über die Ernährung der Mutter die verdächtigen Allergene getestet werden (s. Seite 15 und 54). Ist das Ergebnis positiv, wäre eine → Ernährungsberatung sinnvoll.

## Gutes fürs Baby durch die Muttermilch

Tun Sie Ihrem Kind Gutes – über Ihre eigene Ernährung. Denn nicht nur negativ wirkende Substanzen geben Sie mit der Milch weiter – auch positive.

→ **Gegen Blähungen** Kräuter und Gewürze, die gegen Blähungen wirken und die Verdauung anregen, helfen auch Ihrem Kind. Mit ihnen wurde immer schon das Essen verträglicher gemacht. Die wirksamen Substanzen haben stets auch medizinische Wirkung. So kamen z. B. → Fenchelsamen und → Zimt in die Diskussion. Über Ihre Milch kann die Konzentration aber nie so hoch werden, dass Nachteile befürchtet werden müssen. Dill, Basilikum, Kerbel, Koriandergrün, Majoran und Zitronenmelisse wirken alle gegen Blähungen, Basilikum und Dill regen zudem die Milchbildung an. Bei den Gewürzen sind es Anis, Fenchel, Ingwer, Kardamom, Koriander, Kümmel, Kreuzkümmel, Kurkuma, edelsüßes Paprika, Sternanis und Zimt. Milchbildend sind davon Anis, Fenchel, Kümmel, Kreuzkümmel – und darüber hinaus Bockshornklee.

→ **Beruhigend** Lavendel, Melisse, Pomeranze (Bitterorange in Marmelade und Orangeat) und Eisenkraut enthalten beruhigende Substanzen, die nicht nur Ihren Nerven gut tun, sondern auch Ihr Kind beruhigen. Vollkorn, vor allem Gerste und Hafer sowie Reis haben indirekt einen ähnlichen Effekt.

## Stillen im Alltag – (K)ein Problem

Die Zeiten, in denen eine Mutter isoliert zu Hause sitzen musste, sind vorbei. In den ersten 6–10 Wochen tut Ruhe gut und hilft Ihrem Baby, sich im Leben zurechtzufinden. Für ein erfolgreiches Stillen ist dieser behütete Anfang wichtig. Doch spätestens nach dem 1. Vierteljahr, wenn sich Still- und Baby-Alltag eingespielt haben, wächst das Bedürfnis nach Gesellschaft, Austausch und Öffentlichkeit. So finden sich in Zentren und öffentlichen Gebäuden zunehmend Wickelgelegenheiten und ein ruhiges Plätzchen zum Stillen. Viele Mütter steigen auch wieder in den Beruf ein. Das muss nicht den Ausstieg aus dem Stillen bedeuten (s. Seite 35). Die Technik ermöglicht Ihnen, Ihrem Kind weiter Muttermilch zu geben und so eine enge Verbindung selbst über räumliche Distanz zu schaffen.

## Probleme zwischendurch

Nicht immer ist die Stillzeit unkompliziert. Bei vielen Problemen brauchen Sie professionelle Hilfe. 10 Hausbesuche durch eine Hebamme stehen Ihnen zu – auf Verordnung auch mehr. Zusätzlich können Sie sich an eine Stillberaterin wenden – am besten über eine → Stillgruppe.

→ **Wenn die Milch zurückgeht** Stress, zu viel Besuch, zu wenig und nachlässiges Essen, Kummer, zu wenig Trinken und zu lange Trinkpausen können Ihre Stillbeziehung aus dem Takt bringen. Ihr Baby verschläft Mahlzeiten, die Milch geht zurück. Oder es hat einen Wachstumsschub. Legen Sie zwei Babytage ein, sagen Sie alles andere ab und nehmen sich nur Zeit für sich und Ihr Kind. Lassen Sie sich mit der Stillsuppe (s. Seite 41) bekochen, ruhen Sie sich aus und widmen Sie sich dem Kind, dann wird alles gut (s. Seite 31).

→ **Probleme mit den Brustwarzen** Gerade am Anfang sind die Warzen noch empfindlich und das Baby saugt vielleicht vorne noch zu stark. Wenn die Warzen erst wund sind, tut's weh. Hier helfen viel frische Luft, Sonne, Muttermilch oder Johanniskrautöl beim Heilen. Lassen Sie sich unbedingt von einer Stillberaterin helfen, geben Sie nicht auf.

→ **Brustdrüsenentzündung** Sie wird durch Milchstau ausgelöst. (Man merkt's an harten Stellen, Druckempfindlichkeit, Rötung, Wärme und manchmal Fieber.) Die beste Vorbeugung: beim Stillen feste Stellen ausstreichen, damit das Baby alles leer trinkt. Setzen sich harte Stellen fest, warme Umschläge machen und versuchen, überschüssige Milch über dem Waschbecken schonend auszustreichen. Ist die Entzündung ausgebrochen, unbedingt die Brust leeren – notfalls abpumpen und mit der Flasche füttern: Die Milch ist für Ihr Kind keinesfalls schädlich. Mehr Tipps auf Seite 31. Auf keinen Fall abstillen – das verstärkt die Entzündung. Bei Medikamenteneinsatz mit dem Arzt besprechen, ob das Baby trinken darf. Sonst abpumpen, die Milch wegwerfen und die Zeit mit Säuglingsmilchnahrung überbrücken.

→ **Wenn das Baby krank wird** Bei allen leichten Erkrankungen ist klar: Weiterstillen ist die beste Medizin. Das gilt auch für Magen-Darm-Infekte mit Durchfall. Sie erfordern ein häufiges Anlegen, weil Ihr Baby besonders viel Flüssigkeit braucht. Die Milch passt sich automatisch an die Bedürfnisse des kranken Kindes an, wird dünner und enthält mehr Abwehrstoffe. Muss Ihr Kind ins Krankenhaus und können Sie nicht ständig dort sein, sind Abpumpen und Hinbringen die beste Lösung. Eine Umstellung auf Säuglingsmilchnahrung wäre eine starke Belastung für Ihr Baby, während die Muttermilch seine Genesung unterstützt.

## Tipps, damit Ihr Baby gut gedeiht

Stillen ist das Natürlichste von der Welt. Aber modernen Frauen fehlt oft das Vertrauen in den eigenen Instinkt. Hier ein paar hilfreiche Tipps.

→ **Stillen nach Bedarf** Bis Ihr Baby kräftig ist und sich das Stillen eingespielt hat, sollten die Abstände nicht größer als 2–3 Stunden sein. Versuchen Sie nicht vor dem 4. Monat, Ihr Kind zu festen Trinkzeiten zu erziehen.

→ **Rooming-in zu Hause** Im 1. Vierteljahr braucht Ihr Baby wahrscheinlich auch nachts eine Mahlzeit. Lassen Sie es solange bei sich im Zimmer – ob im Stubenwagen oder Ihrem Bett spielt keine Rolle.

→ **Genug getrunken?** Wenn die Windel 6-mal in 24 Stunden nass ist und in den ersten 4 Wochen 2- bis 5-mal täglich, später auch in Abständen von mehreren Tagen ein großes Geschäft drin ist, dann stimmt die Ernährung. Die Zunahme kontrolliert der Kinderarzt bei den Vorsorgeuntersuchungen. Dabei sind Gewicht und Wachstum von Stillkindern erst größer, dann geringer als bei Flaschenkindern. Das gleicht sich im 2. Lebensjahr aus.

→ **Richtig trinken** Ihr Kind sollte eine Brust völlig leer trinken, denn zum Schluss hat die Milch einen viel höheren Fettgehalt, der Ihr Baby satt macht. Außerdem signalisieren zwei halb geleerte Brüste eine Überproduktion – die Milchmenge geht zurück. Ist die eine Brust leer, dann ist die andere dran.

→ **Keine Flasche** Ein gestilltes Kind braucht weder Tee noch Wasser: Bei heißem Wetter wird Ihre Milch automatisch dünner, und Sie müssen Ihr Kind einfach öfter anlegen. Die Flasche kann zu einer »Stillverwirrung« führen und Ihr Kind hat danach Schwierigkeiten, an der Brust zu trinken.

→ **Wachstumsschübe** Mit etwa 3 und 6 Wochen und mit 3 und 6 Monaten steigt der Kalorienbedarf heftig an – dann meldet sich Ihr Baby öfter. Verkürzen Sie die Stillabstände: Ihre Milchmenge wird sich nach kurzer Zeit auf das höhere Niveau eingestellt haben. Ab 6. Monat ist Beikost dran.

→ **Bitte wecken** Zarte oder frühgeborene Babys verschlafen oft eine Mahlzeit. Gerade so ein Kind muss gepäppelt werden: Wecken Sie es nach spätestens 3 Stunden. Verlassen Sie sich nicht darauf, dass es sich meldet: Ein schwaches Baby schläft viel, schreit wenig und wird beim Trinken müde.

### Stillen gegen Neugeborenen-Gelbsucht!

Ihr Baby braucht für sein Leben außerhalb des Uterus weniger rote Blutkörperchen. Sie werden abgebaut und ausgeschieden – das führt zur Neugeborenen-Gelbsucht. Durch häufiges Anlegen – 8- bis 12-mal innerhalb der ersten 24 Stunden und in den folgenden Tagen – wird dieser Abbau erleichtert. Gleichzeitig mildert das den Milcheinschuss. Lassen Sie sich Ihr Kind nach der Geburt und nachts nicht wegnehmen!

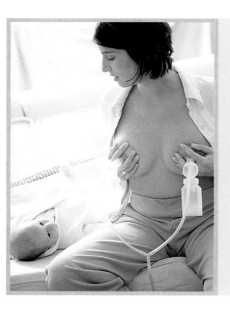

## Muttermilch für den Vorrat

Es gibt viele Gründe, Muttermilch abzupumpen. Das kann eine Erkrankung der Mutter oder des Kindes sein – oder ganz einfach eine Trennung von ein paar Stunden.

→ **Die Pumpe für die Muttermilch** Apotheken verleihen sie – sogar auf Rezept. Pumpenset und Flasche können bei 65° in der Geschirrspülmaschine gewaschen werden.

→ **Muttermilch aufbewahren** Muttermilch muss zwischen 4° und 6° (Kühlschrank) aufbewahrt und innerhalb von 72 Stunden verbraucht werden. Am besten gleich in sterile Fläschchen abfüllen. Ist absehbar, dass sie länger gelagert wird, sollte sie tiefgefroren werden – am besten in speziellen kleinen Beuteln (Apotheke). Bei -18° ist sie dann mindestens 3 Monate haltbar.

→ **Muttermilch aufwärmen** Tiefgefrorene Milch sollte bei Zimmertemperatur oder im Kühlschrank auftauen. Dann am besten in eine Flasche umfüllen. Ebenso wie die nur gekühlte Milch im Flaschenwärmer auf 25–35° erwärmen. Auf keinen Fall aufkochen, weil das die wertvollen Inhaltsstoffe zerstören würde (s. Seite 28). Die Milch nicht länger als 30 Min. warm halten. Reste auf keinen Fall wieder aufwärmen.

# Frischer Pfefferminztee

anregend | krampflösend
**10 Min.**
*ca. 45 kcal*
*0 g Eiweiß · 0 g Fett · 10 g Kohlenhydrate*

ZUTATEN FÜR
1 GLAS
1–2 frische
Pfefferminzblätter
Agavendicksaft

**ZUBEREITUNG**

**1.** Die Pfefferminze gründlich waschen und in ein hitzefestes Glas geben.

**2.** Wasser zum Kochen bringen und über die Pfefferminze gießen. 5–6 Min. ziehen lassen und nach Bedarf mit etwas Dicksaft süßen.

**Praxis-Tipp** Frische Minze als Vorrat in Agavendicksaft einlegen. So bleibt sie 2–3 Wochen frisch. Klappt auch mit Honig und Lavendel, Zitronenmelisse, Rosmarin.

**Pluspunkt** Pfefferminze regt den Gallefluss an und wirkt krampflösend im Unterleib. Frisches Kraut ist besonders wirkungsvoll.

# Power-Aprikosen-Shake

regt die Verdauung an | eisenreich
**10 Min.**
*ca. 185 kcal*
*6 g Eiweiß · 1 g Fett · 35 g Kohlenhydrate*

ZUTATEN FÜR
1 GLAS
30 g getrocknete
Soft-Aprikosen
1 EL Weizenkeime
200 ml Molke
1–2 TL Honig

**ZUBEREITUNG**

**1.** Die Aprikosen unter heißem Wasser abwaschen und anschließend in kleine Würfel schneiden. Die Aprikosenstücke mit den Weizenkeimen und 100 ml Molke im Mixer fein pürieren.

**2.** Anschließend den Honig und die restliche Molke dazugeben und alles noch einmal gut durchmixen.

**Praxis-Tipp** Honig lässt sich mit Vanillestangen, Orangen- oder Zitronenschale aromatisieren. Mindestens 2 Wochen ziehen lassen.

**Pluspunkt** Weizenkeime und Honig kurbeln die Milchbildung an. Getrocknete Aprikosen enthalten wertvolle Ballaststoffe, die mit der Molke der Verdauung gut tun.

# Mandel-Latte

milchbildend | beruhigend
**5 Min.**
*ca. 105 kcal*
*4 g Eiweiß · 3 g Fett · 16 g Kohlenhydrate*

ZUTATEN FÜR
1 GLAS
1 EL Marzipan-
Rohmasse (10 g)
1–2 EL Instant-
Getreidekaffee
100 ml fettarme
Milch (1,5 % Fett)
gemahlener Macis
(Muskatblüte)

**ZUBEREITUNG**

**1.** Das Marzipan in Flöckchen zerkleinern und in ein hitzefestes Glas geben. Mit 100 ml kochendem Wasser überbrühen und den Getreide-Kaffee unterrühren.

**2.** Die Milch erhitzen und mit dem Schneebesen aufschäumen. Den Milchschaum auf den Kaffee geben und mit 1 Prise Macis bestäuben.

**Pluspunkt** Marzipan liefert gesunde Süße und unterstützt mit Malzkaffee die Milchbildung.

**Info** Getreidekaffee enthält Zichorie, deren Bitterstoffe die Verdauungsorgane stärken. Der süßliche Geschmack kommt von angekeimter, gerösteter Gerste, die milchbildend wirkt. Malzkaffee enthält wie Bohnenkaffee durch den Röstvorgang → Acrylamid. Literweise sollten Sie ihn deshalb nicht trinken.

# Spritziger Melissen-Mix

anregend | aufheiternd
**5 Min.**
*ca. 55 kcal*
*1 g Eiweiß · 0 g Fett · 12 g Kohlenhydrate*

ZUTATEN FÜR
1 GLAS
2 Stängel
Zitronenmelisse
100 ml Möhrensaft
10 ml Grenadinesirup
Limettensaft
Mineralwasser
Eiswürfel
1 Stück Limette
nach Belieben

**ZUBEREITUNG**

**1.** Die Zitronenmelisse gründlich waschen, die Blättchen abzupfen, mit Möhrensaft, Grenadine und 1 Spritzer Limettensaft in einen Mixer geben und sehr fein pürieren.

**2.** Nach Wunsch Eiswürfel in ein Glas geben, Melissen-Mix darüber gießen und mit Mineralwasser auffüllen. Eventuell 1 Stückchen Limette darüber auspressen.

**Pluspunkt** Möhren enthalten reichlich Beta-Karotin und sind zugleich sehr selenreich. Zitronenmelisse wirkt anregend und hilft bei Wochenbettdepression.

# Kraft-Salat

baut auf | beruhigt
**25 Min.**
*pro Portion ca. 360 kcal*
*5 g Eiweiß · 17 g Fett · 47 g Kohlenhydrate*

### ZUTATEN FÜR 2 PORTIONEN

300 g Feldsalat oder junger Blattspinat
200 g blaue Weintrauben
2 EL weißer Balsamico-Essig
2 EL Walnussöl
Salz · Pfeffer
1 EL Öl · 1 EL Honig
100 g gegarte Maronen (vakuumverpackt)

### ZUBEREITUNG

**1.** Den Feldsalat oder den Spinat waschen und verlesen. Die Trauben waschen und halbieren, dabei die Kerne entfernen.

**2.** Den Essig mit dem Walnussöl mischen und mit Salz und Pfeffer abschmecken.

**3.** 1 EL Öl und den Honig in einer Pfanne vorsichtig erhitzen und, wenn der Honig anfängt zu karamellisieren, die Maronen darin bei schwacher Hitze schwenken, bis sie komplett mit dem Karamell überzogen sind.

**4.** Feldsalat oder Spinat und Trauben miteinander vermengen und mit dem Dressing beträufeln. Die Maronen noch warm auf dem Salat verteilen und sofort servieren.

**Praxis-Tipp** Wie Sie frische Maronen schälen und zubereiten, steht auf Seite 89.

**Pluspunkt** Maronen (Esskastanien) wirken durch → Tryptophan positiv beruhigend, stärken das Nervensystem und wirken gegen Übersäuerung. Feldsalat bzw. Spinat liefert Vitamin A und Eisen. Trauben enthalten Kalium, Vitamin C und Traubenzucker, Walnussöl ist voll gesunder Fettsäuren.

Beauty-Salat mit Avocado

# Beauty-Salat mit Avocado

zellschützend | anregend
**25 Min.**
*pro Portion ca. 410 kcal*
*5 g Eiweiß · 40 g Fett · 8 g Kohlenhydrate*

**ZUTATEN FÜR
2 PORTIONEN**

6 kleinere Tomaten
3–4 Artischocken-
herzen (Konserve)
1 reife Avocado
½ Bund Koriandergrün
oder Schnittlauch
1–2 EL Rapsöl
Salz · Pfeffer

**ZUBEREITUNG**

**1.** Die Tomaten waschen und in Spalten schneiden, Stielansätze dabei entfernen.

**2.** Die Artischockenherzen abtropfen lassen und längs vierteln. Avocado halbieren, entsteinen und die Schale abziehen.
Das Fruchtfleisch würfeln und mit Artischockensud beträufeln, damit es sich nicht verfärbt.

**3.** Den Koriander waschen und trockenschütteln, die Blätter
abzupfen und hacken, mit den Tomaten und dem Öl unter
die Avocados und Artischocken ziehen. Mit Artischockensud,
Salz und Pfeffer würzen.

# Fitness-Salat mit Ananas

stärkt Abwehrkräfte | baut auf
**20 Min.**
*pro Portion ca. 505 kcal*
*28 g Eiweiß · 17 g Fett · 59 g Kohlenhydrate*

**ZUTATEN FÜR
2 PORTIONEN**

400 g frisches Sauerkraut
200 g Ananasstücke
(aus der Dose)
1 rote Paprikaschote
1 roter Apfel (ca. 250 g)
2 Möhren
200 g Hühnerbrustfilet
1 EL Mehl · 1–2 TL mildes
Currypulver · Salz
Pfeffer · 2 EL Rapsöl

**ZUBEREITUNG**

**1.** Das Sauerkraut ausdrücken und zerpflücken. Ananas abtropfen lassen, den Saft auffangen. Paprika waschen, putzen
und würfeln. Apfel und Möhren waschen und raspeln. Die
Hühnerbrust waschen, abtrocknen, in dünne Streifen schneiden und mit Mehl, Curry, etwas Salz und Pfeffer mischen.

**2.** 1 ½ EL Öl, 5 EL Ananassaft, Salz und Pfeffer verrühren,
mit den Salatzutaten mischen.

**3.** ½ EL Öl in einer Pfanne erhitzen und die Hühnerbrust
darin ca. 6 Min. braten, auf dem Salat anrichten.

# Energie-Salat mit Kräutern

stärkt Abwehrkräfte | regt an
**25 Min.**
*pro Portion ca. 265 kcal*
*6 g Eiweiß · 24 g Fett · 5 g Kohlenhydrate*

**ZUTATEN FÜR
2 PORTIONEN**

1 Bund gemischte Kräu-
ter (Rucola, Bärlauch,
Sauerampfer, Löwen-
zahn, Basilikum, Por-
tulak) · 2–3 EL Rapsöl
1 EL weißer
Balsamico-Essig
1 TL Senf
Salz · Pfeffer
3–4 EL Kürbiskerne

**ZUBEREITUNG**

**1.** Die Kräuter waschen, die Blätter von den Stielen zupfen
und hacken. 2 EL Rapsöl mit Essig und Senf verrühren. Mit
Salz und Pfeffer abschmecken.

**2.** Die Kürbiskerne in einer Pfanne ohne Fett bei mittlerer
Hitze unter Wenden rösten, bis sie duften. Kräuter und
Dressing vermischen und mit den Kernen bestreuen.

**Pluspunkt**  Kräuter enthalten Mineralstoffe und Vitamine
in hoher Konzentration und wirken als Kur gegen Erschöpfung und Müdigkeit.

### Jeden Tag Salat!

**Blattsalat enthält wohl viel Wasser, aber
der Rest hat es in sich: Viel Folsäure und
Eisen stärken die Blutbildung, Kalium
entwässert und opiumähnliche Substanzen wirken beruhigend – Salat ist also
ein idealer Abendsnack. Kopfsalate (dazu gehören auch Eichblatt-, Eisberg-,
Bindesalat) kommen im Winter aus dem
Treibhaus und sind deshalb → nitrat-
reich – lieber auf Feldsalat, Endivie, Radicchio oder Chicorée ausweichen.**

### Dressings im Vorrat

Zu wenig Zeit? Mixen Sie ein Dressing für
8 Portionen im Voraus, dann geht's schneller. Bewahren Sie es im Kühlschrank auf.
Es hält sich 1–2 Wochen.

Für ein eiweißreiches, gegen Blähungen
wirkendes, milchbildendes **Joghurt-Dres-
sing** (4 Portionen) 500 g Vollmilch-Natur-
joghurt mit 3 EL getrocknetem Dill, Kräu-
tersalz, Pfeffer, 7 EL Rapsöl, 3 TL Schwarz-
kümmelsamen (oder -öl) und 1 Schuss
Mineralwasser verquirlen. Wenn Ihr Baby
das mag, 1–2 Knoblauchzehen schälen,
hacken und zugeben.

Für eine anregende, milde **Vinaigrette,**
die gegen Sodbrennen, Blähungen und
Darmträgheit wirkt, 1 Stückchen Ingwer
schälen, durch die Knoblauchpresse drücken. Schale von 1 Bio-Limette abreiben,
dazugeben, mit ¼ l Instant-Hefebrühe aufgießen. 8 EL Rapsöl, 4 EL milden Senf, 1 TL
Honig, Salz, Pfeffer, den Saft der Limette
und 4 EL Schnittlauchröllchen untermixen.
Die Limette hat eine mildere Säure als
Zitrone. Sie können auch weißen Balsami-
co- oder Apfelessig statt Limette nehmen.

## Wohltuende Wirkungen

→ **Risotto** Der Reis entwässert sanft; die Bitterstoffe des Radicchio regen die Verdauung an und wirken beruhigend.

→ **Stillsuppe** Die Gewürze fördern die Rückbildung und den Milchfluss und regen die Verdauung an. Hühnerbrühe stärkt die Abwehrkräfte und beugt einer Wochenbettdepression vor. Sesam und Sellerie wirken nährend und milchbildend, Worcestersauce appetitanregend.

→ **Pizza-Pfannkuchen** Vollkornmehl und Hirseflocken liefern reichlich Ballaststoffe; die regen die Verdauung an und machen lange satt. Hirse ist eisenreich und enthält → Kieselsäure, die zur Festigung des Bindegewebes beiträgt.

→ **Quarkspeise** Sie liefert Vitamine und Kalzium. Haferflakes und Sesam wirken milchbildend und fördern die Verdauung.

# Risotto mit Radicchio

*beruhigend | milchbildend*
**30 Min.**
*pro Portion ca. 495 kcal*
*9 g Eiweiß · 12 g Fett · 91 g Kohlenhydrate*

ZUTATEN FÜR
2 PORTIONEN

1 EL Rapsöl
180 g Risottoreis
½ l Gemüsebrühe
1 Kopf Radicchio
(ca. 150 g)
1 säuerlicher Apfel
4 EL geriebener
Parmesan
Salz · Pfeffer

ZUBEREITUNG

**1.** Das Öl in einem Topf erhitzen und den Reis darin andünsten, bis die Körner glasig werden. Die Gemüsebrühe angießen, aufkochen und den Reis zugedeckt bei schwacher Hitze in ca. 20 Min. ausquellen lassen, dabei immer wieder umrühren.

**2.** Radicchio waschen und putzen. Den Kopf vierteln und in feine Streifen schneiden, dabei dicke weiße Teile entfernen. Den Apfel waschen, vierteln, entkernen und grob raspeln.

**3.** Kurz vor Ende der Garzeit Parmesan, Apfelraspel und Radicchio vorsichtig unter den Reis heben. Das Risotto salzen, pfeffern und einige Min. ziehen lassen.

**Koch-Tipps** Ist das Risotto zu trocken, 1 Schuss Milch dazugeben. Mit gerösteten Pinienkernen wird es noch nahrhafter. Statt Radicchio eignet sich auch Chicorée.

# Stillsuppe

*für den Vorrat | milchbildend*
**30 Min. + 1–3 Std. 30 Min. Garen**
*pro Portion ca. 265 kcal*
*21 g Eiweiß · 14 g Fett · 13 g Kohlenhydrate*

ZUTATEN FÜR
8 PORTIONEN

1 Suppenhuhn
1 Bund Liebstöckel
3 Lorbeerblätter
10 Wacholderbeeren
10 Pfefferkörner
1 Stück Ingwer · Salz
500 g Kartoffeln
500 g Möhren
500 g Pastinaken oder
Knollensellerie
5 EL Tahin
(Sesampaste)
200 g Schmand
Worcestersauce

ZUBEREITUNG

**1.** Das Suppenhuhn waschen und abtrocknen. Die Brust auslösen und die Schenkel abschneiden. Beides einfrieren bzw. extra verwenden. Das restliche Huhn mit den Gewürzen, 2 l Wasser und 2 TL Salz zum Kochen bringen. Im Schnellkochtopf bei Stufe 1 1 Std., im Normalkochtopf 3 Std. bei schwacher Hitze garen.

**2.** Das Gemüse waschen und schälen, in Würfel schneiden. Die Suppe durchsieben. Die Brühe wieder in den Topf geben, das Gemüse dazufügen und nochmals etwa 20 Min. garen, bis es weich ist.

**3.** Tahin und Schmand dazugeben und die Suppe mit dem Pürierstab cremig rühren, eventuell etwas verdünnen. Mit Pfeffer, Salz und Worcestersauce abschmecken.

**Praxis-Tipp** Die Suppe portionsweise (à 200 ml) einfrieren und nach Bedarf erhitzen, denn Hühnerbrühe wird bei Zimmertemperatur schnell sauer.

# Pizza-Pfannkuchen

*regt die Verdauung an | sättigend*
**30 Min.**
*pro Portion ca. 500 kcal*
*26 g Eiweiß · 21 g Fett · 50 g Kohlenhydrate*

ZUTATEN FÜR
2 PORTIONEN

90 g Vollkornmehl
40 g Hirseflocken · Salz
1 TL getrocknetes
Basilikum
2 Eier (Größe L)
130 ml Milch
1–2 EL Mineralwasser
2–3 reife Tomaten
2 TL Öl zum Braten
50 g Parmesan zum
Drüberhobeln
Basilikumblätter oder
2 TL Pesto oder
Basilikumblätter
zum Anrichten

ZUBEREITUNG

**1.** Mehl, Hirseflocken, 1 gute Prise Salz und Basilikum mischen. Eier dazugeben und nach und nach die Milch und das Mineralwasser unterrühren. Den Teig 10 Min. quellen lassen.

**2.** Die Tomaten kurz mit kochendem Wasser überbrühen und häuten. Das Fruchtfleisch klein würfeln, die Kerne dabei entfernen. Tomaten unter den Teig ziehen.

**3.** 1 TL Öl in einer beschichteten Pfanne erhitzen. Die Hälfte des Teiges in der Pfanne verteilen, zudecken und den Pfannkuchen bei mittlerer Hitze in 3–4 Min. goldbraun backen. Den Pfannkuchen wenden, mit Parmesan bestreuen und zugedeckt weitere 2–3 Min. braten. Den zweiten Pfannkuchen genauso zubereiten. Mit Pesto bestreichen, nach Geschmack Basilikumblätter drüberstreuen.

**Das passt dazu** Tomatensalat mit Mozzarella und Basilikum

# Quarkspeise mit Haferflakes

*milchbildend | baut auf*
**10 Min.**
*ca. 535 kcal*
*26 g Eiweiß · 20 g Fett · 63 g Kohlenhydrate*

ZUTATEN FÜR
1 PORTION

150 g Quark (20 % Fett)
1 EL Apfeldicksaft
1 TL Honig
1 kleiner Apfel
Zimtpulver
2 EL Mineralwasser
2 EL Haferflakes
2 EL Sesamsamen

ZUBEREITUNG

**1.** Den Quark in ein Schälchen geben und mit Apfeldicksaft und Honig verrühren.

**2.** Den Apfel gründlich waschen, grob raspeln und unter den Quark geben.

**3.** Die Quarkspeise mit Zimt abschmecken. Erst Mineralwasser, dann die Haferflakes und Sesamsamen unterrühren. Die Quarkspeise mit etwas Zimt bestreut servieren.

**Austausch-Tipp** Je nach Geschmack können Sie auch Bananen oder Weintrauben verwenden.

**Pluspunkt** Hafer enthält reichlich Ballaststoffe, die die Verdauung auf milde Weise anregen. Außerdem → Eiweiß und ungesättigte → Fettsäuren. Er gehört zu den Getreidesorten, die milchbildend wirken. Seine »Weckamine« machen gute Stimmung – das hilft auch gegen Süßhunger.

# BASIS-VORRAT FÜR DIE STILLZEIT

## Das wirkt wohltuend und stillfördernd

### Tees & Getränke

→ Instant-Getreidekaffee

→ Stilltee

→ Roibuschtee

→ Verbenentee

### Frische Kräuter im Topf

→ Dill

→ Basilikum

→ Kerbel

→ Koriandergrün

→ Majoran

→ Rosmarin

→ Zitronenmelisse

### Gewürze

→ Hefeflocken zum Würzen

→ Anis

→ Fenchelsamen

→ Ingwer

→ Kardamom

→ Koriander

→ Kümmel

→ Kreuzkümmel (Kumin)

→ Kurkuma (Gelbwurz)

→ Paprika, edelsüß

→ Sternanis

→ Zimt

## Wie Sie sich trotz Stress gut ernähren können

### → Stillfreundliche Zutaten

In der linken Spalte finden Sie eine Liste der Getränke, Kräuter und Gewürze, die sich positiv aufs Stillen auswirken und über die Inhaltsstoffe Ihnen und Ihrem Baby gut tun (s. Seite 33). Die Gewürze sind einfach aufzubewahren und werden Ihre Küche bereichern. Die Kräuter kaufen Sie am besten im Topf – das sieht nicht nur gut aus, sondern verbreitet auch einen positiven Duft. Wünschen Sie sich doch vom Besuch eine Rosmarinpflanze oder Basilikum statt Schnittblumen! Pflegeleichter ist das allemal.

### → Milchbildend essen

Grundsätzlich gilt warmes Essen als milchbildend. Es enthält viel Flüssigkeit, meist gesündere Zutaten als eine kalte Mahlzeit und lässt sich nicht schnell aus dem Kühlschrank futtern. Essen Sie deshalb einmal am Tag warm. Es wird Ihnen gut tun! Mit unseren Vorratsrezepten geht das ganz schnell.

### → Die Zutaten

Getreide, vor allem Hafer, Gerste und Reis, am besten als Vollkorn, wirkt positiv. Mild Süßes wirkt beruhigend: Honig, Ahornsirup und Vollrohrzucker sind besonders empfehlenswert. Mandeln, aber auch Nüsse allgemein wirken nährend und sind sehr reich an Mineralstoffen und wertvollen Fettsäuren – allerdings auch an Kalorien. Achten Sie auf ausreichend Eiweiß in mageren Milchprodukten, Fisch und Fleisch.

### → Kochen aus dem Vorrat

In der rechten Spalte finden Sie nur haltbare Lebensmittel. Wer sie im Haus hat, der kann daraus die elf Rezepte zubereiten, die Sie auf Seite 43 finden. Ich habe bewusst ganz einfache Zutaten verwendet, die Sie in jedem Discounter finden. Wichtig ist außerdem eine gute, beschichtete Pfanne (24 cm Ø) mit Deckel. Und wenn Sie das nächste Mal ratlos vor dem leeren Kühlschrank stehen, geht es los. Sie haben ja Ihren Vorrat und die Rezepte!

## Was Schnelles aus dem Vorrat (Seite 43)

### Grundvorrat

→ Mehl

→ Milch

→ Zucker

→ Salz

→ Honig

→ Rapsöl

→ Gewürze

→ Instant-Gemüsebrühe (auf Hefebasis)

### Für die Blitzrezepte

→ Eier

→ Früchtemüsli

→ Milchreis (neutral, Instant)

→ Mie-Nudeln (Instant)

→ Mandeln

→ Kartoffeln

→ Möhren

→ Äpfel

→ Trockenpflaumen (essfertig)

→ Apfelmus

→ TK-Rahmspinat (Minis)

→ TK-Hähnchenbrustfilet (natur)

→ Bündner Fleisch

→ Parmesan, gerieben

## 11-mal schnell gezaubert: köstlich, gesund, einfach und stillfreundlich (Vorrat auf Seite 42)

→ **Flockenpuffer** verdauungsfördernd  Für 2 Portionen 125 g Müsli mit 3 Eiern, 2 EL Zucker und etwas Zimt verrühren. 300 g Äpfel schälen, entkernen, raspeln und dazugeben. In einer beschichteten Pfanne in Rapsöl wie Kartoffelpuffer backen.

→ **Apfel-Müsli-Schmarrn** milchbildend, reich an B-Vitaminen  Für 2 Portionen 100 g Müsli in ⅛ l warmer Milch quellen lassen. 2 Eigelbe mit 1–2 EL Honig und etwas Salz hellgelb schlagen, 1 EL Mehl unterrühren und mit Scheiben von 2 Äpfeln unter das Müsli ziehen. 2 Eiweiße steif schlagen und unter den Teig ziehen. In wenig Rapsöl von beiden Seiten backen, zerreißen und knusprig braten und mit Puderzucker bestreuen.

→ **Ausgebackene Apfelringe** verdauungsfördernd  Aus 70 g Mehl, 1 Ei, 50 ml Milch und 1 Prise Salz einen dicken Teig rühren. 2 Äpfel waschen, Kerngehäuse ausstechen, Äpfel in fingerdicke Ringe schneiden, in die Mitte je 1 Trockenpflaume stecken. Scheiben durch den Teig ziehen und in heißem Rapsöl von beiden Seiten braten. Mit Zimtzucker bestreuen. Tipp: Aus diesem Teig lässt sich auch ein Pfannkuchen backen. Entweder mit Parmesan bestreuen und mit Spinat füllen oder süß mit Apfelmus essen.

→ **Mandel-Milch-Reis** milchbildend  80 g Milchreis mit 200 ml Milch und 1 EL gehackten Mandeln aufkochen, bei schwacher Hitze 20 Min. quellen lassen. Inzwischen 1 Apfel mit 2–3 Trockenpflaumen im Blitzhacker raspeln, 10 Min. vor Ende der Garzeit mit 1 EL Honig unterziehen. Tipp: 1 Kapsel Kardamom mitkochen.

→ **Spinatnudeln mit Hähnchenbrustfilet** eisenreich  1 TK-Hähnchenbrustfilet antauen, quer zur Faser in Streifen schneiden und in einer Pfanne mit 1 EL Rapsöl anbraten, salzen und pfeffern. 1 Tasse TK-Rahmspinat zugeben und erhitzen. Inzwischen 100 g Mie-Nudeln mit kochendem Wasser aufgießen und einige Min. quellen lassen. Abgießen, zum Spinat-Geschnetzeltem geben und mit etwas geriebenen Parmesan bestreuen.

→ **Gebratene Nudeln** reich an Kalzium, Karotin und Eisen  100 g Nudeln in Salzwasser einige Min. kochen, abtropfen lassen. 2 Eier mit 1 Schuss Milch, 3–4 EL Parmesan, Salz, Pfeffer und Curry im Schüttelbecher mixen. 2 Möhren raspeln, in Öl andünsten. Den Eimix zugeben, ein Rührei braten und die Nudeln unterziehen. 2–3 Scheiben Bündner Fleisch oder Parmesan darauf erhitzen. Tipp: Mit Ingwer würzen.

→ **Rösti** eiweißreich  Je 250 g Kartoffeln und Möhren schälen, raspeln, mit 1 Ei und 2 EL gehackten Mandeln mischen, würzen. Als Fladen in einer beschichteten Pfanne braten, behutsam wenden und mit 1 Tasse Rahmspinat-Minis und 3 EL Parmesan bestreuen. Zugedeckt gar brutzeln. Bei großem Hunger mit 1 gebratenen Hühnerbrust essen. Tipp: Mit Majoran noch besser.

→ **Risotto** milchbildend  100 g Milchreis in 1 EL Öl andünsten, mit 175 ml Brühe ablöschen, nach 10 Min. 1 Tasse TK-Spinat zugeben und weitere 10 Min garen. Zum Schluss 3–4 EL Parmesan unterziehen.

→ **Himmel und Erde** eiweißreich  Für 2 Portionen 500 g Kartoffeln und 3 Äpfel schälen und in dünne Scheiben bzw. Spalten schneiden. Dachziegelartig in eine flache Gratinform schichten, dabei salzen und pfeffern. Mit ¼ l Milch begießen und mit 5–6 EL Parmesan und 3 EL geriebenen Mandeln bestreuen, mit 2–3 EL Öl beträufeln und 40 Min. bei 200° backen. Tipp: anregender mit Rosmarinnadeln.

→ **Nährsuppe** milchbildend  200 g Möhren und 100 g Kartoffeln waschen, schälen, in Würfel schneiden und in 1 EL Öl andünsten, mit 100 ml Gemüsebrühe angießen, 1–2 EL gehackte Mandeln zugeben. 15 Min. garen. 1 Apfel waschen, Kerngehäuse entfernen, Apfel im Blitzhacker pürieren. Suppe pürieren, mit 200 ml Milch, Apfelraspeln, Salz und Pfeffer mischen und abschmecken. Mit Parmesan oder gewürfeltem Bündner Fleisch bestreuen. Tipp: Dazu passen gehackte Petersilie und Zimt.

→ **Pellkartoffeln mit Dip** eiweißreich  Für 2 Portionen etwa 400 g Kartoffeln waschen, in der Schale in etwa 30 Min. gar kochen. 1 Tasse Rahmspinat auftauen lassen, mit 2 hartgekochten Eiern, Salz, Pfeffer, Senf und etwas Öl grob zu einem Dip zerdrücken, zu den Kartoffeln reichen. Tipp: Gehackten Dill und Kümmel unter den Dip ziehen.

Wenn Sie der Süßhunger überkommt, machen Sie sich lieber eine gesunde Süßspeise wie die einfachen Apfelringe und genießen Sie sie mit gutem Gewissen. Denn: Schokolade stopft!

Spinat aus dem Eis schmeckt köstlich und die Würfel sind im Nu aufgetaut. Auch mageres Geflügelfleisch gehört in den gesunden Tiefkühlvorrat. Die Zutaten für die Stillsuppe kommen dagegen ganz ohne Kühlung aus!

## Gar nicht dufte!

Rückstände von künstlichen Moschusverbindungen fanden sich verstärkt in Muttermilch. Benutzen Sie deshalb lieber neutrale Deos und Körperlotion. Nebeneffekt: Ihr Kind ist auf Ihren Körpergeruch geeicht – es mag Sie gerne riechen! Wer nicht ganz ohne Duft sein möchte, sollte lieber, wie früher üblich, seine Kleidung parfümieren – an unsichtbarer Stelle, weil manche Stoffe Spuren hinterlassen. Auch Cremes mit UV-Filter sind in Verdacht gekommen, Muttermilch zu belasten. Bleiben Sie lieber im Schatten! Allerdings: Sonne in Maßen sorgt für Vitamin D in Ihrem Körper und in Ihrer Milch.

# Wann ist Zeit zum Abstillen?

Während im Wochenbett noch 90 % der Frauen stillen, sind es nach 4 Monaten nur noch 45 % und nach 6 Monaten 13 %. 52 % stillen dann zumindest noch teilweise. Das ist ein enormer Fortschritt gegenüber den 80-er Jahren, als nur jede zehnte Mutter bis zum 4. Monat stillte. Oft passiert das Abstillen unfreiwillig: Viele Mütter verkraften die Umstellung zu Hause nicht und geben in den ersten Wochen auf. Schade – aber sicher auch keine Katastrophe. Je länger Sie stillen können und je langsamer Sie abstillen, desto besser. Aber: Auch mit Flasche wird Ihr Kind gedeihen.

→ **Mutterschutz** 8 Wochen nach der Entbindung darf die junge Mutter nicht arbeiten – bei vollem Gehalt. Gerade Alleinerziehende müssen danach oft wieder in den Beruf zurück. Eigentlich zu früh zum Abstillen. Versuchen Sie zumindest abends, nachts und morgens weiterzustillen.

→ **Stillpausen** Wer voll berufstätig ist und stillt, dem stehen gesetzlich eine 1-stündige oder zwei 30-minütige Stillpausen zu. Wenn Sie in der Nähe wohnen, können Sie nach Hause gehen! Eine Alternative ist, zweimal abzupumpen, die Milch im Kühlschrank aufzubewahren und dann mit Kühltasche nach Hause zu bringen: die Verpflegung für Ihr Baby am nächsten Tag.

→ **4 Monate** Bis zum Ende des 4. Monats reicht Muttermilch als einzige Nahrung aus. So lange voll zu stillen ist sinnvoll und erspart Ihnen und Ihrem Kind unnötigen Stress. Sein Verdauungssystem ist nun gereift, das Baby ist weniger anfällig für Blähungen und verträgt die erste Beikost. Wenn Sie mehr Freiraum brauchen, dann können Sie jetzt anfangen, neben der Beikost Säuglingsmilchnahrung zu füttern.

→ **Zwiemilchernährung** (s. Glossar) So heißt es, wenn Muttermilch und Säuglingsmilchnahrung parallel gefüttert werden. Bevorzugen Sie Anfangsnahrung (s. Seite 52), sonst kann Ihr Kind schnell zu stark zunehmen.

→ **6 Monate** Spätestens jetzt ist Beikost dran (s. Seite 56). Wer voll stillt, kann nun nach und nach Milchmahlzeiten durch Beikost ersetzen. Vorteil: Sie brauchen wahrscheinlich keine Babyflaschen. Wenn mit fester Nahrung Ende des 1. Jahres der Durst wächst, ist schon die Trinklerntasse dran.

→ **Länger als 1 Jahr?** Schaden tut langes Stillen weder Mutter noch Kind, aber es nutzt auch nicht mehr. Viele Kinder lehnen von sich aus die Brust ab. Andere wollen nicht davon lassen. Letzten Endes müssen Sie, Ihr Partner und Ihr Kind herausfinden, was für Sie das Richtige ist.

# Rückstände in Muttermilch

Schadstoffe aus Pflanzenschutzmitteln und Industrie reichern sich im Laufe des Lebens im Fettgewebe an. Über Harn und Stuhl scheiden wir nur wasserlösliche Substanzen aus – diese Chemikalien sind aber fettlöslich. So sammeln sie sich im Fettanteil der Muttermilch. Je jünger die Mutter ist, desto weniger. Auch eine lange Stillzeit und mehrere Kinder lassen den Gehalt sinken. Gesetzliche Maßnahmen zeigen enorme Wirkung. Kosmetika scheinen ein neues Problem zu sein (s. oben).

→ **Organochlor-Pestizide, PCB und Dioxine** Der Gehalt an diesen Schadstoffen in Muttermilch ist seit 30 Jahren um 70–90 % zurückgegangen – eine Folge umweltpolitischer Maßnahmen sowie von Verboten und Beschränkungen der Ursubstanzen. Neue Stoffe wie Flammschutzmittel aus Elektrogeräten und Textilien tauchen in Frauenmilch auf, scheinen aber eher wieder zurückzugehen.

→ **Muttermilch-Untersuchung** Landes-Gesundheits- und -Untersuchungsämter untersuchen auf Wunsch Frauenmilchproben. Aber bis Sie Bescheid haben, vergeht die halbe Stillzeit.

→ **Stillen uneingeschränkt empfohlen** Die nationale Stillkommission empfiehlt volles Stillen bis zum 6. Monat und danach, durch Beikost ergänzt, bis zum Ende des 1. Lebensjahres.

# So kommen Sie in Form

Es ist vertrackt: Ihr Körper ist nach der Entbindung bereit, seine Reserven fürs Stillen zu aktivieren und das eingelagerte Fett abzubauen. Doch in den Fettzellen haben sich Rückstände (s. Seite 44) angereichert. Die wandern beim Abnehmen verstärkt in die Milch.

Ich schlage einen Kompromiss vor: Wenn Sie in den ersten Wochen von selbst so abnehmen, dass Sie Ihr Ausgangsgewicht erreichen, ist das in Ordnung. Eine richtige Diät sollten Sie erst in Angriff nehmen, wenn Sie mit dem Abstillen begonnen haben. Zunehmen sollten Sie auf keinen Fall nach der Entbindung.

→ **Bewegung hilft** Täglich Gymnastik ist von der 1. Woche an wichtig. Das Gegeneinanderdrücken von Hand und Knie (Bild unten links) trainiert die schräge Bauchmuskulatur. Die Übung, die Hände vor dem Busen zusammenzupressen (Bild unten rechts), immer nach dem Stillen machen: Es stärkt die Brustmuskulatur. Doch das allein reicht nicht, um rundum fit zu werden. Am besten nehmen Sie Ihren kleinen »Klotz am Bein« mit zum Training. Ein Baby-Jogger ist so gut gefedert, dass Ihr Kind dort gut aufgehoben ist, während Sie laufen. Viele Fitness-Studios bieten mittlerweile Babysitting an. Auch Yoga kann Ihnen gut tun. Reservieren Sie ein paar Stunden in der Woche für sich – es gibt auch ein Leben nach dem Baby!

→ **Diät – allein oder mit Familie** Auf der nächsten Doppelseite finden Sie Vorschläge für eine ganze Woche mit Rezepten aus diesem Buch. Denn es ist wichtig, dass Sie jetzt nicht hungern, sondern trotz Abnahme mit Nährstoffen optimal versorgt sind, sonst kommen Sie nicht auf die Beine. Weil der Alltag mit Baby turbulent ist, steht es Ihnen frei, wann Sie Ihre Mahlzeiten einnehmen. Wir haben Vorschläge für Sie allein – oder für die Familie, wenn Ihr Mann mitisst oder Sie noch ein älteres Kind haben. Ein warmes Essen am Tag sollte es sein. Die zweite Mahlzeit darf kalt sein. Beim Frühstück haben Sie je nach Vorliebe die Wahl zwischen Müsli und Brot. Alle drei Hauptmahlzeiten in Ruhe am Tisch genießen. Zusätzlich sind zwei Zwischenmahlzeiten drin.

→ **Reste und Naschen sind tabu** Hier ein Löffelchen Brei, dort ein halber Kinderkeks: Die Babyreste summieren sich. Übermüdung und Nervosität verführen zum Naschen. Verbannen Sie Schoko und Süßes aus Ihrer Umgebung. Entsorgen Sie die Reste vom Babyessen und behalten Sie das in den nächsten Jahren bei, sonst bekommen Sie Gewichtsprobleme!

→ **Tun Sie sich etwas Gutes** Gönnen Sie sich ein Entspannungsbad, eine Gesichtsmaske, eine Massage oder einfach einen neuen Duft. Das ist besser für Sie als das süße Glück …

## Abstillen: mehr bewegen – weniger trinken und essen

Zu plötzlich sollten Sie Ihr Kind nicht entwöhnen – das kann bei Ihnen zum Milchstau führen. Im Notfall wird Ihr Arzt Ihnen ein Abstillpräparat verschreiben. Am besten ersetzen Sie nach und nach alle 4 Wochen eine Mahlzeit durch Beikost oder Flasche. Lassen Sie Ihren Partner das Baby füttern – es wird sonst wahrscheinlich meutern. Trinken Sie selber in der Zeit weniger und wenn, dann Salbei- oder Minztee (s. Seite 37). Haben Sie Spannungsgefühle in der Brust, helfen Umschläge mit frisch gehackter Petersilie oder Quark. Weil Ihr Kalorienbedarf sinkt, sollten Sie auch weniger essen. Nutzen Sie den Freiraum für mehr Sport, sonst nehmen Sie im Nu zu. Eine Diät finden Sie auf Seite 46/47.

# FIT MIT KID – TIPPS ZUM ABNEHMEN IN DER ABSTILLPHASE

### Frühstücks-Alternativen

→ Popkorn-Müsli (S. 90) mit 150 ml fettarmer Milch und 100 g frischem Obst
→ Heidis Müsli (S. 91) mit 150 g fettarmem Joghurt und 100 g frischem Obst
→ Power Müsli (S. 18)
→ 2 Scheiben Vollkornbrot, bestrichen mit je 2 TL Basilikum-Oliven Paste (S. 19) oder Karibik-Butter (S. 89) oder Aprikosen-Mandel-Paste (S. 89)
→ 2 Scheiben Knäckebrot mit je 1 TL Frischkäse, belegt mit je 1 Scheibe magerem Aufschnitt oder Käse, dazu 1–2 Tomaten
→ Tee oder Kaffee nach Wunsch mit Milch, ungesüßt

### Montag

**Warme Mahlzeit**

→ für Mutter und Kind: Lieblingssüppchen (S. 102); 1 Scheibe Vollkornbrot
→ für die Familie: Ratatouille mit Feta (S. 123)

**Kalte Mahlzeit**

→ 1 Scheibe Vollkornbrot mit 2 EL Quark bestreichen, 1 Banane in Scheiben schneiden, auf dem Brot verteilen und etwas Honig darüber träufeln; 1 Glas Orangensaft
→ Kraft-Salat (S. 38)

**Extra**

→ 1 Apfel
→ 1 fettarmer Fruchtjoghurt

### Donnerstag

**Warme Mahlzeit**

→ Mutter und Kind: Beeren im Plümoh (S. 114)
→ Familie: Beeriger Müsliauflauf (S. 125)

**Kalte Mahlzeit**

→ 2 Knäckebrot mit je 1 TL Senf, 1 gekochtes Ei, dazu 2 Tomaten und 2 Mini-Mozzarella
→ Energie-Couscous (S. 20), ohne Rapsöl

**Extra**

→ 1 Tasse Cappuccino
→ Heidelbeerdrink (S. 17)

### Freitag

**Warme Mahlzeit**

→ Mutter und Kind: Fische im Tomatensee (S. 102)
→ Familie: Aschenputtel-Suppe (S. 119)

**Kalte Mahlzeit**

→ 2 Scheiben Vollkornbrot mit je 1 TL Tomatenmark und je 1 Scheibe Käse oder Putenbrust, dazu Gurke
→ Beauty-Salat mit Avocado (S. 39, halbes Rezept)

**Extra**

→ 1 Banane
→ 1 Molkedrink

**Sie können die Mahlzeiten beliebig austauschen.** Bleiben Sie jedoch bei 3 Mahlzeiten pro Tag. Wenn Sie noch eine Mahlzeit am Tag stillen, dürfen Sie ein bis zwei »Extras« auf Ihrem Speiseplan einplanen. Trinken Sie zu den Mahlzeiten Wasser oder ungesüßten Tee und bis zu 2 Tassen Kaffee mit fettarmer Milch.

## Dienstag

### Warme Mahlzeit

→ Mutter und Kind: Sonnenkörnchen (S. 106)
→ Familie: Tomatenreis mit Häubchen (S. 118)

### Kalte Mahlzeit

→ 1 Brötchen mit 2 TL Pizzacreme (S. 89) bestreichen, mit 1 Salatblatt belegen, darauf 1–2 EL Thunfisch und 2–3 Tomatenscheiben
→ Familie: Möhrensalat (S. 135); Vollkornbrötchen

### Extra

→ C-Drink (S. 13)
→ Birne

## Mittwoch

### Warme Mahlzeit

→ Mutter und Kind: Kartoffeln für Faule (S. 111)
→ Familie: Käse-Kraut-Spätzle (S.120)

### Kalte Mahlzeit

→ Fitness Salat (S. 39, halbes Rezept)
→ 1 Vollkornbrötchen mit 3 EL körnigem Frischkäse, belegt mit Radieschenscheiben und Petersilie, dazu ¼ Salatgurke

### Extra

→ Pfirsich-Buttermilch-Drink: 200 ml Buttermilch mit 1 kleinen Pfirsich pürieren
→ 1 Hand voll Beeren

## Samstag

### Warme Mahlzeit

→ Mutter und Kind: Getreidepuffer (S. 113)
→ Familie: Pfannkuchentorte mit Radieschenquark (S. 120)

### Kalte Mahlzeit

→ 2 Scheiben Knäckebrot mit je 1 TL Tomatenmark und je 1 Scheibe Putenaufschnitt oder 50 g Mozzarella; dazu Paprikastreifen und 2 Tomaten
→ Fitness-Salat (S. 39, halbes Rezept), dazu 1 Scheibe Vollkornbrot

### Extra

→ 1 Karotin-Muffin (S. 94)
→ 3 Scheiben Ananas

## Sonntag

### Warme Mahlzeit

→ Mutter und Kind: Gebratener Klößchen-Reis (S. 109)
→ Familie: Schnitzel mit Krönchen (S. 126)

### Kalte Mahlzeit

→ Energie-Salat mit Kräutern (S. 39, ½ Rezept); dazu 1 Laugenbrezel
→ 2 Pizza-Bruschette (S. 137)

### Extra

→ 1 Gute-Laune-Obstsalat (S. 128)
→ 1 Kiwi

**Unglaublich,** wie zerbrechlich so ein kleines Wesen ist. Keine Sorge: Ihr Kind ist **fit fürs Leben** in dieser Welt. Gehen Sie behutsam mit ihm um, aber packen Sie es **nicht in Watte:** Zu viel Hygiene und übertriebene Vorsicht tun ihm nicht gut. Wir helfen Ihnen, Wichtiges von Unwichtigem zu unterscheiden. Ihr

# Baby braucht viel Liebe

… und das richtige **Essen,** denn sein Verdauungssystem ist noch nicht ausgereift. Es wird nun vom **Säugling** zum **Löffeling.** Mit selbstgekochter **Beikost** versorgen Sie Ihr Kind bestens und fördern die Entwicklung seines **Geschmackssinnes.** Mit unseren Tipps finden Sie den Übergang zur gesunden **Familienkost.**

## Willkommen im Leben

Ihr Kind muss sich erst an die Welt gewöhnen, am besten in Ihrer Nähe. Schon innerhalb der ersten Lebensstunde ist der Trinkreflex bei einem Baby aktiv. Erst danach wird es müde. Spätestens 6 Stunden danach sollte es wieder angelegt werden. Sie und Ihr Kind brauchen in den nächsten Tagen Ruhe und Intimität, denn Ihr Kind wird alle 2–3 Stunden Mini-Portionen trinken – es braucht Energie und muss lernen zu saugen. Immerhin besitzt es erst einmal eine Energiereserve und so genannte → »braune Fettzellen«, die Wärme produzieren. Selbst wenn das Stillen anfangs schleppend in Gang kommt: Die Gewichtsabnahme der ersten Tage ist ganz normal! Ihr Baby ist nicht so zerbrechlich, wie es wirkt.

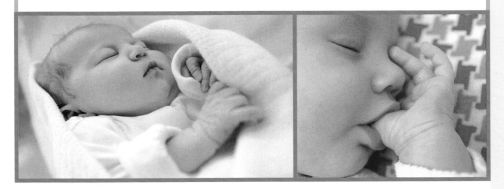

# Babys sind noch nicht ganz fertig

Menschen sind »Nesthocker«, sie werden unreif geboren. So kann Ihr Baby mit seinem nicht ausgereiften Verdauungssystem nur Muttermilch bewältigen. Säuglingsmilchnahrung ist dieser Milch angepasst, alle anderen Lebensmittel sind noch nichts. Bei Anfangsschwierigkeiten tut Ihnen Hilfe gut. Zehn Hausbesuche durch eine Hebamme stehen Ihnen zu – auf Verordnung auch mehr. Zusätzlich können Sie sich an eine Stillberaterin wenden – am besten über eine → Stillgruppe.

→ **Zahnlos** Ihr Baby braucht flüssige Nahrung, weil es noch nichts zerkauen kann. Das passt ideal zu seinem hohen Flüssigkeitsbedarf: Es verliert durch seine relativ große Körperoberfläche viel Flüssigkeit und kann in seinen Nieren (s. unten) noch nicht so viel Wasser zurückfiltern. Solange Sie es stillen, braucht es keine zusätzliche Flüssigkeit.

→ **Magensäure** Der Magen Ihres Kindes bildet noch zu wenig davon, um schwer Verdauliches zu knacken oder alle Keime zu zerstören. Nicht abgekochte Flüssigkeit ist deshalb in den ersten Monaten tabu (s. Seite 52–53). Die natürlichen Keime der häuslichen Umgebung dagegen wandern bis in den Darm und fördern dort eine gesunde Darmflora (s. unten). Die leicht verdauliche Muttermilch bewältigt der Babymagen spielend.

→ **Darm** Auch die Verdauungsenzyme aus der Bauchspeicheldrüse und der Darmschleimhaut werden erst allmählich aktiv. Die Darmzellen sind für größere Moleküle noch durchlässig – aus diesem Grund ist die Gefahr einer Sensibilisierung gegenüber Fremdeiweiß erhöht (s. Seite 145). So können aber auch Abwehrstoffe aus der Muttermilch ihre schützende Wirkung im Körper des Babys entfalten! Nachdem das »Kindspech« (→ Mekonium) im Laufe der ersten Lebenstage ausgeschieden ist, siedeln sich »gute« Bakterien an. Der Darm ist insgesamt sehr sensibel und deshalb haben Babys häufig Blähungen.

→ **Nieren** Sie sind noch nicht leistungsfähig und können Mineralstoffe und Eiweißabbauprodukte nur begrenzt ausscheiden. Deshalb hat Muttermilch weniger Mineralstoffe, die aber besonders gut ausgenutzt werden, und nicht so viel Eiweiß.

→ **Schließmuskel** Er ist noch nicht willentlich beherrschbar, deshalb braucht Ihr Baby Windeln. Die Entleerung ist eng mit dem vegetativen Nervensystem verbunden: Sie funktioniert, wenn Ihr Baby trinkt.

## Bekommt mein Kind genug von allem?

Ein Baby verdoppelt im 1. Halbjahr sein Geburtsgewicht, mit einem Jahr wiegt es dreimal so viel wie bei der Geburt! Deshalb ist es ganz natürlich, dass sich in den ersten Lebensmonaten alles ums Füttern und Wickeln dreht. Die Natur hat Sie und Ihr Baby mit allem versorgt, was es in dieser Zeit braucht. Es ist keine Zuckerpuppe und funktioniert nicht nach der »Alles-oder-Nichts«-Regel. Mit anderen Worten: Sie dürfen ruhig auch einmal etwas falsch machen – das hält Ihr Kind aus. Jeder Tag ist eine neue Chance und Sie lernen beide ständig dazu!

→ **Die 1. Woche** Bis zum Milcheinschuss trinkt Ihr Baby nur Miniportionen von 10 bis 20 ml. Die aber wirken Wunder (s. Seite 28): Sie helfen bei der Entleerung des → Mekoniums. Die Vormilch stärkt das Neugeborene mit Antikörpern und sorgt für eine gesunde Darmflora. In dieser ersten Zeit zehrt Ihr Baby von seinem Energievorrat von etwa 5000 Kalorien: Es nimmt vor allem am 3. und 4. Lebenstag ab. Mehr als 10 % des Geburtsgewichts sollten das nicht sein. Nach der 1. Woche geht es aufwärts mit dem Gewicht.

→ **Zunahme** Auf dem gelben U-Heft finden Sie die Gewichtskurven für Ihr Kind. Dort können Sie verfolgen, ob seine Entwicklung seinem Alter entspricht. Die WHO hat eine neue Gewichtskurve für Kinder bis 5 Jahre entwickelt, die international anerkannt wird (s. 146/147). Sie geht von einer etwas langsameren Zunahme aus. 20–30 g pro Tag legt Ihr Baby zu. Aber wiegen Sie es nicht täglich: Normalerweise reichen die Vorsorgeuntersuchungen beim Arzt. Nur wenn Sie das Gefühl haben, es entwickelt sich nicht gut, sollten Sie das Gewicht kontrollieren: Stellen Sie sich auf die Waage, prüfen Sie Ihr Gewicht und lassen sich dann das Baby geben. Oder leihen Sie eine Babywaage in der Apotheke. Fragen Sie Ihre Hebamme: Sie sieht viele Kinder und kann aus Erfahrung beurteilen, ob Sorgen gerechtfertigt sind.

→ **Appetit?** Ohne Erfahrung ist es nicht so einfach festzustellen, ob ein Baby Hunger hat. Folgende Zeichen können Hunger signalisieren: Es macht Suchbewegungen, führt die Hand zum Mund, saugt, seufzt, ist unruhig. Sie müssen nicht warten, bis es schreit: Wenn die letzte Mahlzeit mehr als 2 Stunden her ist, dann kann es durchaus wieder Hunger haben.

### Ungefähr soviel trinkt Ihr Kind

In den ersten 10 Tagen trinkt Ihr Kind das 60-Fache seines Lebensalters in Tagen minus 1 ± 10 ml. Bis zur 6. Woche etwa ein Fünftel seines Körpergewichts, bis zum 6. Monat etwa ein Sechstel und im 2. Lebenshalbjahr nur noch ein Achtel (wegen der zunehmenden Beikost).

| | |
|---|---|
| 2. Woche | 450–600 ml |
| 3. Woche | 500–650 ml |
| 4. Woche | 550–700 ml |
| 5. Woche | 550–750 ml |
| 6.–8. Woche | 700–850 ml |
| 3.–4. Monat | 750–900 ml |
| 5. Monat | 700–850 ml und |
| 6. Monat | 500–600 ml |

Letzten Endes bestimmt Ihr Kind mit seinem Appetit, wann es satt ist. Das gilt vor allem, wenn Sie Pre-Nahrung füttern. Solange es gedeiht, ist das Ihr wichtigster Richtwert.

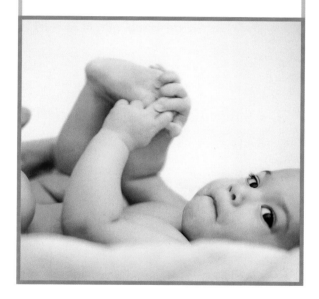

### Was will mein Baby, wenn es schreit?

→ In den ersten 2 Wochen gelten 2¾ Stunden Geschrei täglich als normal, in der 6.–12. Woche können es 2½ Stunden sein, dann ist es etwa 1 Stunde. Typische **Schreistunden:** zwischen 18 und 23 Uhr. Richtige »Schreibabys« brüllen an 3 Tagen der Woche über 3 Stunden.

→ Sie merken beim Anlegen schnell, ob es **Hunger** hat. Und Sie wissen ja, wann es die letzte Mahlzeit gab. Geschrei kann nämlich auch andere Ursachen haben:

→ Bei **Blähungen** zieht es die Beine an, der Bauch ist hart. Diese Koliken haben gestillte Babys seltener, sie verlieren sich im Laufe des 1. Halbjahres (s. Seite 55).

→ Oder die **Windel ist voll.** Obwohl das Ihr Kind meist weniger stört als Sie – es sei denn, es ist wund. Der Fall ist jedenfalls klar und einfach zu lösen.

→ Vielleicht **friert** es? Fühlen Sie seine Hände und Füße. Oder es ist ihm zu **heiß?** Dann hilft ein Fühlen im Nacken – er ist zuerst schwitzig.

→ Manchmal ist Schreien eine **Vorstufe des Schlafs,** eine Unzufriedenheit aus Müdigkeit. Singen, Bettchen schaukeln, dabeisitzen, aber das Kind nicht herausheben. Sonst findet es keine Ruhe.

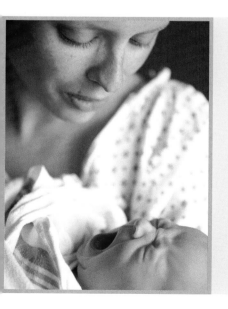

# ERSATZ FÜR DIE MUTTERMILCH

Die Lebensmittelindustrie hat enorme Erfolge in der Entwicklung von Milchnahrungen, die der Muttermilch sehr nahe kommen. Die meisten Erkenntnisse über die Muttermilch verdanken wir dieser Forschung. Heute ist es deshalb ohne Nachteil und Risiko möglich, ein Baby mit der Flasche großzuziehen. Wichtig: Das Stillen zwingt Mutter und Kind zu der Zweisamkeit, die das Baby zu einer gesunden Entwicklung braucht. Deshalb: Lassen Sie sich mit der Flasche nicht Ihr Kind aus der Hand nehmen. Auch das Fläschchen kann in einem geschützten, intimen Bereich in körperlicher Nähe und Vertrautheit gegeben werden. Meist läuft es ja so: Die Mutter stillt die ersten Wochen und geht dann zur Säuglingsmilchnahrung über. Eine Chance für den Vater! Die Flasche hat den Vater emanzipiert. Verwirrend ist die Vielfalt der Produkte. Grob wird EU-weit zwischen Säuglingsanfangsnahrung (Pre und 1) und Folgenahrung (2 und 3) unterschieden. Wenn die Silbe -milch darin vorkommt, ist die Basis Kuhmilch. Fehlt diese Bezeichnung, ist es Sojamilch.

## Ab wann welche Nahrung?

→ **Pre- oder Start-Nahrung** ist der Muttermilch am ähnlichsten: Sie enthält als Zucker nur → Laktose und eignet sich zum Füttern nach Bedarf. Sie hält nicht so lange vor, wird aber besonders gut vertragen. Ideal für die ersten 4 Monate, vor allem für → Zwiemilchernährung, wenn zugleich gestillt wird oder nur vorübergehend zugefüttert werden soll. Sie kann im ganzen 1. Lebensjahr gegeben werden.

→ **1er-Nahrung (Anfangs- oder Dauermilch)** kann auch von Anfang an gefüttert werden, enthält aber außer Laktose auch Stärke. Deshalb sättigt sie länger: Das ist gut, wenn Sie nach einem bestimmten Rhythmus (s. unten) füttern wollen. Nicht so gut, dass sie oft auch noch anderen Zucker enthält (Glukose, Saccharose, Fruktose, Maltose, Maltodextrin) und dadurch süßer ist. Außerdem ist sie nicht ganz so leicht verdaulich wie Pre-Nahrung. Wenn Sie nach dem 1. Vierteljahr zufüttern, ist Pre-Nahrung eine Alternative.

→ **2er-Nahrung (Folgemilch)** ist eigentlich überflüssig. Sie ist durch einen hohen Eiweiß- und Mineralstoffgehalt erst ab der 20. Woche für das Baby verträglich.

→ **3er-Nahrung** ist noch überflüssiger, weil sie erst ab dem 8. Monat vertragen wird. Jetzt braucht Ihr Baby ohnehin nur noch morgens eine Milchmahlzeit – Pre- oder 1er-Milch – oder Muttermilch.

→ **HA-Nahrung** ist hypoallergene Kost für Babys, die allergiegefährdet sind, d. h., Vater und/oder Mutter sind Allergiker. Eigentlich ist Muttermilch für diese Risikokinder am besten. Ansonsten gilt: Auch Breie im 1. Jahr mit dieser Nahrung anrühren. Ist eine Allergie ausgebrochen, reicht HA-Nahrung nicht, Ihr Baby braucht dann eine Spezialnahrung, deren Eiweiß so in seine Bausteine (Aminosäuren) zerlegt ist, dass sie keine Allergene enthält. Diese Nahrung ist sehr bitter, nur in Absprache mit dem Kinderarzt geben.

→ **Gesundheitsfördernde Zusätze** sind in fast allen Nahrungen enthalten: Auf die Darmflora wirken → prebiotische (Prebiotics) Oligosaccharide oder → probiotische (→ Bifidus BL) Bakterien. Die »Prebiotics« sind der Muttermilch nachempfunden und konnten in Studien das Risiko für Infektionskrankheiten und für Allergien um 50 % senken. Probiotische Produkte senken ebenfalls das Allergierisiko. Beide fördern die Verdauung und sorgen für weichen Stuhl. Die andere Gruppe von Zusätzen sind langkettige, mehrfach ungesättigte → Fettsäuren (LCP und LC-Pufa), der Muttermilch nachempfunden und wichtig für die Entwicklung von Gehirn, Nervensystem und Sehvermögen.

→ **Spezial- und Heilnahrung** sollte ohne ärztliche Verschreibung nicht gegeben werden und ist als Dauernahrung ungeeignet, weil sie die nötigen Nahrungsbausteine nicht in ausreichendem Maße enthält.

→ **Stuten-, Ziegen-, Mandelmilch und Frischkornbrei** waren in alten Zeiten oft die einzige Überlebenschance für ungestillte Kinder. Schwere Verdauungsstörungen, Entwicklungsrückstände und bleibende Schäden können Säuglinge davontragen, wenn sie in ihren ersten Monaten damit ernährt werden. Die Milch aller Weidetiere enthält im Vergleich zur Muttermilch viel zu viel Eiweiß und Mineralstoffe – das überfordert Nieren und Verdauungssystem. Getreide sollte wegen der Gefahr von → Zöliakie in den ersten 4 Monaten vermieden werden; der Säugling kann außerdem die Stärke in größeren Menge noch nicht ausreichend verdauen. Rohmilch und ungekochtes Getreide sind ohnehin im 1. Jahr tabu (s. Seite 56–57).

## Wie viel und wie oft?

→ **Die Menge** Machen Sie sich nicht verrückt: Es gibt Tage, an denen Ihr Kind nicht genug bekommen kann, aber manchmal hat es gar keinen Appetit. Wenn Sie den Bedarf ganz individuell berechnen möchten, schauen Sie auf Seite 51 nach. Aber: Das sind nur Richtwerte. Erhalten Sie Ihrem Kind sein natürliches Sättigungsgefühl. Und: Hauptsache, Ihr Kind gedeiht.

→ **Der Rhythmus** Pre-Nahrung wird nach Bedarf gefüttert wie Muttermilch. Das kann auch schon einmal bedeuten, dass Ihr Kind alle 3 Stunden kommt. Doch mit der 1er-Nahrung können Sie versuchen, im 3.–4. Monat dem Speiseplan eine Struktur zu geben: 5 Mahlzeiten am Tag, die letzte ruhig gegen Mitternacht, reichen aus, um Ihr Kind zu sättigen. Gegen Ende des 4. Monats hat es einen Wachstumsschub – dann kann es wieder unruhiger werden, bis sich die Trinkmenge auf den höheren Bedarf eingestellt hat. Im 2. Halbjahr kann Ihr Kind gut zwischen Tag und Nacht unterscheiden – Sie sollten versuchen, die Nachtruhe einzuhalten. Keine Sorge: Eine gewisse Ordnung kann Ihrem Baby helfen, sich zurechtzufinden – schaden wird es ihm nicht.

## Das Drumherum: Wasser, Flasche, Sauger

→ **Leitungswasser** ist für die Zubereitung der Nahrung geeignet, wenn es in Ihrem Haus keine Bleirohre gibt (Stiftung Warentest untersucht Proben auf Quecksilber, Blei, Kadmium und Zink) und wenn der → Nitratgehalt unter 20 mg/l liegt (bei Wasserwerk oder Verbraucherzentrale nachfragen). Ansonsten Mineralwasser mit dem Vermerk »für Säuglingsernährung geeignet« verwenden. Das darf maximal 10 mg Nitrat, 20 mg Natrium und 1,5 mg Fluorid enthalten.

→ **Glasflaschen** können zerbrechen und sind schwer – dadurch werden sie nie zu »Nuckelflaschen«. Außerdem tritt garantiert keine unerwünschte Substanz über: Glas ist sicher. **Plastikflaschen** gehen nicht kaputt, aber Sie merken nicht, wenn der Inhalt zu heiß ist.

→ **Sauger** Abgesehen von verschiedenen Materialien und Formen gibt es für die Altersgruppen auch unterschiedliche Größen. Achten Sie auf die Lochung: Zu große Löcher machen Ihr Kind trinkfaul und können zu Überfütterung führen.

**Glas oder Plastik?** Plastik verleitet zur »Selbstbedienung«, bei Glas fühlen Sie die Trinktemperatur besser.

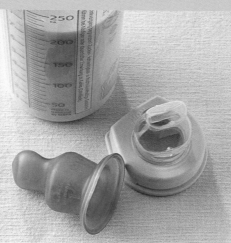

**Silikon oder Latex?** Silikon ist hypoallergen, aber nicht bissfest: super für den Anfang. Später auf Latex umsteigen.

**Das richtige Maß** ist wichtig: Messen Sie genau ab und wiegen auf der Briefwaage nach, ob die Tarierung stimmt.

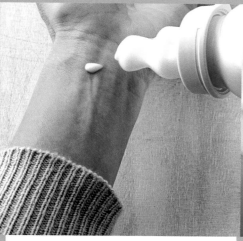

**So messen** Sie am besten: Die Temperatur sollte angenehm (35–40 °), die Tropfgeschwindigkeit 1 Tropfen pro Sekunde sein.

**Nähe** sollten Sie nicht delegieren. Nehmen Sie sich Zeit, genießen Sie Hautkontakt und Intimität: Das tut Ihnen beiden gut.

**Leitungswasser** immer vor der Verwendung abkochen – das reicht, wenn die Wasserwerte in Ordnung sind.

**Sterilisieren** ist im 1. Halbjahr wichtig und im Vaporisator mithilfe der Zeitschaltuhr schnell und einfach.

**Schnuller** Entwarnung: Mütter, die ihn zwischendurch abschlecken, haben Kinder mit weniger Allergien!

**Flaschenwärmer** Die Milch maximal 45 Min. warm halten; sonst können sich Keime entwickeln und die Vitamine leiden.

## Milch, Honig, Weizen – gefährlich?

Was als Inbegriff des Wohlergehens gilt, ist für die Säuglingsernährung in Verruf gekommen. **Honig** kann in seltenen Fällen **Botulismus**-Bakterien enthalten, deren giftige Stoffwechselprodukte Babys nicht abbauen können. Es gab in diesem Zusammenhang Todesfälle. Deshalb ist Honig bis Ende des 1. Lebensjahres für Babys tabu – roh und erhitzt. **Kuhmilch** sollten Sie im 1. Lebenshalbjahr völlig meiden: Sie wird noch nicht gut vertragen. Im 2. Halbjahr darf sie ausschließlich im Abendbrei gefüttert werden – in dieser Menge und Konzentration wird sie vertragen. **Weizen**, Hafer, Gerste und Dinkel enthalten → Gluten und können bei entsprechender Veranlagung → Zöliakie auslösen. Das Risiko sinkt, wenn Sie zwischen 4. und 6. Monat alle Getreidesorten einführen.

## Von Nimmersatts, Träumern und Genießern

Jedes noch so kleine Kind ist ein Individuum. Oft werden Sie im Rückblick erkennen, dass sich Eigenarten schon in den ersten Monaten bemerkbar gemacht haben. Solange das Gewicht stimmt (s. Seite 51), brauchen Sie nicht korrigierend einzugreifen. Die meisten Macken wachsen sich aus.

→ **Nimmersatt** Voll gestillte Babys werden selten zu dick. Mit der Flasche jedoch kann man Babys überfüttern. Beachten Sie also die empfohlenen Mengen (s. Seite 51). Wiegt Ihr Kind zu viel und will immer mehr, steigen Sie auf einen Sauger mit kleinerer Lochung um. Geben Sie ihm eine Flasche mit warmem, abgekochtem Wasser. Vielleicht braucht es ja auch nur Unterhaltung – oder möchte saugen. In diesen Fällen hilft eventuell ein Schnuller. Die Fettzellen-Theorie »«dickes Baby = dickes Kind« hat sich nicht bestätigt.

→ **Genießer** Ihr Baby trinkt genussvoll mit Ruhe und stundenlang? Gratulation – es wird weniger Luft schlucken. Ihre Geduld wird sicher auf die Probe gestellt. Aber mit zunehmendem Alter steigt das Trinktempo. Der Umstieg auf die Flasche fällt schwer. Beginnen Sie langsam, lassen Sie sich vertreten, ändern Sie aber Ort und Stimmung nicht. Probieren Sie verschiedene Sauger – Genießer sind wählerisch.

→ **Ungeduld** Ihr Kind kann's kaum erwarten, saugt gierig, verschluckt sich, prustet und schluckt jede Menge Luft? Spuckt dann die Hälfte wieder aus? Beginnen Sie mit dem Füttern, bevor es schreit. Sorgen Sie für eine ruhige Umgebung und führen Sie zuverlässige Zeiten, einen festen Rhythmus ein. Strukturen, Ruhe und Ordnung helfen nervösen Kindern, sich zu orientieren.

→ **Träumerchen** Ihr Kind schläft beim Trinken ein oder wird zum Füttern erst gar nicht wach? Wiegt es wenig, müssen Sie es päppeln (S. Seite 32). Auf keinen Fall eine Mahlzeit verschlafen lassen, auch wenn das zunächst das Bequemste ist (»endlich Ruhe …«). Ist es vielleicht zu warm eingepackt? Hat es zu wenig frische Luft und Bewegung? Wenn Ihr Baby nicht zunimmt, unbedingt zum Kinderarzt gehen.

→ **Nachtaktiv** Tagsüber ein ruhiger Dauerschläfer, der keinen Appetit hat und nachts alle zwei Stunden Hunger? Das passiert vor allem beim Erstgeborenen. Sorgen Sie für Aktivität und frische Luft am Tag. Wecken Sie Ihr Kind zu den Mahlzeiten. Hat es tagsüber genug getrunken, nachts nur noch warmes, abgekochtes Wasser geben und keine Spielstunde veranstalten.

## Die Angst vor Allergien

Eigentlich sind es meist Unverträglichkeiten und Ekzeme, die im Säuglings- und Kleinkindalter auftreten. Sie verschwinden zu 80 % bis zum Schulalter. Das ergab die »Max-Studie« mit über 1500 Babys an der Berliner Charité. Durch vorbeugende Maßnahmen lassen sich diese Allergien in der Regel nicht verhindern – manchmal aber herausschieben. Warum diese Erkrankungen insgesamt zugenommen haben, darüber gibt es viele Hypothesen.

→ **Stillen** scheint tatsächlich keinen Schutz vor Allergien zu bieten. In seltenen Fällen kann sogar durch Allergene in der Muttermilch beim Baby eine Allergie ausgelöst werden. Wichtig: Eine klare Diagnose durch Blutuntersuchung und → Provokationstest via Ernährung der Mutter.

→ **Risikokindern** (ein oder beide Elternteile Allergiker) im 1. Jahr als Milchnahrung nur **HA-Nahrung** geben. Vorbeugende Wirkung scheinen auch die → **pro- und prebiotischen Nahrungen** (s. Seite 52) zu haben. Auch den Milchbrei abends mit diesen Milchnahrungen anrühren.

→ Am besten ab **Ende des 4. Monats** mit kleinen Mengen **Beikost** beginnen. Vorher lieber kein Soja, Fisch, Ei, Weizen, Milch und Nüsse füttern.

→ **Neue Lebensmittel** erst in kleinen Mengen zu probieren geben. Einseitigkeit ist out.

→ **Zu viel Hygiene schadet** Sterilisieren ist nur im ersten Halbjahr nötig (s. Seite 53 und 166).

## Was quält mein Kind?

## Das hilft ihm

**Blähungen**  Dieses Problem haben fast alle Säuglinge, vor allem in den ersten 4 Monaten. Der Verdauungstrakt muss ja erst in seine Aufgabe hineinwachsen. Außerdem kann sich das Baby noch nicht selbst durch aktive Bewegung von Zwicken oder Drücken befreien – es braucht dazu unsere Hilfe. Die Koliken sind unter diesem Aspekt ein notwendiger, wenn auch schmerzhafter Reifungsprozess: Das Kind setzt sich mit seiner Umwelt auseinander. Sie können ihm das nicht abnehmen – aber erleichtern.

→ **Herumtragen** tut gut. **Wärme** hilft entspannen: Ein Kirschkernsäckchen in der Mikrowelle erwärmen und auf das Bäuchlein legen (vorher die Wärme testen). **Massage** mit Kräuteröl (Apotheke) eher vorbeugend einsetzen – zum Beispiel beim Wickeln mit warmen Händen. Dünnen **Fencheltee** kochen (1 Beutel für ½ l) und nicht mehr als 100 ml pro Tag geben. Bekommt Ihr Kind die Flasche, kann ein **Mittel gegen Schaumbildung** helfen – auf Verordnung des Kinderarztes. Versuchen Sie es mit **Anti-Kolik-Flaschen** mit Ventil. Eventuell die **Milchnahrung** wechseln – in Rücksprache mit dem Kinderarzt. Wer **stillt,** sollte beobachten, ob zwischen dem eigenen Essen und Koliken ein Zusammenhang besteht und das testen (s. Seite 33).

**Verstopfung**  Kinder, die voll gestillt werden, haben keine Verstopfung, wohl aber Flaschenkinder. Nach Einführung der Beikost kann das ebenfalls auftreten. Wenn der Stuhl hart ist, mag Ihr Baby gar nicht mehr drücken, weil das wehtut. Hier hilft eventuell der Kinderarzt mit einem Mini-Klistier. Ursache: entweder zu wenig Flüssigkeit, zu wenig Ballaststoffe oder/und zu wenig Bewegung. Reagieren Sie sofort, sonst versucht Ihr Kind häufiger, den Stuhl zurückzuhalten.

→ **Trinken** ist wichtig. Wenn Ihr Kind normal zunimmt, geben Sie ihm zusätzlich zur Milch jedes **Mal 20 ml warmes abgekochtes Wasser.** Das kann zwischen zwei Mahlzeiten sein oder vor dem Füttern. Je mehr feste Nahrung es bekommt, desto mehr Extra-Flüssigkeit braucht es. **Turnen** Sie mit ihm beim Wickeln, geben Sie ihm in seiner Wachphase **Bewegungsmöglichkeit.** Lassen Sie es nicht in der Babyschale! Bei hartnäckiger Verstopfung zum Obst- und/oder Milchbrei ½ TL Milchzucker geben. Keine Banane – Apfelmus ist besser.

**Spucken**  70 % aller Säuglinge spucken oft nach dem Trinken. Der Magen ist noch klein, die Speiseröhre kurz – beim Aufstoßen kommt da schnell etwas Mageninhalt mit, vor allem, weil er langsamer verdaut wird. Manchmal hat sich das Baby einfach übergessen, zu viel Luft geschluckt und zu wenig aufgestoßen. Solange es dabei gut gedeiht, müssen Sie sich keine Sorgen machen. Bei schwallartigem Erbrechen sollten Sie zum Arzt gehen: Es kann ein Infekt oder eine andere Krankheit sein. Ihr Baby besteht nicht nur aus mehr Wasser als Sie – es kann einen Flüssigkeitsverlust auch nicht so gut ausgleichen, weil seine Niere weniger zurückfiltern kann.

→ Halten Sie Ihr Kind beim Trinken eher in **senkrechter Position.** Lassen Sie es nach 15 Min. Trinken senkrecht gegen Ihre Brust gehalten ein **Bäuerchen** machen. Versuchen Sie zu vermeiden, dass es **zu viel Luft** schluckt (s. oben). Manchmal hilft eine zusätzliche **Trinkmahlzeit,** damit die Gier nicht so groß ist und die Portion kleiner. Es kann aber auch helfen, die **Abstände zu vergrößern,** wenn Ihr Kind sein Bedürfnis nach Nähe durch Trinken befriedigt, dabei über den Hunger trinkt und das Zuviel ausspuckt. **Nach dem Essen** nicht gleich flach hinlegen, auch nicht wickeln. Bei dramatischem Erbrechen sofort zum Arzt. Weitere Maßnahmen siehe bei Durchfall.

**Durchfall**  Beim gestillten Kind ist der Stuhl oft dünn, die Windel täglich mehrfach voll. Doch wenn der Stuhl eher grünlich ist und unangenehm riecht, Ihr Kind wund wird und Probleme hat, sollten Sie mitsamt der vollen Windel zum Kinderarzt gehen. Beim Flaschenkind ist die Diagnose einfacher, da es meist einen festeren Stuhl hat. Insgesamt ist bei Durchfall der Flüssigkeitsverlust die größte Gefahr.

→ In jedem Fall **weiterstillen** – am besten kleine Mahlzeiten. Flaschenkindern die gewohnte Milchnahrung, mit doppelt so viel Wasser angerührt, geben, danach langsam normalisieren. Vorher mit dem Arzt sprechen. Eventuell eine Rehydratationslösung (Apotheke) geben oder einen Tee (1–2 TL Schwarztee mit 1 l kochendem Wasser 3 Min. überbrühen, mit 15–20 g Zucker und 1 Prise Salz mischen) geben.

**Wund werden**  Die Babyhaut ist hauchdünn und zart. Kein Wunder, wenn sie in Kontakt mit Urin und Stuhl im feuchten Klima der Windel wund wird.

→ Wenn Sie vermuten, dass Ihr gestilltes Kind auf **Lebensmittel in Ihrer Kost** reagiert, lassen Sie versuchsweise einige Tage die verdächtigen Übeltäter weg. Ändert sich nichts, essen Sie wieder alles. In die Babynahrung keine sauren Säfte geben – lieber Apfel- oder Traubensaft. Zum Heilen hilft **häufiges Wickeln.** Den Po mit **Kamillentee** abtupfen und an der Luft trocknen lassen. Mit **Muttermilch, Johanniskrautöl** oder **Calendulacreme** dünn eincremen. Eventuell auf **Stoffwindeln** oder waschbare Windelhöschen umsteigen, eine Einlage aus heilender **Bouretteseide** einlegen (Säuglingsfachgeschäft). Manchmal reicht auch ein **Wechsel der Windelmarke.** Möglichst oft den **Po nackt** lassen.

# GESUND UND GLÜCKLICH ESSEN IM 1. JAHR

| ALTER (MONATE) | 1 | 2 | 3 | 4 | 5 | 6 |
|---|---|---|---|---|---|---|
| MORGENS | | | | | | |
| MITTAGS | | MUTTERMILCH ODER SÄUGLINGS-MILCHNAHRUNG OHNE FESTE ZEITEN | | | | GEMÜSEBREI | |
| NACHMITTAGS | | | | | | |
| ABENDS | | | | | | MILCH |

## 1. bis 4. Monat

→ Säuglingsanfangsnahrung (Pre oder 1)
→ abgekochtes Wasser
→ ungesüßte dünne Tees (s. Seite 177)

**Entwicklung geht nicht nach der Stoppuhr** Es gibt keine absoluten Empfehlungen, wann exakt der richtige Zeitpunkt für den ersten Möhrenbrei, das erste Apfelstück, die ersten Haferflocken ist – es gibt nur Richt- und Erfahrungswerte. Ob das etwas früher oder später ist, spielt keine Rolle – Sie und Ihr Kind sind Individuen und jeder Mensch hat sein eigenes Entwicklungstempo. Nehmen Sie also die Empfehlungen der nächsten zwei Seiten als Orientierungshilfe und nicht als starres Gesetz. Solange Ihr Baby gedeiht, ist alles in Ordnung. Zuviele und zu schnelle Veränderungen belasten außerdem Sie und Ihr Kind. Es muss sich erst einmal an die neuartige Konsistenz und an andere Aromen gewöhnen. Lassen Sie sich deshalb mit der Umstellung einer Trink- auf eine Breimahlzeit mindestens 2 Wochen Zeit. Bleiben Sie dann erst einmal beim bewährten Grundrezept. Erst gegen Ende des 1. Jahres sollte sich der Geschmackshorizont Ihres Kindes deutlich erweitern. Eine Liste aller verfügbaren Beikostprodukte mit ihrem Inhalt gibt es unter **www.fke-do.de**.

## 5. und 6. Monat

→ Folgemilch
→ Möhre, Kürbis, Pastinake, Steckrübe, Knollensellerie, Kohlrabi, Gurke
→ Kartoffel
→ mageres Fleisch (Schwein, Geflügel, Lamm, Rind)
→ Butter und Rapsöl
→ Apfel, Banane, Birne, Melone
→ Orangen-, Birnen und Apfelsaft
→ Vollkornflocken
→ Maisgrieß
→ Kuhmilch für den Milchbrei

| 7 | 8 | 9 | 10 | 11 | 12 | ALTER (MONATE) |
|---|---|---|---|---|---|---|
| | | | | FRÜHSTÜCK | | MORGENS |
| | | | | | | MITTAGS |
| GETREIDE-OBST-BREI | | | | ZWISCHENMAHLZEIT | | NACHMITTAGS |
| | | | | ABENDBROT | | ABENDS |

## 7. und 8. Monat

→ Couscousgrieß
→ Blumenkohl
→ Fenchel
→ Spargel
→ Staudensellerie
→ Mango
→ Spinat, Mangold
→ Zucchini
→ Brokkoli
→ Spitzkohl, Pak-choi

## 9. und 10. Monat

→ Beeren
→ Kiwi
→ Aprikose
→ Tomate
→ Erbsen
→ Mais
→ Chinakohl
→ Kräuter
→ Brot
→ Graupen
→ Nudeln
→ pasteurisierter,
  milder Käse
→ Fisch
→ Ei

## 11. und 12. Monat

Vielleicht schaut Ihr Baby hungrig auf Ihren Teller, wenn Sie essen. Lassen Sie es ruhig probieren – so gewöhnt es sich am besten an die Familienkost. Neueste Forschungsergebnisse lassen vermuten, dass gerade dieses Kosten kleinerer Mengen einer späteren Allergie vorbeugt. Der Verdauungstrakt Ihres Kindes wird jetzt mit milder, saftiger und gut kaubarer Alltagskost fertig – es muss nicht mehr sein spezielles Essen bekommen. Einzig vor Honig wird aus Sicherheitsgründen bis zum Ende des 1. Lebensjahres gewarnt (s. Seite 54).

## Grundrezept Mittagsbrei

ab 5. Monat | vollwertig
**30 Min.**
*ca. 160 kcal*
*7 g Eiweiß · 8 g Fett · 14 g Kohlenhydrate*

**ZUTATEN FÜR
1 PORTION**

1 Möhre (100 g)
1 Kartoffel (50 g)
20 g frisches Fleisch
3–4 EL frisch gepress-
ter Orangensaft
2 TL Rapsöl (8 g)

**ZUBEREITUNG**

**1.** Das Gemüse waschen, schälen und
in ca. 1 cm große Würfel schneiden.
Fleisch in Streifen schneiden.

**2.** 100 ml Wasser zum Kochen bringen,
alles darin zugedeckt in ca. 10 Min. gar
kochen (das Gemüse sollte sich mit der
Messerspitze leicht einstechen lassen).

**3.** Den Brei mit dem Pürierstab pürieren, dabei Saft und Öl zugeben. Wenn
der Brei zu dick ist, noch etwas Wasser
zugeben.

**Praxis-Tipps** Frieren Sie mehrere
kleine Fleischportionen ein. Die Tier-
art spielt keine Rolle: Jede hat ihre Pluspunkte.

**Austausch-Tipp** Wer einen Entsafter
hat, kann auch andere Säfte verwenden:
Vitamin C verbessert die Aufnahme
von Eisen.

## Mittagsbrei für den Vorrat

ab 5. Monat | braucht etwas Zeit
**1 Std. 15 Min.**
*pro Portion ca. 150 kcal*
*6 g Eiweiß · 8 g Fett · 14 g Kohlenhydrate*

**ZUTATEN FÜR
20 PORTIONEN**

400 g Fleisch
1 kg Kartoffeln
2 kg Möhren (süß)
600 ml Apfel-
oder Birnensaft
160 ml Rapsöl

**ZUBEREITUNG**

**1.** Das Fleisch würfeln. ¼ l Wasser aufkochen,
Fleisch darin zugedeckt bei schwacher Hitze
ca. 1 Std. köcheln lassen.

**2.** Inzwischen Kartoffeln und Möhren waschen.
Kartoffeln in einem Topf mit Wasser knapp bedecken, zum Kochen bringen und in 15–20
Min. garen. Abgießen, kalt abschrecken und
pellen. Heiß durch die Kartoffelpresse drücken.

**3.** Möhren schälen und in Scheiben schneiden.
Die letzten 15 Min. mit dem Fleisch kochen.
Beides portionsweise fein pürieren. Das Mus
mit Kartoffelschnee, Saft und Rapsöl mischen.
So viel Wasser zugeben, dass der Brei gut zu
löffeln ist. Portionsweise in Gefrierbeutel füllen. Abkühlen lassen und einfrieren.

**Blitz-Idee** Das Fleisch im Schnellkochtopf
Stufe 2 20 Min. garen, abdampfen, Möhren
zugeben und in weiteren 5 Min. fertig kochen.

**Austausch-Tipp** Statt Möhren sind auch
Kürbis, Pastinaken oder Steckrüben geeignet.

# Der erste Brei

**→ Start mit dem Mittagsbrei** Die ersten 4–6 Monate bekommt Ihr Baby mit der Muttermilch alles, was es braucht. Doch gegen Ende des 1. Halbjahres werden seine Eisenvorräte knapp. Deshalb wird als erster Brei der Gemüse-Kartoffel-Fleisch-Brei eingeführt.

**→ Selber kochen** Lebensmittel aus dem Glas schmecken anders als frisch zubereitete. Die Geschmackbildung beginnt aber bereits im Mutterleib: Gewöhnen Sie Ihr Baby an den Geschmack frischer Lebensmittel. Außerdem enthält Babykost oft zu viele verschiedene Zutaten und zu wenig Fett. Wenn Sie in der Babyzeit zu Hause sind, kochen Sie die Babynahrung selbst. So fällt Ihnen und Ihrem Kind auch der Übergang zur Kleinkindkost leichter. Das spart zudem Kosten. Mit unseren Rezepten (s. Seite 62–67) können Sie gleich mitessen – das tut auch Ihnen gut.

**→ Das richtige Maß** Sie brauchen eine Küchenwaage, um die Mengen korrekt abzuwiegen. Butter und Öl werden mit Teelöffel und Esslöffel abgemessen. Ihr Esslöffel sollte 10 ml Flüssigkeit fassen und der TL 8 g Butter, dann stimmt es. Kleine Abweichungen sind kein Problem.

**→ Die richtigen Lebensmittel** Bevorzugen Sie → Bio-Lebensmittel – das tun die meisten Hersteller von Babykost auch, weil keine Pflanzenschutzmittel benutzt werden dürfen und Überdüngung bei Bio-Produktion ausgeschlossen ist. Wenn Sie auf Nummer Sicher gehen wollen, im 1. Halbjahr lieber raffiniertes Rapsöl verwenden, denn in kalt gepressten Ölen können Rückstände von Pflanzenschutzmitteln enthalten sein. Wenn Sie kalt gepresstes Öl verwenden, dann unbedingt Bioware wählen.

**→ Vegetarisch?** Wenn Sie Ihr Baby vegetarisch ernähren möchten, sollten Sie in erster Linie so lange wie möglich stillen und auf eine eisenreiche Ernährung achten. In der Beikost müssen Sie die richtigen Lebensmittel kombinieren. Eisenreich sind Hirse- und Haferflocken. Die Aufnahme von Eisen wird durch Vitamin C verbessert. Das ist in Obst(-säften), Kartoffeln und Gemüse enthalten. Eigelb enthält ebenfalls viel Eisen. Wer auch kein Eigelb verwenden möchte, sollte es durch 1 EL (15 g) Tahin (Sesampaste) ersetzen, das sehr eisenreich ist. Sesam ist neben Mandeln am wenigsten allergen von allen Nüssen und Samen. Bei Allergierisiko durch Vorbelastung der Eltern Ei und Nüsse möglichst spät einführen.

## Der Lernbrei

Wählen Sie süßliche Bio-Freiland-Möhren, probieren Sie von jeder ein Stückchen, damit keine bittere dabei ist. Im Winter lieber Importware nehmen, Lagerware schmeckt oft herb, Treibhausware enthält viel → Nitrat.

500 g Möhren waschen, schälen und in Scheibchen schneiden. In einem Topf mit 2 TL Rapsöl bei schwacher Hitze andünsten, mit 200 ml Wasser zugedeckt in 10–15 Min. weich dünsten. Abkühlen lassen und im Mixer sehr fein pürieren, eventuell noch etwas Wasser zugeben. Die Konsistenz sollte weich und suppig sein. Den Brei in einen Eiswürfelbereiter füllen und einfrieren. Für jede Mahlzeit 1 Würfel in der Mikrowelle oder im Topf aufkochen lassen. Vor dem Füttern auf Handwärme abkühlen lassen, eventuell mit 1 EL reinem Fruchtsaft (am besten Apfel oder Birne) verdünnen. Mit der Zeit die Mengen erhöhen und dann zum »richtigen« Brei übergehen.

## Wann und wie werden aus Säuglingen Löffelinge?

Eigentlich ist die biologische Botschaft klar: Die ersten Zähnchen machen Ihr Baby fit für festere Nahrung – und das passiert meist nach dem 1. halben Jahr.

**→ Erst lutschen, dann löffeln** Anfangs saugt es den Brei vom Löffel. Deshalb sollte dieser flach und schmal sein – am besten aus Plastik – und der Brei von saugbarer Konsistenz.

**→ Löffelstreik?** Manche Babys lehnen zunächst den Löffel strikt ab. Machen Sie keinen Kampf daraus – versuchen Sie es am nächsten Tag wieder. Manchmal hilft es, wenn das Baby schon etwas getrunken hat und nicht mehr so gierig ist. Solange es lieber an Ihrer Brust trinken möchte, überlassen Sie das Füttern einer vertrauten Person. Aber lassen Sie es ab und zu etwas Neues kosten.

**→ Seien Sie konservativ** Zu viele und zu schnelle Veränderungen belasten Sie und Ihr Kind. Es muss sich an die neuartige Konsistenz und an andere Aromen gewöhnen. Lassen Sie sich deshalb mit der Umstellung einer Trink- auf eine Breimahlzeit mindestens 2 Wochen Zeit. Bleiben Sie beim bewährten Rezept.

**→ Zähne putzen** nicht vergessen: anfangs einmal täglich mit einem Wattestäbchen reinigen. Erst wenn die Backenzähne durch sind, eine Babyzahnbürste und Kinderzahnpasta verwenden.

# Pastinakenbrei

ab 5. Monat | gut verträglich
**40 Min.**
*pro Portion ca. 210 kcal*
*8 g Eiweiß · 14 g Fett · 13 g Kohlenhydrate*

ZUTATEN FÜR
CA. 5 PORTIONEN

300 g Kartoffeln
250 g Pastinaken
250 g Möhren
120 g mageres Fleisch
(Schwein, Geflügel,
Lamm oder Rind)
100 ml Birnensaft
75 ml Rapsöl

ZUBEREITUNG

**1.** Die Kartoffeln waschen und mit Schale in 20–25 Min. gar kochen.

**2.** Pastinaken und Möhren waschen, schälen und klein schneiden. Das Fleisch hacken oder sehr fein schneiden. Gemüse und Fleisch in einem Topf mit etwa 50 ml Wasser zugedeckt 15 Min. dünsten; wenn die Flüssigkeit verkocht, etwas Wasser nachgießen.

**3.** Kartoffeln pellen, klein schneiden und mit Birnensaft und Rapsöl zum Gemüse-Fleisch-Mix geben, alles fein pürieren.

**4.** Abkühlen lassen und je nach Alter und Appetit des Babys in 4–6 Portionen einfrieren. Vor dem Essen auftauen und einmal aufkochen lassen. Der Pastinakenbrei hält sich eingefroren ca. 6 Wochen.

**Austausch-Tipp** Sie können Möhren durch Pastinaken und umgekehrt ersetzen – oder durch ein anderen Gemüse, das Ihr Kind schon verträgt (s. Seite 56).

# Hirse-Kürbis-Apfel-Brei

ab 5. Monat | vegan
**30 Min.**
*pro Portion ca. 195 kcal*
*3 g Eiweiß · 9 g Fett · 26 g Kohlenhydrate*

ZUTATEN FÜR
CA. 5 PORTIONEN

250 g Kartoffeln
500 g Kürbis oder
Möhren (geschält)
150 g milde Äpfel
50 g Hirseflocken
100 ml Apfelsaft
pro Portion 1 knapper
EL Rapsöl (8 g)

ZUBEREITUNG

**1.** Kartoffeln waschen, schälen und würfeln. Kürbis oder Möhren ebenfalls würfeln. Beides mit ¼ l Wasser in einem Topf zugedeckt ca. 15 Min. köcheln lassen.

**2.** Die Äpfel waschen, schälen, entkernen und würfeln. 5 Min. mitgaren. Die Hirseflocken einrühren. Den Brei unter ständigem Rühren aufkochen. Vom Herd ziehen.

**3.** Apfelsaft zugeben und alles fein pürieren, eventuell mit Wasser verdünnen. Abgekühlt portionsweise einfrieren. Vor dem Füttern pro Portion 1 knappen EL Rapsöl unterrühren.

**Pluspunkt** Bei diesem vegetarischen Mittagsbrei liefern die Hirseflocken das nötige Eisen. Kürbis ist schön mild und gut verträglich.

**Austausch-Tipp** Sie können statt Hirse auch Haferflocken verwenden.

## Kartoffel-Gurken-Brei mit Pute

ab 5. Monat | gegen Blähungen
**30 Min.**
*pro Portion ca. 170 kcal*
*6 g Eiweiß · 10 g Fett · 12 g Kohlenhydrate*

### ZUTATEN FÜR CA. 5 PORTIONEN

500 g Salatgurke
300 g Kartoffeln
100 g Putenbrustfilet
¼ l dünner
Pfefferminztee
1 reife Birne
pro Portion 1 EL Rapsöl

### ZUBEREITUNG

**1.** Die Gurke waschen, schälen, längs halbieren und die Kerne mit einem Teelöffel entfernen. Das Fruchtfleisch klein würfeln. Die Kartoffeln waschen, schälen und ebenfalls klein würfeln.

**2.** Die Putenbrust in dünne Streifen schneiden. Gurken und Kartoffeln mit dem Fleisch im Pfefferminztee aufkochen. Bei schwacher Hitze zugedeckt ca. 15 Min. köcheln lassen.

**3.** Die Birne schälen, putzen, grob zerteilen und dazugeben. Alles fein pürieren, abkühlen lassen und portionsweise einfrieren. Den aufgetauten Brei mit je 1 knappen EL Rapsöl anreichern.

**Noch gesünder** ½ frische oder 1 Msp. getrocknete Dillspitzen mit pürieren – beruhigt ebenfalls die Verdauung.

**Pluspunkt** Der Pfefferminztee im Brei wirkt wohltuend und beruhigend auf den Magen Ihres Babys.

## Kohlrabi-Möhren-Brei

ab 5. Monat | magenmild
**30 Min.**
*pro Portion ca. 130 kcal*
*7 g Eiweiß · 7 g Fett · 9 g Kohlenhydrate*

### ZUTATEN FÜR CA. 5 PORTIONEN

250 g Kohlrabi
250 g Kartoffeln
250 g Möhren
100 g Putenbrust
1 TL Butter
1 Msp. gemahlener
Kümmel · pro
Portion 3 EL Rapsöl

### ZUBEREITUNG

**1.** Das Gemüse schälen, waschen und klein schneiden. Putenbrust in dünne Streifen schneiden. Butter in einem Topf zerlassen und das Gemüse darin sanft andünsten, auf keinen Fall braten.

**2.** 200 ml heißes Wasser zugießen. Die Putenstreifen und Kümmel zugeben und alles zugedeckt 15 Min. köcheln lassen.

**3.** Alles fein pürieren. Ohne Öl portionsweise einfrieren. Vor dem Verzehr pro Portion 1 knappen EL Rapsöl unterrühren.

**Pluspunkt** Kohlrabi und Möhren sind nährstoffreiche Zutaten für den Mittagsbrei. Die Putenbrust liefert hochwertiges, leicht verdauliches Eiweiß und Eisen. 1 Msp. Kümmel im Brei wirkt gegen Blähungen.

**Praxis-Tipp** Statt Gewürzen einen Gewürztee zugeben: ½ TL Kümmel-, Anis-, Fenchel- oder Koriandersamen mit ¼ l Wasser 5–10 Min. kochen und absieben.

## Wohltuende Wirkungen

→ **Kartoffelgemüse mit Huhn** Spinat enthält viel Eisen, Kalzium, Magnesium, Fluor, aber auch → Nitrat. Zucchini gleichen das aus.
→ **Möhrenbrei und Möhrensauce** Fürs Baby gibt es einen klassischen Veggibrei, für die Mutter eine karotinreiche Spaghettisauce.
→ **Brokkoli-Kartoffeln** Aus Babys Brei wird für die Mutter ein Omelett mit würzigem Pesto, cremigem Schmand und Kartoffeln mit Brokkoli.
→ **Lamm-Reis-Topf** Berberitzen stärken die Verdauungsorgane, Lamm liefert viel Eisen, Vitamin $B_{12}$, Kohlrabi viel Folsäure.

## Portionen & Nährwerte

→ Bei so kleinen Kinderportionen sind die Unterschiede zwischen Erwachsenen- und Kinderportion riesengroß. Deshalb werden die Nährwerte für die Rezepte auf den Seiten 62 und 66 getrennt angegeben.

# Kartoffelgemüse mit Huhn

ab 8. Monat | eisenreich
**30 Min.**
*pro Portion (Mutter/Kind) ca. 560/165 kcal*
*45 g/9 g Eiweiß · 31 g/11 g Fett*
*30 g/9 g Kohlenhydrate*

ZUTATEN FÜR
1 BABY- UND
1 ERWACHSENEN-
PORTION

250 g Kartoffeln
200 g Blattspinat (oder
150 g TK, aufgetaut)
200 g Zucchini
125 g Hühnerbrustfilet
2 EL Rapsöl
Salz · Pfeffer
Muskatnuss
50 g Fetakäse
2 EL Sesamsamen

## ZUBEREITUNG

1. Kartoffeln waschen, schälen und in 2 cm große Würfel schneiden. Blattspinat waschen, putzen und zerkleinern. Zucchini waschen und klein würfeln. Hühnerbrust waschen und abtrocknen.

2. Kartoffeln und Hühnerbrust mit 200 ml Wasser in einem Topf zum Kochen bringen und ca. 10 Min. kochen. Dann Zucchini und Spinat dazugeben, weitere 5 Min. sanft garen.

3. Für das Baby 1 Stückchen Hühnerbrust (ca. 25 g) mit gut einem Viertel vom Gemüse pürieren. 1 EL Rapsöl unterrühren.

4. Für die Mutter das restliche Gemüse mit Salz, Pfeffer und Muskat würzen. Hühnerfleisch in Streifen schneiden. Feta klein würfeln. Sesam in einer Pfanne goldgelb rösten, 1 EL Rapsöl, Feta und Huhn kurz darin schwenken und auf dem Gemüse anrichten.

**Blitz-Idee** Nur eine Gemüsesorte verwenden, Feta und Sesam direkt ins Kartoffelgemüse mischen.

# Brokkoli-Kartoffeln

ab 8. Monat | einfach
**35 Min.**
*pro Portion (Mutter/Kind) ca. 690/245 kcal*
*32 g/7 g Eiweiß · 51 g/12 g Fett*
*27 g/28 g Kohlenhydrate*

ZUTATEN FÜR
1 BABY- UND
1 ERWACHSENEN-
PORTION

250 g Kartoffeln
300 g Brokkoli
(frisch oder TK)
2 EL Instant-
Haferflocken
2 EL Rapsöl
2–3 EL Apfelsaft
2 Eier
2 EL Schmand (50 g)
1 EL Pesto (Glas)
Pfeffer · Salz
30 g Reibekäse

## ZUBEREITUNG

1. Kartoffeln waschen, schälen und klein schneiden. Brokkoli in kleine Röschen teilen und waschen. Kartoffeln und Brokkoliröschen mit ¼ l Wasser zugedeckt ca. 12 Min. garen. Eventuell etwas Wasser hinzufügen. Dann abgießen, Sud aufheben.

2. Für das Baby ein Drittel von Kartoffeln und Brokkoli mit Flocken, 1 EL Rapsöl, Apfelsaft und etwas Sud fein pürieren.

3. Für die Mutter die Eier mit Schmand, Pesto, Pfeffer und Salz mischen. Brokkoli und Kartoffeln kleiner schneiden, würzen und in einer beschichteten Pfanne in 1 EL Öl anbraten. Ei darüber gießen, mit Reibekäse bestreuen und zugedeckt stocken lassen. Dazu einen gemischten Salat zubereiten.

# Möhrenbrei und Möhrensauce

ab 8. Monat | vegetarisch
**45 Min.**
*pro Portion (Mutter/Kind) ca. 580/330 kcal*
*24 g/6 g Eiweiß · 17 g/11 g Fett*
*82 g/50 g Kohlenhydrate*

ZUTATEN FÜR
1 BABY- UND
1 ERWACHSENEN-
PORTION

250 g Möhren
10 g Haferflocken
1 gegarte Pell-
kartoffel (ca. 40 g)
4–5 EL Orangensaft
1 EL Rapsöl
50 g Gorgonzola
1 TL Kreuzkümmel
Salz · Pfeffer
100 g Spaghetti
1 EL gehackte Petersilie
oder Koriandergrün

## ZUBEREITUNG

1. Die Möhren waschen, schälen und grob zerschneiden. ¼ l Wasser in einem Topf erhitzen, Möhren darin zugedeckt in ca. 15 Min. weich garen. Möhren pürieren.

2. Für den Brei ein Drittel der Möhren in einen kleinen Topf geben, Haferflocken einstreuen, eventuell Wasser dazugeben, kurz aufkochen. Kartoffel pellen. Brei mit der Kartoffel, 2–3 EL Orangensaft und Öl fein pürieren.

3. Für die Mutter Gorgonzola klein schneiden. Restliche Möhren mit übrigem Orangensaft mischen, Kreuzkümmel und Gorgonzola einrühren, schmelzen lassen. Aufkochen lassen, mit Salz und Pfeffer würzen.

4. Spaghetti in Salzwasser nach Packungsangabe bissfest garen. Möhren-Gorgonzola-Sauce auf die Spaghetti geben, mit Petersilie oder Koriander bestreuen.

**Blitz-Idee** Statt Kartoffeln insgesamt 20 g Haferflocken im Babybrei pürieren.

# Lamm-Reis-Topf

ab 5. Monat | gut verträglich
**35 Min.**
*pro Portion (Mutter/Kind) ca. 545/210 kcal*
*25 g/9 g Eiweiß · 19 g/19 g Fett*
*68 g/2 g Kohlenhydrate*

ZUTATEN FÜR
1 BABY- UND
1 ERWACHSENEN-
PORTION

1 großer
Kohlrabi (200 g)
125 g Lammrücken
2 EL Rapsöl
120 g parboiled Reis
1 EL getrocknete
Berberitze (Asienladen)
70 g Rucola
Salz · Pfeffer
Currypulver

## ZUBEREITUNG

1. Kohlrabi schälen und in 1 cm große Würfel, das Lammfleisch in kleine Würfel schneiden.

2. 1 EL Öl in einem Topf erhitzen und das Lammfleisch darin andünsten. Den Reis und die Berberitzen dazugeben. ¼ l Wasser und die Kohlrabiwürfel dazugeben, alles einmal aufkochen lassen und zugedeckt bei schwacher Hitze in ca. 15 Min. weich garen.

3. Inzwischen den Rucola waschen, Stiele entfernen und die Blätter grob klein schneiden.

4. Für den Brei ein Drittel vom Reis-Lamm-Kohlrabi-Mix abnehmen (ca. 250 g), 1 EL Öl dazugeben und alles fein pürieren.

5. Für die Mutter den Reis-Lamm-Kohlrabi-Topf mit Salz, Pfeffer und Currypulver abschmecken und den Rucola unterheben.

# Fruchtiger Mittagsbrei

ab 8. Monat | karotinreich
**35 Min.**
*pro Portion ca. 220 kcal*
*8 g Eiweiß · 13 g Fett · 18 g Kohlenhydrate*

ZUTATEN FÜR
4 PORTIONEN
300 g Kartoffeln
250 g Möhren
100 g Lamm- oder
Rindfleisch
5 knappe EL Rapsöl
250 g Pfirsich
(etwa 2 Stück)

ZUBEREITUNG

1. Die Kartoffeln gründlich waschen und mit Schale in 20–25 Min. gar kochen.

2. Möhren waschen, schälen und klein würfeln. Das Fleisch von Fett befreien, mit einem scharfen Messer hacken. Möhren mit 1 EL Öl, 3 EL Wasser und dem Fleisch in einen Topf geben und zugedeckt ca. 15 Min. dünsten.

3. Die Pfirsiche gut waschen und gründlich abreiben. Die Kerne entfernen, das Fruchtfleisch klein schneiden. Die Kartoffeln pellen und klein schneiden. Mit den Pfirsichwürfeln zum Möhren-Fleisch-Mix geben und alles fein pürieren.

4. Abkühlen lassen und portionsweise einfrieren. Jede Breiportion erst nach dem Auftauen und Erhitzen mit 1 knappen EL Rapsöl anreichern.

**Austausch-Tipp** Im Winter statt Pfirsich Mango verwenden oder Netzmelone.

# Veggibrei

ab 8. Monat | vegan
**25 Min.**
*bei 5 Portionen pro Portion ca. 190 kcal*
*3 g Eiweiß · 12 g Fett · 17 g Kohlenhydrate*

ZUTATEN FÜR
4–5 PORTIONEN
300 g Pastinaken
250 g Kartoffeln
¼ l Möhrensaft
50 g Hirseflocken
6 EL Rapsöl

ZUBEREITUNG

1. Die Pastinaken waschen, putzen, schälen und klein schneiden. Die Kartoffeln waschen, schälen und klein würfeln.

2. Die Pastinaken und Kartoffeln in einem Topf im Möhrensaft zugedeckt bei schwacher Hitze 15 Min. kochen lassen.

3. Die Hirseflocken einstreuen und den Brei unter ständigem Rühren weitere 3 Min. kochen. Den Brei vom Herd nehmen und mit dem Öl fein pürieren, bei Bedarf noch etwas Wasser hinzugeben. Frieren Sie den Brei portionsweise ein.

**Austausch-Tipp** Statt Pastinaken Möhren, Fenchel oder Knollensellerie verwenden.

**Pluspunkt** Die Kartoffeln und die Pastinaken sind gut verträglich und leicht verdaulich. Das ätherische Öl in den Pastinaken wirkt gegen Bauchweh und Blähungen. Hirse liefert Eisen.

# Spitzkohlbrei

ab 8. Monat | mild
**40 Min.**
*bei 5 Portionen pro Portion ca. 155 kcal*
*6 g Eiweiß · 10 g Fett · 9 g Kohlenhydrate*

ZUTATEN FÜR
4–5 PORTIONEN
250 g Kartoffeln
250 g Spitzkohl
250 g Möhren
100 g Putenbrust
4–5 EL Rapsöl

ZUBEREITUNG

1. Die Kartoffeln waschen und mit Schale in 20–25 Min. gar kochen.

2. Spitzkohl waschen, putzen und in feine Streifen schneiden. Möhren waschen, schälen und klein würfeln. Putenbrust waschen, abtrocknen und in Streifen schneiden. Möhren und Fleisch in 5 EL Wasser zugedeckt 5 Min. dünsten. Spitzkohl zugeben und, wenn nötig, noch etwas Wasser, noch 10 Min. dünsten.

3. Die Kartoffeln pellen, klein schneiden und mit Gemüse und Fleisch fein pürieren.

4. Abkühlen lassen und portionsweise einfrieren. Jede Portion vor dem Verzehr mit 1 EL Öl anreichern.

**Austausch-Tipp** Wenn es keinen Spitzkohl gibt, statt dessen Chinakohl, Pak-choi oder Mangold verwenden.

**Pluspunkt** Kohl enthält besonders viele → Bioaktivstoffe und stärkt die Abwehr. Spitzkohl ist schon für Babys geeignet!

# Couscousbrei

ab 8. Monat | vegan
**35 Min.**
*pro Portion ca. 145 kcal*
*4 g Eiweiß · 6 g Fett · 20 g Kohlenhydrate*

ZUTATEN FÜR
5 PORTIONEN
500 g Hokkaido-Kürbis
oder Möhren
80 g Couscous
(Vollkorn)
¼ l Möhrensaft
3 EL Tahin
(Sesampaste)

ZUBEREITUNG

1. Den Kürbis waschen und in kleine Stücke schneiden. Oder die Möhren schälen und klein schneiden. Mit 300 ml Wasser in einen Topf geben, zum Kochen bringen und zugedeckt bei schwacher Hitze in ca. 10 Min. weich dünsten.

2. Inzwischen den Couscous mit dem Möhrensaft mischen und quellen lassen. Couscous und Tahin zum gegarten Kürbis geben und alles mit dem Pürierstab zu einem feinen Brei zerkleinern. Kurz aufkochen lassen.

3. Abkühlen lassen und portionsweise einfrieren. Nach dem Auftauen und Aufkochen jeweils 1 knappen EL Rapsöl unterrühren.

**Praxis-Tipp** Den Hokkaido-Kürbis müssen Sie nicht schälen. Denn wie bei dem meisten Gemüse stecken die wertvollsten Inhaltsstoffe unter der Schale.

# Graupen-Risotto mit Huhn

**35 Min.**

*pro Portion (Mutter/Kind) ca. 510/250 kcal*
*30 g/15 g Eiweiß · 11 g/5 g Fett*
*73 g/37 g Kohlenhydrate*

**ZUTATEN FÜR
1 BABY- UND
1 ERWACHSENEN-
PORTION**

120 g Hähnchenfleisch
2 Möhren
1 EL Rapsöl
120 g Perlgraupen
300 ml Möhrensaft
2 EL saure Sahne
2 EL gehackte
Petersilie (TK)
Sojasauce
Pfeffer
Currypulver

**ZUBEREITUNG**

**1.** Hähnchenfleisch waschen, abtrocknen und in kleine Würfel schneiden. Möhren waschen, schälen und klein würfeln.

**2.** Das Öl in einem Topf erhitzen. Das Fleisch darin rundherum sanft anbraten. Möhrenwürfel etwa 2 Min. mitdünsten.

**3.** Die Perlgraupen einstreuen und kurz andünsten, dann den Möhrensaft und 150 ml Wasser angießen. Risotto einmal aufkochen lassen. Zugedeckt bei schwacher Hitze ca. 25 Min. köcheln lassen, bis die Graupen weich sind. Dabei öfters umrühren und bei Bedarf noch etwas Wasser nachgießen.

**4.** Zum Servieren saure Sahne und Petersilie unterrühren. Die Erwachsenenportion mit Sojasauce, Pfeffer und Curry würzen.

**Pluspunkt** Die Graupen enthalten Ballaststoffe, Magnesium, Phosphor und Eisen, Huhn Eiweiß, Möhre und -saft Beta-Karotin.

# Tomaten-Nudeltopf

**20 Min.**

*pro Portion (Mutter/Kind) ca. 475/240 kcal*
*34 g/18 g Eiweiß · 3 g/2 g Fett*
*77 g/39 g Kohlenhydrate*

**ZUTATEN FÜR
1 BABY- UND
1 ERWACHSENEN-
PORTION**

1 kleine Dose
Tomaten (400 g)
2 EL Tomatenmark
¼ l Hühnerbrühe
(Instant)
125 g Gabelspaghetti
100 g Hühnerbrustfilet
75 g TK-Erbsen
Salz · Pfeffer
½ Bund Basilikum

**ZUBEREITUNG**

**1.** Die Tomaten in einen Topf geben und mit einer Gabel zerdrücken. Tomatenmark, Hühnerbrühe und Nudeln zugeben und alles zum Kochen bringen.

**2.** Das Hühnerbrustfilet klein schneiden, in den Topf geben und bei schwacher Hitze ca. 10 Min. garen.

**3.** Die gefrorenen Erbsen kurz vor Ende der Garzeit unterrühren.

**4.** Die Erwachsenenportion mit Salz und Pfeffer abschmecken. Basilikum waschen und die Blätter mit einer Schere in die Portion schneiden.

**Pluspunkt** Tomaten sind reich an → Lykopin. Erbsen und Huhn liefern Eiweiß.

# Brokkoli-Kartoffel-Püree mit Fisch

**35 Min.**

*pro Portion (Mutter/Kind) ca. 405/200 kcal*
*39 g/6 g Eiweiß · 13 g/19 g Fett*
*34 g/17 g Kohlenhydrate*

**ZUTATEN FÜR
1 BABY- UND
1 ERWACHSENEN-
PORTION**

300 g Kartoffeln
250 g Brokkoli
150 ml Gemüsebrühe
(Instant)
3 EL Kräuterfrischkäse
200 g Seelachs-
oder Lachsfilet
(frisch oder TK)
Salz · Pfeffer
etwas gehackte
Petersilie
150 ml Milch

**ZUBEREITUNG**

**1.** Kartoffeln waschen, schälen und würfeln. Brokkoli waschen, in kleine Röschen teilen, die Stiele klein schneiden. Brokkoli und Kartoffeln in 100 ml Wasser zugedeckt bei schwacher Hitze ca. 15 Min. garen.

**2.** Brühe in einem Topf aufkochen. Frischkäse unterrühren, Fisch darin bei schwacher Hitze in 1 Min. gar ziehen lassen. (Tiefgefrorener Fisch braucht etwa 12 Min.) Petersilie untermischen.

**3.** Milch lauwarm erhitzen, zum Gemüse geben und alles mit einem Kartoffelstampfer zerdrücken. Die Erwachsenenportion mit Salz und Pfeffer abschmecken.

**4.** Das Püree mit Fisch und Sauce servieren.

**Pluspunkt** Die Kombination von Kartoffeln und Milch liefert hochwertiges Eiweiß. Seefisch enthält Jod und Omega-3-Fettsäuren.

# Samtige Kartoffel-Mais-Suppe

**30 Min.**

*pro Portion (Mutter/Kind) ca. 770/350 kcal*
*22 g/10 g Eiweiß · 41 g/20 g Fett*
*78 g/32 g Kohlenhydrate*

**ZUTATEN FÜR
1 BABY- UND
1 ERWACHSENEN-
PORTION**

350 g mehlig kochende
Kartoffeln
1 frischer Maiskolben
1 EL Öl
½ l Gemüse-
brühe (Instant)
2 EL saure Sahne
1 rohes Bratwürstchen
etwas gehackte
Petersilie

**ZUBEREITUNG**

**1.** Kartoffeln schälen und grob würfeln. Vom Maiskolben Hüllblätter und Fäden entfernen, den Kolben waschen und mit einem Messer die Körner abschneiden.

**2.** Öl in einem Topf erhitzen, Kartoffeln und Maiskörner darin ca. 3 Min. andünsten. Brühe angießen, alles aufkochen und zugedeckt 15 Min. köcheln lassen.

**3.** Die Suppe mit einem Pürierstab pürieren, die saure Sahne unterrühren und mit Salz und Pfeffer abschmecken.

**4.** Das Brät aus dem Würstchen drücken, zu Klößchen formen und in der heißen Suppe ca. 5 Min. ziehen lassen. Mit fein gehackter Petersilie bestreuen.

**Tipp** Nach und nach darf Ihr Baby auch gesalzene Speisen essen – würzen Sie aber zurückhaltend.

Mais-Himbeerbrei zum Löffeln

Birne-Reis-Trinkbrei

# Birne-Reis-Trinkbrei

ab 6. Monat | glutenfrei
**10 Min.**
*ca. 210 kcal*
*8 g Eiweiß · 7 g Fett · 28 g Kohlenhydrate*

**ZUTATEN FÜR
1 PORTION**

20 g Reisflocken
200 ml Vollmilch
(oder HA-Nahrung)
2 EL Birnen- oder
Apfelsaft

**ZUBEREITUNG**

**1.** Die Reisflocken mit 100 ml Milch in einem kleinen Topf verrühren.

**2.** Den Flocken-Milch-Mix unter ständigem Rühren aufkochen und 1–2 Min. (nach Packungsangabe) kochen lassen.

**3.** Den Topf vom Herd nehmen, restliche Milch und Birnensaft unterrühren.

**4.** Den Brei in die Trinkflasche füllen und gut schütteln. Der Brei hat jetzt Trinktemperatur.

**Pluspunkt** Reisflocken sind glutenfrei, also auch für Kinder mit → Zöliakie geeignet. Birnensaft ist besonders mild und daher gut geeignet für Babys, die schnell wund werden.

**Austausch-Tipp** Sie sollten nach und nach auch andere, → glutenhaltige Flocken einführen. Das scheint vorbeugend gegen → Zöliakie zu wirken.

# Mais-Himbeerbrei zum Löffeln

ab 6. Monat | glutenfrei
**1 Std. 15 Min.**
*ca. 210 kcal*
*9 g Eiweiß · 7 g Fett · 26 g Kohlenhydrate*

**ZUTATEN FÜR
1 PORTION**

200 ml Vollmilch
(oder HA-Nahrung)
20 g Maisgrieß (Polenta)
3 EL Himbeeren
(frisch oder TK)

**ZUBEREITUNG**

**1.** Milch mit Maisgrieß in einen Topf geben und 5 Min. quellen lassen.

**2.** Den Grieß unter Rühren langsam erhitzen. Bei schwacher Hitze unter Rühren ca. 5 Min. köcheln lassen, bis der Brei dick wird.

**3.** Die Himbeeren (auch gefrorene) unterrühren, kurz aufkochen, den Brei vom Herd nehmen und warten, bis die Beeren aufgetaut sind. Der Brei hat nun die richtige Ess-Temperatur.

**Praxis-Tipps** Maisgrieß quillt stärker als andere Getreideflocken. Deshalb hat er bei gleichem Mengenverhältnis eine gute Konsistenz zum Löffeln. Wichtig: Achten Sie auf Frische, denn Mais wird schnell ranzig. Größere Vorräte besser einfrieren.

**Austausch-Tipp** Statt Himbeeren sind alle anderen weichen Obstsorten möglich – rechnen Sie etwa 60 g. Der Brei schmeckt aber auch mit gehäuteten reifen Tomaten. Stielansätze vorher entfernen.

## Mit Abendbrei nachts durchschlafen?

→ **Milchbrei** Nachdem Ihr Baby sich mittags an den Gemüse-Fleisch-Brei gewöhnt hat, können Sie ab dem 6. Monat die abendliche Stillmahlzeit durch den kalorienreicheren Milchbrei ersetzen. Mitunter verhilft der Abendbrei zum Durchschlafen – jedoch nicht automatisch: Manchmal ist die Nachtmahlzeit eine Gewohnheit. Vielleicht hat Ihr Baby auch mehr Durst durch die festere Breinahrung? Dann nur Wasser zum Trinken anbieten.

→ **Wirklich Milch?** 200 ml Kuhmilch am Tag verträgt Ihr Kind ab dem 6. Monat – genau die Menge, die der Abendbrei enthält. Fertig-Milchbreie sind auch auf Milchbasis aufgebaut. Sie erkennen das auf der Zutatenliste: (Mager-)Milchpulver, Molken- oder Milcheiweiß weisen darauf hin. Selbst wenn Sie oder Ihr Mann Allergiker sind, sollten Sie Milch nicht vorbeugend weglassen – sie ist ein wichtiges Grundnahrungsmittel für die nächsten Jahre. Wenn Ihr Kind sich langsam daran gewöhnt, trainiert das sein → Enzymsystem, Milch zu verdauen.

→ **Wenn der Kinderarzt von Kuhmilch abrät,** können Sie den Brei mit abgepumpter Muttermilch oder mit hypoallergener Milchnahrung (HA, s. Seite 52) zubereiten. Dazu den Brei zunächst mit 200 ml Wasser kochen, dann das Pulver in der entsprechenden Dosierung unterrühren und zum Schluss Obstmus oder -saft (s. Seite 70). Sie können aber auch die Einführung von Milch herauszögern, indem Sie zuerst den milchfreien Nachmittagsbrei (s. Seite 72) einführen.

→ **Flasche oder Löffel?** Theoretisch kann Ihr Baby jetzt löffeln lernen. Doch abends ist die ganze Familie müde – da ist das Löffel-Training oft zu anstrengend. Wer noch stillt, möchte aber vielleicht um die Flasche ganz herumkommen und greift doch lieber zum Löffel. Deshalb finden Sie Rezepte zum Löffeln – und Rezepte für die Flasche. Sie brauchen dazu einen Kreuzschlitzsauger, weil diese Breie ziemlich dickflüssig sind.

→ **Fertigbrei und Gläschen?** Im Regal herrscht kulinarische Vielfalt: Von Stracciatella über Erdbeere bis Schoko reicht das Angebot. Völlig überflüssig! In den Brei gehören wirklich nur Milch, Getreide und Obst – sonst nichts (s. unten). Bei Gläschen sollten Sie ebenfalls auf diese Zusammensetzung achten. Für den Abendbrei sind sie allerdings überflüssig und unnötig teuer.

### Babys brauchen keinen Zucker!

Zucker ist ein → Kohlenhydrat. In Muttermilch und Säuglingsnahrung ist Milchzucker enthalten, der schwach süßt. Zusätzlich dazu braucht Ihr Kind keinen Zucker. Er gewöhnt es nur unnötig an süßen Geschmack, greift die kleinen Zähnchen an und liefert außer Kalorien keine wertvollen Nährstoffe. Lesen Sie kritisch die Packungen von Fertigbreien durch: Saccharose (Zucker), Glukose, Dextrose (Traubenzucker), Fruktose (Fruchtzucker), Maltose (Malzzucker) und Maltodextrin (Stärkezucker) gehören allesamt zur Zuckerfamilie und sind überflüssig.

## Getreide ist wichtig für Ihr Baby

Ihr Baby deckt wie Sie seinen Energiebedarf mit den Nahrungsbausteinen → Kohlenhydrate, → Eiweiß, → Fett. Gegen Ende des 2. Lebenshalbjahres kann es auch »komplexe Kohlenhydrate« verdauen, die in Kartoffeln, Gemüse, aber vor allem in Getreide enthalten sind. Sie werden nach und nach zur Basis seiner Ernährung und liefern als Vollkorn zusätzlich wichtige Vitamine, Mineralstoffe, Eiweiß und wenig, aber hochwertiges Fett.

→ **Glutenfrei – was heißt das?** → Gluten ist ein Eiweiß, das in Weizen, Dinkel, Hafer, Roggen und Gerste enthalten ist. In seltenen Fällen kann Gluten bei empfindlichen Menschen → Zöliakie (bei Erwachsenen Sprue) auslösen. Die beste Vorbeugung dagegen ist Stillen im 1. Halbjahr und die Einführung aller Getreidesorten zwischen 4. und 6. Monat – nach und nach.

→ **Welche Flocken?** Nehmen Sie am besten spezielle Flocken für Säuglingsnahrung: Sie sind besonders streng kontrolliert. Häufig werden sie als Instant-Flocken angeboten. Das heißt: Diese Flocken lösen sich besonders gut und müssen nur einmal aufkochen. Je nach Produkt kochen sie dickflüssiger (z. B. Produkte von Holle und Töpfer), das ist günstig fürs Löffeln. Oder dünner (von Milupa oder alnatura) –, gut für die Flasche. Beim Abkühlen werden alle Breie dicker.

# Trauben-Trinkbrei

ab 6. Monat | hypoallergen
**10 Min.**
*ca. 210 kcal*
*4 g Eiweiß · 9 g Fett · 21 g Kohlenhydrate*

### ZUTATEN FÜR 1 PORTION

20 g Instant-Reisflocken
Instant-HA-Nahrung
(Pre oder 1)
4–5 Weintrauben

### ZUBEREITUNG

**1.** 200 ml Wasser zum Kochen bringen, in die Flasche füllen, die Flocken über einen Trichter zugeben und schütteln.

**2.** Die Säuglingsnahrung nach Packungsangabe dosieren und ebenfalls zugeben, Flasche behutsam schütteln.

**3.** Die Trauben waschen, durch ein Sieb drücken. Den Saft in die Flasche geben und mischen. Die Temperatur überprüfen.

**Praxis-Tipp** Schütteln Sie die Flasche wie ein Barkeeper, dann mischt sich der Inhalt besonders gut, ohne zu viel Schaum zu entwickeln.

# Möhren-Trinkbrei

ab 6. Monat | beruhigend
**10 Min.**
*ca. 205 kcal*
*9 g Eiweiß · 9 g Fett · 22 g Kohlenhydrate*

### ZUTATEN FÜR 1 PORTION

200 ml Vollmilch
20 g zarte Haferflocken
2 EL Möhrensaft

### ZUBEREITUNG

**1.** 100 ml Milch und die Flocken in einem kleinen Topf verrühren.

**2.** Die Mischung aufkochen lassen und 1–2 Min. weiterkochen, dabei ständig rühren.

**3.** Den Topf vom Herd ziehen und die restliche Milch und den Möhrensaft untermischen.

**4.** Den Brei in die Flasche füllen und schütteln. Er hat jetzt Trinktemperatur.

**Pluspunkt** Möhren liefern Beta-Karotin, eine Vorstufe von Vitamin A. Haferflocken versorgen Ihr Baby mit B-Vitaminen, Mineralstoffen und wirken beruhigend.

# Grießbrei mit Obst zum Löffeln

ab 6. Monat | mild
**10 Min.**
*ca. 210 kcal*
*9 g Eiweiß · 7 g Fett · 28 g Kohlenhydrate*

ZUTATEN FÜR
1 PORTION
200 ml Vollmilch
20 g Vollkorngrieß
50 g weicher Pfirsich
oder Melone

ZUBEREITUNG

**1.** Die Milch in einem Topf erwärmen.

**2.** Den Grieß mit einem Schneebesen in die Milch rühren, einmal aufkochen und bei schwacher Hitze ca. 3 Min. quellen lassen.

**3.** Den Pfirsich gut waschen, entkernen und in kleine Stücke schneiden.

**4.** Den Pfirsich zum Brei geben und mit einer Gabel zerdrücken.

**Austausch-Tipp** Sie können auch normalen Grieß und geriebenen Apfel verwenden. Dann wirkt der Brei eher stopfend.

**Pluspunkt** Pfirsiche sind leicht verdaulich und reich an Kalium. Vollkorngrieß versorgt Ihr Baby mit den wichtigen B-Vitaminen sowie mit Mineral- und Ballaststoffen.

# Banane-Hirse-Brei zum Löffeln

ab 6. Monat | eisenreich
**10 Min.**
*ca. 240 kcal*
*9 g Eiweiß · 7 g Fett · 35 g Kohlenhydrate*

ZUTATEN FÜR
1 PORTION
200 ml Vollmilch
20 g Hirseflocken
50 g Banane

ZUBEREITUNG

**1.** Die Milch und die Flocken in einen kleinen Topf geben und verrühren.

**2.** Den Hirse-Milch-Mix aufkochen und 1–2 Min. kochen lassen, dabei ständig rühren und dann vom Herd nehmen.

**3.** Die Banane mit einer Gabel zerdrücken und unter den Brei mischen.

**Praxis-Tipp** Statt nur Banane können Sie 2 Äpfel schälen, putzen, klein schneiden, in 3 EL Wasser weich dünsten, mit 1 Banane pürieren und in Portionen à 50 g einfrieren. Dann nur noch 1 Portion im kochend heißen Brei auftauen – fertig.

**Pluspunkt** Hirseflocken enthalten reichlich Eisen, Banane versorgt Ihr Baby mit Kalium. Die Milch liefert Kalzium.

## Melonen-Zwieback-Brei

ab 6. Monat | einfach
**10 Min.**
*ca. 145 kcal*
*3 g Eiweiß · 5 g Fett · 23 g Kohlenhydrate*

ZUTATEN FÜR
1 PORTION
2 Zwiebäcke
(am besten Vollkorn)
etwa 100 g Melone
oder Orange
1 TL Rapsöl

ZUBEREITUNG

**1.** Die Zwiebäcke in einem Gefrierbeutel mit einem Nudelholz zerbröseln.

**2.** Die Melone oder die Orange schälen. Das Fruchtfleisch pürieren oder mit der Gabel zerdrücken. Zwiebackbrösel und Öl untermischen, kurz quellen lassen.

**Praxis-Tipp** Dieser Brei ist prima für unterwegs. Der Zwieback quillt im Obst – deshalb muss es wasserreich sein. Ist er zu fest, mehr Obst oder etwas Saft zufügen.

**Pluspunkt** Frisches Obst ist unschlagbar, was Vitamin C angeht. Melonen sind überdies säurearm und gut verträglich. Sie sind so kalorienarm, dass Sie sich daran satt essen dürfen, wenn Ihr Kind den Brei bekommt.

## Blitzbrei

ab 6. Monat | einfach
**5 Min.**
*ca. 200 kcal*
*3 g Eiweiß · 6 g Fett · 34 g Kohlenhydrate*

ZUTATEN FÜR
1 PORTION
100 ml Apfelsaft
20 g Instant-
Haferflocken
1 kleines Stück
reife Banane (40 g)
1 TL Butter oder Rapsöl

ZUBEREITUNG

**1.** Den Apfelsaft erhitzen, aber nicht aufkochen lassen. Über die Flocken in den Kinderteller gießen.

**2.** Das Bananenstückchen hineinschneiden und mit der Gabel zerdrücken. Die Butter zugeben und alles verrühren. Ist der Brei zu dick, mit abgekochtem Wasser verlängern.

**Austausch-Tipp** Statt Saft und Banane können Sie auch 100 g Obstmus aus dem Gläschen unterrühren.

**Pluspunkt** Reiner Fruchtsaft ist eine Alternative zu Obst – auch wenn ihm die Ballaststoffe fehlen. Die Süße kommt von der Banane. Butter ist eine Alternative zum Rapsöl und gibt dem Brei einen vollen Geschmack.

## Drei Zutaten reichen

→ **Der Nachmittagsbrei** ist die dritte Mahlzeit, die im Lauf des 7. Monats oder später die Still- oder Milchmahlzeit ersetzt. Sie können ihn auch als zweite Mahlzeit einführen, wenn Sie den abendlichen Milchbrei später geben wollen. Der Nachmittagsbrei ist der einfachste: Er wird nur mit frischem Obst, Wasser und Flocken schnell angerührt. Sparen Sie sich die Gläschen: Nehmen Sie heißes Wasser in der Thermoskanne mit, dann können Sie diesen Brei im Nu auch unterwegs zubereiten – denn Sie werden zunehmend mobil und nachmittags auch einmal mit Baby Besuche und Besorgungen machen.

→ **Nur Wasser** gehört in den Getreidebrei – Milch, aber auch Joghurt würde zu viel Eiweiß und Mineralstoffe liefern. Außerdem wird so das Eisen aus dem Getreide besser verwertet. Das süßliche Aroma von Getreide wird Ihr Kind außerdem lieben. Wenn Sie Fertigprodukte benutzen, achten Sie darauf, dass keine Milch, sondern nur Obst und Getreide sowie Fett enthalten sind.

→ **Warum Butter?** Sie enthält mehr Vitamin D und B-Vitamine, außerdem einfach ungesättigte Fettsäuren und rundet dadurch das Fettangebot ab. Außerdem schmeckt sie mit Getreide besonders gut. Sie können sie aber auch bei kaltem Brei durch Öl ersetzen.

→ **Obstmus macht nicht satt!** Ein Obstgläschen ist keine volle Mahlzeit und macht nicht satt. Sie können es zum Getreidebrei dazugeben. Es gibt aber auch Obstbrei mit Getreide im Glas, oft als Dessert bezeichnet. Wenn er tatsächlich nur Getreide, Obst und Fett enthält, ist er in Ordnung.

→ **Bitte keine Knabberkekse!** Süßes scheint uns oft besonders verträglich – auch fürs Baby. Dabei liegt es viel länger im Magen als der Mittagsbrei. Ihr Baby verträgt so viele konzentrierte Kalorien noch nicht und bekommt davon Bauchweh und Verstopfung. Erst ab dem 10. Monat können Sie ihm nachmittags etwas zu beißen geben. Dann aber eher Vollkornzwieback oder Brot (etwa 25 g). Obst gibt es dann extra dazu – alternativ auch als Saft.

→ **Wie steril soll es sein?** Wer löffelt, für den reicht die Reinigung von Teller und Besteck in der Spülmaschine. Das Wasser zum Anrühren immer noch abkochen und geöffnete Obstgläschen nicht ungekühlt herumstehen lassen.

### Brei macht die Verdauung träger

Wird die Kost fester, kann es Probleme mit dem Stuhlgang geben. Ihr Baby muss jetzt zusätzlich trinken – am besten Wasser, und zwar nach oder zu jeder Mahlzeit. Im 2. Halbjahr müssen Sie auch Leitungswasser nicht mehr abkochen (s. Seite 77). Doch auch die Breizutaten selbst beeinflussen die Verdauung: Eher stopfend wirken Reis, Heidelbeeren und Banane sowie roh auf der Kronenreibe geriebener Apfel. Apfelmus dagegen, Raspelapfel und andere rohe Obstsorten regen die Verdauung ebenso an wie Vollkornflocken. Auch Joghurt statt Milch kann helfen. Vorausgesetzt, Ihr Baby trinkt genug dazu. Sonst quellen die Ballaststoffe nämlich auf und wirken wie ein Pfropfen im Darm.

### Obst ja – aber welches und wie?

Obst ist leicht verdaulich, hat ein weiches Innenleben und besteht vor allem aus Wasser und Kohlenhydraten. 1 Portion reiner Fruchtsaft (100 ml) kann eine Obstportion (100 g Mus für den Brei) ersetzen. Ein Durstlöscher ist er nicht, dazu ist er zu nahrhaft. Optimal: frisch gepresster Saft.

→ **Welche Sorten?** Je milder und säureärmer, desto besser: Apfel, Birne, Pfirsich oder Melone sind sehr gut verträglich. Zitrusfrüchte können einen wunden Po oder Ekzeme auslösen. Beeren, Kiwi und Ananas sind ebenfalls sehr säurereich, Mango oder Papaya dagegen mild. Steinobst kann roh Blähungen verursachen. Beobachten Sie Ihr Kind, dann merken Sie schnell, was es verträgt.

→ **Roh oder gekocht?** Solange das Obst weich genug ist, sollten Sie es roh geben, weil Kochen beim Obst viele Vitamine zerstört. Früchte mit großer Oberfläche wie Beeren oder Trauben lieber etwas später einführen: Sie bieten Platz für viele Keime. Übrigens: Alte Obstsorten enthalten weniger Allergene als Neuzüchtungen. Äpfel vom Biobauern sind auch deshalb zu empfehlen.

→ **Mit oder ohne Schale?** Pfirsichhaut, Apfel- und Birnenschale sind auch mit 7 Monaten kein Problem, wenn sie gut püriert sind. Wichtig: Das Obst nicht nur waschen, sondern gut nachreiben, denn das entfernt Rückstände am besten. Schälen ist nicht so gut, denn in und unter der Schale stecken die meisten → Bioaktivstoffe.

# Mandel-Getreide-Brei

ab 7. Monat | für den Vorrat
**20 Min.**
*pro Portion ca. 150 kcal*
*2 g Eiweiß · 6 g Fett · 23 g Kohlenhydrate*

**ZUTATEN FÜR
5 PORTIONEN**
80 g Reisflocken
20 g geschälte
gemahlene Mandeln
500 g Birnen
20 g Butter

**ZUBEREITUNG**

**1.** Die Flocken und Mandeln mischen und mit 625 ml Wasser aufkochen. 2 Min. unter Rühren kochen und dann vom Herd ziehen.

**2.** Die Birnen waschen, abreiben, vierteln, dabei das Kerngehäuse entfernen und das Fruchtfleisch in kleine Stücke schneiden. Die Birnenstücke zum Brei geben, die Butter hinzufügen und alles fein pürieren. Den Brei portionsweise einfrieren.

**Praxis-Tipp** Mandel-Flocken-Mix für den Vorrat: Flocken und Mandeln mischen und in ein gut verschließbares Schraubglas füllen. Er hält sich ca. 2 Monate. 1 Portion Brei bereiten Sie mit 2 gehäuften EL Flocken-Mix, 125 ml Wasser, 1 Birne und 1 TL Butter zu.

**Pluspunkt** Geschälte Mandeln sind neben Sesam von allen »Nüssen« am wenigsten allergen. Ihr hoher Gehalt an Mineralstoffen ergänzt sich gut mit dem Getreide.

# Apfelbrei

ab 6. Monat | für den Vorrat
**20 Min.**
*pro Portion ca. 245 kcal*
*3 g Eiweiß · 14 g Fett · 26 g Kohlenhydrate*

**ZUTATEN FÜR
5 PORTIONEN**
100 g Getreideflocken
500 g Äpfel
2–3 EL Butter (40 g)

**ZUBEREITUNG**

**1.** Die Getreideflocken mit 625 ml Wasser in einem Topf verrühren und bei schwacher Hitze zum Kochen bringen. Unter Rühren 1–2 Min. kochen, dann den Topf vom Herd nehmen.

**2.** Die Äpfel gut waschen, sorgfältig mit einem sauberen Tuch abreiben und klein schneiden, dabei die Kerngehäuse entfernen.

**3.** Apfelstückchen und Butter zu den Getreideflocken in den Topf geben, mit einem Pürierstab fein pürieren und einmal aufkochen. Den Brei portionsweise einfrieren.

**Pluspunkt** Äpfel enthalten gerade in der Schale viel → antioxidative Substanzen, die das Immunsystem stärken.

# Erdbeer-Grießbrei

ab 6. Monat | einfach
**10 Min.**
*ca. 115 kcal*
*3 g Eiweiß · 4 g Fett · 16 g Kohlenhydrate*

**ZUTATEN FÜR
1 PORTION**
20 g Vollkorn-
grieß (3 EL)
50 g reife Erdbeeren
1 TL Rapsöl (8 g)

**ZUBEREITUNG**

**1.** 100 ml Wasser in einem kleinen Topf zum Kochen bringen. Den Grieß mit einem Schneebesen einrühren. Unter Rühren aufkochen lassen, dann zum Ausquellen vom Herd ziehen.

**2.** Inzwischen die Erdbeeren waschen, putzen und klein schneiden. Erdbeerstückchen und Rapsöl zum Grießbrei geben und pürieren oder nur mit der Gabel zerdrücken.

**Praxis-Tipp** Wenn Ihr Baby empfindlich auf Erdbeeren reagiert, können Sie sie durch andere Obstsorten (s. Seite 56/57) ersetzen.

**Pluspunkt** Frische Erdbeeren enthalten das wichtige Wachstumsvitamin Folsäure und reichlich Vitamin C. Wenn Saison ist, sollten Sie das nutzen. Wählen Sie reife Früchte, die nicht so sauer sind.

# Getreide-Obst-Brei

ab 6. Monat | glutenfrei
**10 Min.**
*ca. 150 kcal*
*3 g Eiweiß · 4 g Fett · 26 g Kohlenhydrate*

**ZUTATEN FÜR
1 PORTION**
20 g Maisflocken
1 reifer gelber Pfirsich
1 guter TL Butter (8 g)

**ZUBEREITUNG**

**1.** Die Maisflocken mit 125 ml Wasser in einem kleinen Topf verrühren. Bei schwacher Hitze zum Kochen bringen. 1–2 Min. unter Rühren kochen, dann vom Herd ziehen.

**2.** Den Pfirsich waschen, sorgfältig abreiben und entkernen. Klein schneiden und zu den Flocken geben. Die Butter zugeben und alles mit dem Pürierstab fein pürieren.

**Austausch-Tipp** Außer Maisflocken können Sie auch Reis-, Hafer- oder Hirseflocken verwenden. Und statt Pfirsich Mango, Kaki oder Banane.

**Pluspunkt** Mais und Pfirsich enthalten viel Beta-Karotin.

### Ein neues Mitglied am Familientisch

Wenn Ihr Baby einige Minuten frei auf dem Boden sitzen kann, ist es reif für den Hochstuhl. Das passiert meist zwischen dem 10. und 12. Monat. Im Stuhl sollte es sicher sitzen und Halt bekommen. Sieht Ihr Kind erst einmal, was es da alles zu essen gibt, wird seine Neugier geweckt. Deshalb sollte es Ihnen beim Essen ruhig Gesellschaft leisten, auch wenn es schon vorher gegessen hat. Schon bald wird es auch alleine essen wollen. Es möchte Essen im wahrsten Sinne des Wortes begreifen: Richten Sie ihm ein Brettchen mit Obst- oder Brotstückchen. Doch auch Trinkenlernen steht auf dem Programm. Eine Trinklerntasse mit purem Wasser ist ideal: Da kann auch mal etwas danebengehen.

## Der Appetit wächst

Ihr Kind nimmt jetzt schon aktiv am Familienleben teil. Es schläft nicht mehr so viel, ist neugierig und erweitert seinen Radius. Der Babyrhythmus geht langsam über in den Tagesablauf eines Kleinkindes: Aus vier gleich großen Mahlzeiten werden drei Haupt- und zwei Zwischenmahlzeiten. Ihr Kind gibt dabei das Tempo an. Gehen Sie darauf ein, aber forcieren Sie nichts. Jedes Kind hat seine Zeit.

→ **Morgens im Bettchen** gibt es noch Mamis Brust – oder die Flasche. Denn Ihr Kind saugt noch gerne und muss ja erst im Tag ankommen. Auch Ihnen tut diese kleine Pause gut. Wenn Sie können, legen Sie sich kurz mit Ihrem Baby hin und genießen das Beisammensein. Später, wenn Sie frühstücken, kann Ihr Kind ein wenig Brot mitessen (s. Seite 77).

→ **Vormittags eine Vesper** Vor allem, wenn Sie mittags gemeinsam essen möchten, hält Ihr Baby noch nicht durch. Als Zwischenmahlzeit sind eine halbe Scheibe Brot und etwas Obst ideal – es kann auch Knabbergemüse sein.

→ **Mittags zu zweit zu Haus?** Sie können für sich und Ihr Kind gemeinsam kochen und dann zusammen essen. Dabei müssen Sie nichts mehr pürieren: Klein schneiden und zerdrücken reicht. Schließlich sollen die Zähne etwas zu kauen haben. Wer schon ein älteres Kind hat, zweigt vom Familienessen (s. Seite 118–129) etwas ab und würzt erst hinterher. Zu scharfe, trockene, harte und gebräunte Gerichte sollte Ihr Kind noch nicht essen: Es hat zarte Geschmacksnerven und sein Gebiss ist noch nicht voll leistungsfähig. Wenn es noch nicht klappt mit dem gemeinsamen Essen: Achten Sie auf gröbere Kost, selbst Juniormenüs aus dem Glas sind jetzt zu weich.

→ **Nachmittags ein Snack** Keine Sorge: Ich rede nicht von Riegeln und Keksen. Wie vormittags sind etwas Brot und Obst oder Saft angesagt. Kekse und Kuchen würde Ihr Kind wohl mit Begeisterung essen. Aber warten Sie damit, bis es sich die Zähne putzen lässt. Ihr Kind vermisst noch nichts – seien Sie froh darüber.

→ **Abends Breichen oder Brot** So manche gestresste Mutter wird auch abends noch die Flasche geben. Solange Sie Ihr Baby nicht samt Flasche allein ins Bett legen, ist das völlig okay und altersgemäß. Langfristig ist es aber wichtig, nach der letzten Mahlzeit die Zähne zu reinigen (s. Seite 59). Aber vielleicht möchte Ihr Kind den Abendbrei auch löffeln. Oder es möchte mit Ihnen Schnittchen essen (s. Seite 77). Dann sollten Sie ihm seine Milch (200 ml wie im Milchbrei) extra zu trinken geben. Es kann auch Joghurt sein. Insgesamt 400 ml Milch oder Milchprodukte sollte Ihr Baby täglich bekommen.

## Brezel, Stulle, Wurst?

Mit den Zähnen kommt auch der Appetit auf Brot und Belag. Kein Wunder: Eine Stulle ist in unserem Kulturkreis die kalte Mahlzeit schlechthin. Wer mit Kind einkauft, kommt nicht so einfach am Bäcker oder an der Metzgerei vorbei. Aber benutzen Sie Essen nicht als Schnullerersatz oder als Beruhigungsmittel für Ihr Baby. Was darf Ihr Kind jetzt davon essen?

→ **Brot** Fein vermahlenes Vollkornbrot ist ideal, am besten mit Jodsalz gebackenes. Roggenbrot ist oft besonders saftig. Dunkle Krusten enthalten → Acrylamid und gehören nicht in Kindermünder. Auch Nüsse und harte Körner sind noch ungeeignet. Die beliebten Laugenbrezeln sind leider sehr salzig: Reiben Sie alle Salzkörner ab und nehmen Sie Vollkornbrezeln. Auch Brötchen aus Weißmehl – ob süß oder salzig – tun Ihrem Kind nicht so gut.

→ **Wurst** Die rosigen Sorten sind mit Nitritpökelsalz (→ Nitrat) behandelt. Das bringt Ihr Baby jetzt nicht mehr um, ist aber neben dem hohen Salzgehalt auch nicht besonders gesund. Viele Sorten sind zudem geräuchert, scharf gewürzt und mit Aromastoffen angereichert. Ab und zu magerer Kochschinken, etwas Leberwurst oder Gelbwurst sind akzeptabel.

→ **Käse** Auch hier gilt: nicht so salzig und scharf. Ideal ist junger Schnittkäse oder Weichkäse. Schmelzkäse, der übrigens oft wie ein Schnittkäse daherkommt, enthält zu viel Salz und → Phosphate: lieber nicht. Mozzarella und Quark sind prima. Unter Frischkäse sollten Sie die Butter weglassen.

→ **Butter oder Margarine** Nehmen Sie lieber Butter, Ihr Kind bekommt über das Rapsöl genug Pflanzenfett. Außerdem ist Butter ein natürliches Produkt. Unter Aufstrichen können Sie sie aber weglassen.

→ **Konfitüre** Besser geeignet ist Fruchtaufstrich: Er enthält mehr Frucht und weniger Zucker. Abgesehen davon, dass nach einem Marmeladebrot das ganze Kind klebt, ist gegen etwas Konfitüre nichts einzuwenden. Nuss-Nougat-Creme sollten Sie im 1. Jahr wegen der Haselnüsse darin lieber noch nicht auf den Tisch bringen.

→ **Aufstriche** Achten Sie auf die Inhaltsstoffe der Produkte – oder mixen Sie den Aufstrich selbst (s. Seite 89). Dann können Sie auch milder würzen und wissen, was drin ist.

### Vom Saugen und Nuckeln

Eigentlich käme Ihr Baby mittlerweile schon ganz ohne Flasche über die Runden: Kauen und schlucken – das kann es jetzt perfekt. Aber sein Saugbedürfnis ist noch groß. Bei Naturvölkern werden Kinder bis weit ins 2. Lebensjahr gestillt – wenn auch nur noch zur Zwischenmahlzeit. Wenn Sie und Ihr Kind das möchten, ist das wunderbar. Bekommt es morgens oder auch abends noch die Flasche, ist das ebenfalls in Ordnung. Doch die Flasche ist kein Schnullerersatz, und ständiges Nuckeln zerstört den Zahnschmelz.

## Trinken wird jetzt immer wichtiger. Aber was?

Je mehr feste Nahrung Ihr Kind isst, desto mehr muss es trinken, am besten zu jeder Mahlzeit. Grundsätzlich gehören keine süßen Getränke in die Flasche.

→ **Fruchtsäfte** können eine Obstmahlzeit ersetzen, sind aber als Durstlöscher zu gehaltvoll. Säfte sollten Sie allenfalls mit Wasser 1:1 verdünnt aus der Trinklerntasse geben. Nektar und Fruchtsaftgetränke sind wie Limonade zu süß. Cola verträgt Ihr Baby noch nicht.

→ **Tees** sind durch süße Baby-Instanttees in Verruf gekommen. Brühen Sie Tee nur dünn und frisch auf, bevorzugen Sie Bio-Produkte. Schwarzer und grüner Tee sind ungeeignet. Lieber Roibusch oder Kräutertee nehmen. Früchtetee kann zu sauer sein – das ist auch nicht so gut für den Zahnschmelz. Speziellen Säuglingstee brauchen Sie jetzt nicht mehr.

→ **Wasser** ist der ideale Durstlöscher. Das kann Leitungswasser sein, das bei uns streng kontrolliert wird. Lassen Sie es vorher 1 Min. laufen, bis es wirklich frisch schmeckt. Bei Mineralwasser stille Sorten bevorzugen, die nicht zu salzig sind. Lassen Sie Ihr Kind einfach das Wasser trinken, das die ganze Familie bekommt: Es braucht jetzt keine Extrawurst mehr.

Ihr Kind tut seine ersten Schritte ins Leben. Helfen Sie ihm dabei: Sie stellen in dieser Zeit die Weichen für ein gesundes Essverhalten. Besonders wichtig dabei: die Familie an einem Tisch zu versammeln und dabei selber nicht unterzugehen. Im Mittelpunkt steht die optimale Ernährung in Theorie und Praxis. Ihr

# Kleinkind

braucht für sein stürmisches Wachstum die ganze Vielfalt der Lebensmittel, frisch und einfach zubereitet. Essen mit der Mami macht stark – aber auch in der Krabbelgruppe oder am Wochenende lernt Ihr Kind zu essen. Für morgens, mittags, abends finden Sie Anregung und kindgerechte Rezepte.

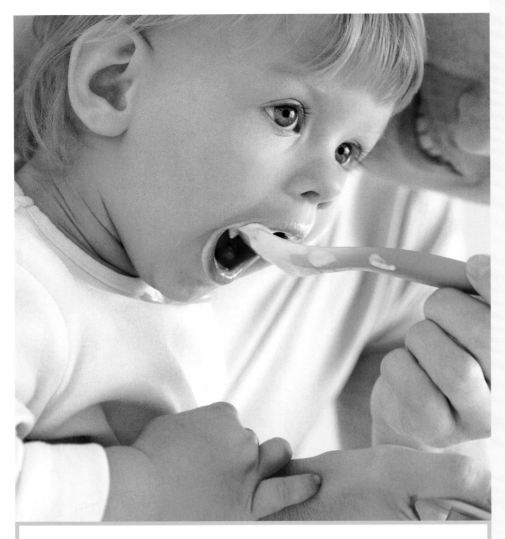

## Gemeinsam essen macht glücklich und gesund

Essen verbindet und schafft Gemeinschaft. Das ist für Ihr Kind und die ganze Familie wichtig. Beginnen Sie nach und nach, zusammen zu essen, am besten mittags, wenn Sie zu zweit sind (s. Seite 102–115), oder auch mit der ganzen Familie (s. Seite 116–129). In diesen ersten Jahren legen Sie die Grundlagen für Gewohnheiten, die später schwer zu ändern sind. Sie haben in der Hand, ob Kühlschrank und Bildschirm zum Zentrum des Familienlebens werden – oder der Esstisch, an dem nicht nur gegessen, sondern auch geredet, gelacht und auch mal gestritten wird. Ist Ihr Kind tagsüber in der Krippe, spielt dort das gemeinsame Essen ebenfalls eine prägende Rolle. Gut, wenn Sie sich daran beteiligen können (s. Seite 130–133).

# Ihr Baby wird Kleinkind

Das passiert natürlich nicht genau am 1. Geburtstag. Gerade in diesem frühen Alter gibt es enorme Unterschiede in der Entwicklung. Motorisch weit entwickelte Kinder hinken oft sprachlich hinterher und umgekehrt. Das Leben ist ein Langstreckenlauf – bieten Sie Ihrem Kind Raum und Hilfe bei seinen Fortschritten, aber machen Sie ihm und sich keinen Druck. Dieser Prozess zieht sich bis zum Ende des 2. Lebensjahres hin. Nicht zufällig markiert der 3. Geburtstag den Eintritt in den Kindergarten. Im Vergleich zur stürmischen Entwicklung des 1. Jahres verlangsamt sich das Wachstum, die Fortschritte brauchen länger, sind aber auch viel umfassender und vielschichtiger.

**→ Die Backenzähne kommen** Wahrscheinlich hat Ihr Kind am 1. Geburtstag alle Schneidezähne. Im 2. Lebensjahr brechen die Backenzähne durch. Erst dann kann Ihr Kind so richtig kauen und braucht nicht länger Püriertes und Zerdrücktes zu essen. »Zahnen« macht manche Kinder quengelig und unruhig. Geben Sie ihm in dieser Zeit trockene Brotstückchen, aber ohne Kruste, oder Apfelspalten mit Schale zum Kauen. Das hilft den Zähnen beim Durchbrechen. Nach ein bis zwei Tagen ist es geschafft – ein ganz natürlicher Vorgang, der zum Heranwachsen dazugehört. Achten Sie darauf, dass Ihr Kind eher saftiges Essen bekommt und etwas dazu trinkt: Das erleichtert die Kauarbeit.

**→ Selber essen!** Die kleinen Finger werden geschickter, die Koordination zwischen Sehen, Zugreifen, Mundöffnen und Den-Happen-Hineinschieben klappt immer besser. Es ist Zeit für den eigenen, rutschfesten und unzerbrechlichen Teller und den ersten Löffel. Gebogene Löffel berücksichtigen, dass Ihr Kind mit seinem kurzen Arm noch nicht so richtig die Kurve zum Mund kriegt. Doch auch ein breiter Löffel mit kurzem Griff ist geeignet. Je öfter Ihr Kind übt, desto geschickter wird es. Auch das Trinken aus dem Becher wird ganz selbstverständlich (s. Seite 76–77).

**→ Matjes, Salami und Pralinen?** Das Verdauungssystem Ihres Kindes funktioniert jetzt, doch ist es noch nicht so robust wie bei einem Großen. Auch hier gibt es individuelle Unterschiede in Reife und Empfindlichkeit (s. Seite 144/145). Deshalb gehören sehr salzige, würzige, stark gebratene, fettige, süße Gerichte noch nicht auf den Teller Ihres Kindes. Kleine, harte Lebensmittel wie ganze Nüsse oder Hülsenfrüchte können außerdem im Hals stecken bleiben – oder in der Nase. Denn Kinder spielen nun mal mit dem Essen! Alkohol und Koffein sind Gift für Ihr Kind. Lassen Sie keine Kippen und alkoholhaltigen Getränke oder Pralinen in seiner Reichweite stehen.

## Schmecken ist ein Abenteuer

Ihr Kind lernt nicht nur gehen, essen und sprechen, sondern auch schmecken, riechen, schlucken, beißen, fühlen. Es erobert seine Umwelt mit allen Sinnen und nimmt sie empfindsamer wahr als ein Erwachsener. Fördern Sie diese Entwicklung: Streichen Sie die eintönigen Juniorgläschen endgültig aus dem Programm, denn sie bremsen die Geschmacksbildung.

→ **Sehen** Die Augen essen gerade bei Kindern mit – auch schon bei kleinen. So kann eine Macke am Apfel zu wilder Ablehnung führen und ein Mondgesicht auf dem Brot zu Begeisterung. Wenn es die Zeit erlaubt, bringen Sie Obst und Gemüse in Form (s. Seite 92/93).

→ **Riechen** Geschmack wird vor allem durch die Nase wahrgenommen. Und die ist schon beim Baby hoch entwickelt: Es erkennt Sie am Körpergeruch und findet Ihre Brust mit der Nase. Aroma- und Duftstoffe sind deshalb tabu für Ihr Kleinkind: Es soll ja den Eigengeruch und -geschmack von Lebensmitteln erfahren, um sie kennen zu lernen. Schnuppern Sie mit ihm am Pfirsich – oder an der Bratwurst, lassen Sie es raten, was es zu essen gibt. Ihr Kind wird das lieben!

→ **Schmecken** Auf unserer Zunge sitzen Papillen für fünf unterschiedliche Geschmacksnoten: süß, sauer, salzig, bitter und umami (würzig). Wie das Baby hat auch das Kleinkind eine Vorliebe für »süß«. Doch es ist noch mit leichter, natürlicher Süße zufrieden – erhöhen Sie deshalb nicht unnötig die Süß-Schwelle: Auch Brot oder Flocken pur schmecken süßlich. Gleiches gilt für salzig. Vorliebe für »bitter« entwickelt sich erst viel später.

→ **Mundgefühl** Wenn etwas zart auf der Zunge zerfließt oder knusprig zwischen den Zähnen knackt, wenn Brot zu weichem Brei wird oder eine Traube zu Saft zerspringt, dann erhöht das den Genuss. Hersteller von Kinderlebensmitteln machen sich das zunutze. Dabei bieten natürliche Lebensmittel genug Reize für den zarten Mund.

→ **Hören** Wenn die Flakes beim Kauen knistern, das Schokopapier raschelt, oder die Bonbons tik-tak machen, dann erhöht das den Genuss. Lassen Sie Ihr Kind sein Brot selber auspacken, wickeln Sie Popcorn einzeln ein, wechseln Sie zwischen hauchdünnem Knäcke, Reiscräckern und Brot ab – all das erhöht den Reiz und fördert die Entwicklung der Sinne Ihres Kindes.

### Mit dem Essen spielt man … doch!

Ihr Kind begreift die Welt mit den Händen und eignet sich dabei Fertigkeiten an. Es isst mit allen Sinnen und hat noch nicht unsere ästhetischen Vorstellungen. In Grenzen sollten Sie Ihrem Kind diesen genussvollen Umgang mit Essen erlauben: Bereiten Sie öfter Fingerfood zu, erlauben Sie auch mal den Zugriff auf die Nudeln oder das Malen auf dem Marmeladenbrot. Aber schreiten Sie ein, wenn Ihr Kind mit dem Essen matscht und Sie provoziert.

## Abschied von Schnuller und Flasche

→ Leichter gesagt als getan: Saugen ist bis ins Kindergartenalter verbreitet und entspricht einem tiefen **Nuckelbedürfnis.** Psychologen diskutieren, ob die Gewöhnung an die Nuckelflasche späteres Suchtverhalten zur Folge hat oder das Entziehen der Nuckelmöglichkeit zu Frust und gestörtem Essverhalten führt. Verlassen Sie sich auf Ihr Gefühl und den gesunden Menschenverstand.

→ **Die Flasche** ist im 2. Lebensjahr nicht mehr notwendig, aber eine liebe, entlastende Gewohnheit. So können Sie morgens und abends Ihrem Kind noch die Milchflasche lassen. Führen Sie sie aber nicht als Schnullerersatz ständig mit. Den Durst sollte Ihr Kind mit Wasser aus dem Becher löschen. Sonst wird Trinken schnell zur Beruhigung und greift die Milchzähne an – vor allem mit Saft und sauren Tees. Auch nach der Milchflasche ist Zähneputzen angesagt – anfangs mit Wattestäbchen, später mit Bürste.

→ **Der Schnuller** hilft beim Einschlafen, tröstet, beruhigt – und schließt das kleine Plappermaul. Genau das stört aber die Kommunikation zwischen Ihrem Kind und seiner Umgebung. Machen Sie den Schnuller also nicht zum ständigen Begleiter. Zum Einschlafen im Bettchen ist er bis zum Kindergartenalter erlaubt. Bis Ihr Kind ihn für die Schnullerfee aufs Fensterbrett legt – oder Sie ihn einfach verlieren.

# WAS MUSS UND WAS DARF MEIN KIND ESSEN?

## Kinderpyramide und Handmaß

Natürlich gibt es Tabellen, die genauestens auflisten, was Kinder essen sollten. Wie viel ist eigentlich eine Portion? Gramm und Milliliter helfen im Alltag wenig und können den Appetit verderben.

**Die Hände als individuelles Maß** für eine Portion der unterschiedlichen Lebensmittel zu nehmen ist unkompliziert, entspricht der Größe Ihres Kindes und gilt für Kinder ebenso wie für Erwachsene. Denn große Menschen haben große Hände und brauchen viel, kleine Menschen haben kleine Hände und kommen mit weniger aus. Rechts sehen Sie, wie viel von welchen Lebensmitteln eine Portion ergibt – in diesem Fall für Sie. Entsprechend kleiner ist die Portion in der Hand Ihres Kindes. Die Pyramide zeigt, wie viele dieser Portionen Ihr Kind von jeder Lebensmittelgruppe braucht – oder essen darf. Bei kompletten Gerichten ist das nicht so leicht zu beurteilen, doch die grobe Richtung ist klar. Das letzte Wort hat immer das gute Gedeihen Ihres Kindes, denn individuelle Unterschiede gibt es bei jedem, auch bei kleinen Menschen.

## Flüssigkeit

Sechsmal 1 Glas Flüssigkeit am Tag braucht Ihr Kind. 1 Glas darf **Saft** sein. Sie können auch 5 Gläser Tee mit insgesamt 1 Glas Saft süßen oder 5 Gläser Wasser damit aromatisieren. Nur selbst gepressten oder Direktsaft verwenden, Saft aus Konzentrat ist angereichert und enthält kaum noch natürliche Vitamine. Aromatisierte Tees überfordern die Sinne Ihres Kindes, Schwarztee, Kaffee und Cola sind wegen ihres Koffeingehaltes tabu, Limo, Fruchtsaftgetränke und Nektar haben zu viel Zucker. Am besten sind Leitungswasser, dünne Kräuter- oder Früchtetees oder mildes Mineralwasser.

## Basis: Kohlenhydrate, die satt machen

**Getreide** ist für Kleinkinder das Grundnahrungsmittel schlechthin. Sie müssen relativ gesehen viel mehr essen als Erwachsene. Deshalb sollten sie 5 Portionen essen, während für Erwachsene und übergewichtige Kinder 4 ausreichen (s. Seite 146/147). Je mehr Portionen aus Vollkorn bestehen, desto besser. Vollkornbrot sollte saftig und fein vermahlen sein – das gelingt am besten mit Roggen- und Roggenmischbrot. Dinkel als Brot ist oft zu trocken. Als geschrotete Schnellkochgrütze schmeckt er dagegen wunderbar. Die gibt es auch von anderen Getreidearten. Getreideflocken pur sind nach wie vor bestens verträglich – auch hier auf Vollkorn achten. Bei **Reis** sind Parboiled-Sorten ideal. **Kartoffeln** am besten frisch zubereiten. Und bei **Nudeln** ausprobieren, ob Vollkorn schmeckt. Frühstücks-**Cerealien** können viel zu süß sein – bereiten Sie lieber eigene Mischungen zu. Als Mengenmaß gilt bei Brotscheiben die flache Hand, bei Kartoffeln eine gute Hand voll. Alle Getreidespeisen, die erst quellen müssen wie Nudeln und Reis, sollten gegart in eine Hand passen. Wem das zu matschig ist: Das entspricht der Fläche der Hand auf dem Teller.

## Wichtig: Gemüse und Obst

Sie sind Knüller in punkto Vitamine, Mineralstoffe und → Bioaktivstoffe, stärken Abwehrkräfte und Gesundheit Ihres Kindes. Dabei hat Gemüse sogar leicht die Nase vorn. Gewöhnen Sie Ihr Kind an die bunte Vielfalt. Mindestens je 1 Portion Gemüse und Obst sollte es roh essen. Das schmeckt Kindern häufig sogar besser als gegart. Bevorzugen Sie Gemüse der Saison. In der kalten Jahreszeit zu frischen Importen und tiefgefrorenen Alternativen greifen: Treibhausware hat durch die geringe Sonneneinstrahlung oft einen hohen → Nitratgehalt und Lagergemüse ist häufig derb und etwas herb. Tomaten, Mais und Hülsenfrüchte sind auch als Konserve sinnvoll. Sorgen Sie für Abwechslung und lassen Sie Ihr Kind immer wieder probieren. Gemessen werden Obst und Gemüse mit einer guten Hand voll. Bei stückigen Teilen wie Kohlrabi, Apfel, Tomate, Paprika, Kiwi oder Birne entspricht das einer kleinen Frucht. Ein bisschen zu viel ist bei dieser Lebensmittelgruppe eher positiv: Sie hat die höchste → Nährstoffdichte, also wenige Kalorien und viele wertvolle Nährstoffe. Erwachsene und übergewichtige Kinder sollten 1 Extraportion Gemüse essen als kalorienarmen Ersatz für die Getreideportion weniger. Getrocknetes Obst liefert wohl wichtige Mineralstoffe, enthält aber viel Zucker: Da gilt die Süßigkeiten-Regel. Kompott kann ab und zu eine Obstportion ersetzen, ist aber weniger wertvoll. Konfitüre wie Schokolade dosieren.

**Kräuter** ergänzen das frische Angebot, weil sie so viel an Vitaminen und Mineralstoffen enthalten, dass auch kleine Mengen wirken.

## Lebensmittel tierischen Ursprungs

Besonders wichtig sind Milch und Milchprodukte wegen ihres Kalziumgehaltes. Fleisch versorgt besonders gut mit Eisen, Zink und B-Vitaminen, Fisch liefert wertvolle → Omega-3-Fettsäuren und Jod, Ei enthält alle wichtigen Mineralstoffe und Vitamine. Alle diese **Eiweißträger** können aber einen sehr hohen Gehalt an gesättigten Fettsäuren haben und die tun vielen Menschen nicht so gut. Deshalb auf eher magere Produkte achten. Insgesamt 4 Portionen werden empfohlen, davon 3 Portionen Milch und Milchprodukte. Bleibt 1 Portion Fleisch oder Fisch oder Ei pro Tag. Sind die Stücke eher flach wie bei Schnitzel, Steak oder Fischfilet, dann bei dünnen Stücken die ganze Handfläche als Maß ansetzen, bei dicken den Handteller. Das gilt auch für dünne bzw. dicke Scheiben Käse oder Wurst. Etwas mehr Eiweiß kann Ihr Kind wohl verkraften, zuviel belastet noch seine Nieren. Immer Wurst ohne Brot deshalb lieber nicht. Fisch bzw. Fleisch sind schonend gegart am besten. Bei Wurst und Käse lieber etwas zurückhaltend sein (s. Seite 92/93). Und wenn Sie Ihr Kind **vegetarisch ernähren** wollen? Fleisch, Fisch und Ei lassen sich durch Milchprodukte, Nüsse und Samen ersetzen. Doch wenn auch die Milch wegfällt, wird es schwierig. Dann ist mit Kalzium angereicherte Sojamilch eine Alternative (s. Seite 84/85).

## Achtung: Fett und Süßigkeiten

Mehrfach ungesättigte → Fettsäuren sind lebensnotwendig – aber Ihr Kind braucht nur Minimengen: 15 g im 2., 20 g im 3. Lebensjahr – eine Daumenportion. Am besten Rapsöl, weil es einen hohen Gehalt an → Omega-3-Fettsäuren enthält. Auch Lein-, Walnuss-, Soja- und Olivenöl sind günstig, Distelöl eher nicht. Nun verträgt Ihr Baby auch **kaltgepresste Öle.** Zum Braten dagegen lieber raffinierte Öle nehmen. Aufs Brot Butter oder ungehärtete Margarine (s. Seite 86) streichen, nicht stapeln. Das Daumenmaß gilt auch für Schokolade und andere gehaltvolle **Süßigkeiten.** Auf die kann Ihr Kind aber auch locker verzichten. Sie sind in der Pyramide rot dargestellt als »Du-darfst«-Empfehlung, nicht als »Du-sollst«-Empfehlung enthalten. Solange Süßigkeiten kein Thema sind, sollten Sie darauf verzichten. Zuckrige Snacks sind nicht viel besser. Sie enthalten wohl weniger Kalorien als Fett, liefern aber keine weiteren wertvollen Nährstoffe und nagen an den zarten Zähnen.

**Salat satt** Was so luftig ist, davon darf man am meisten essen. Dies Maß gilt auch für Popcorn und Reiscracker.

**Milch & Saft** sind Sattmacher. Dabei kann 1 Glas Saft 1 Obstportion ersetzen. Alternativen zu Milch: Sauermilchprodukte, Käse.

**Obst & Gemüse** passen in eine Hand – die darf bei Gemüse gut gehäuft sein; bei Banane eher eine kleine Frucht.

**Brot** darf so groß sein wie die Hand – aber nur fingerdick! Normale Brötchen und Brezeln zählen 1 ½- bis 2-fach.

**Die aid Kinderpyramide** zeigt, wie viele Portionen pro Lebensmittelgruppe Ihr Kind pro Tag essen sollte – und darf.

**Müsli,** aber auch gegarte Beilagen wie Nudeln, Reis und Grütze füllen eine Hand oder ein Drittel des Tellers.

**Fleisch und Fisch** dürfen den Handteller bedecken, ebenso dünner geschnittene Wurst und Käse.

**Bei rohem Gemüse** darf's gleich zwei Hände voll sein, denn Rohkost enthält viel Wasser und Ballaststoffe.

**Süßigkeiten** braucht Ihr Kind nicht. Aber es darf so viel naschen, wie knapp (!) in eine Handfläche passt.

## Mitmachen ist alles!

Helfen zu dürfen macht Kleinkinder stolz und mutig. Geben Sie Ihrem Kind eine Chance: Anfangs kann es bringen und holen, sortieren und ordnen, sammeln und suchen. Gegen Ende des 2. Jahres hilft es Ihnen dabei, Obst zu waschen, Salatsauce zu rühren oder einen Teig zu kneten. Richten Sie ihm ein eigenes Abteil im Küchenschrank ein mit alten Töpfen, Schüsseln, Löffeln. Da kann es ungehemmt wirken.

## Lieber Bio? Rückstände und Inhaltsstoffe

Rückstände aus Luft und Wasser sind überall. Aber Pestizide in Ackerbau, Futterzusatz und Medikamenten in der Tierhaltung sind bei → Bio verboten. Wann ist Bio wirklich empfehlenswert?

→ **Getreide** spielt als Grundnahrungsmittel eine Riesenrolle. Hier lieber Bio nehmen: Ohnehin sind die meisten Vollkornprodukte aus Biogetreide. Sie können sich außerdem bei Bio-Brot und -Gebäck darauf verlassen, dass es wirklich Vollkorn ist.

→ **Gemüse und Obst** Hier ist neben Bio der Bauernmarkt mit regionalen Produkten prima – oder gleich die grüne Kiste (regionale Abos von Bauern, die das in die Kiste packen, was gerade reif ist). Vorteil: Frische und häufig alte, aromatische Sorten. In den letzten Untersuchungen waren Obst und Gemüse aus den Mittelmeerländern stark belastet – Holland ist sicherer (www.einkaufsnetz.org).

→ **Fleisch** Kritisch wird es bei billigen Wurstwaren und Fertiggerichten. Kaufen Sie ungewürztes Fleisch mit dem → QS-Siegel, achten Sie bei Rindfleisch auf den Herkunftsnachweis, bevorzugen Sie Schinken. Tierschutzgründe sprechen für Bioware.

→ **Milchprodukte** Bevorzugen Sie aus ökologischen Gründen Produkte regionaler Molkereien – die Erzeugnisse sind in Ordnung. Wichtiger: Produkte ohne Aromastoffe kaufen, lieber wenig gesüßte Produkte wählen.

→ **Fisch & Meerestiere** Regionale Süßwasserfische (Forelle, Zander) sind unbedenklich. Fischfarmen (Lachs) haben die Problematik von Verunreinigung und Antibiotika (s. Seite 170) im Griff. Bei Krabben aus Fernost gab es Antibiotika-Probleme – besser Eismeergarnelen nehmen. Raubfische wie Thunfisch und Heilbutt haben einen höheren Schwermetallgehalt als die anderen Sorten wie Hering, Seelachs, Schellfisch, Tilapia oder als Zuchtfische.

→ **Süßes** Es ist ziemlich egal, ob Sie Bio-, Vollrohr- oder raffinierten Zucker nehmen: Alles tut Ihrem Kind nicht gut. Gummibärchen bleibt Gummibärchen und ist ein Riesengeschäft – auch im Bioladen!

## Wie vegetarisch darf mein Kleinkind essen?

Hier geht es nicht darum, Unverträglichkeiten zu umgehen (s. Seite 144/145), sondern um eine freiwillig gewählte Ernährungsform. Es reicht nicht, Fleisch einfach wegzulassen, sondern das Essen sollte vollwertig kombiniert sein.

→ Die **ovo-lacto-vegetarische Kost** lehnt nur Fleisch und Fisch ab – auch für Kleinkinder kein Problem: Milchprodukte und Ei enthalten genug Eiweiß. Knapp kann Eisen werden. Deshalb viel fein vermahlenes Vollkorn (Hirse, Hafer) und Nüsse, gemahlen oder als Mus (Sesam, Mandeln), essen und dazu 1 Glas Vitamin-C-reichen Saft. Das verbessert die Eisenaufnahme im Darm.

→ Auch **lacto-vegetarisch** gedeiht Ihr Kind gut: Es isst statt Ei einfach mehr Milchprodukte. Die Vielseitigkeit leidet aber: Pfannkuchen, Puffer, Aufläufe und Gebäck sind ohne Ei kaum zu machen.

→ **Vegane Ernährung** funktioniert nur, wenn die Mutter weiterstillt und ausreichend Vitamin B$_{12}$ bildet. Dieses Wachstumsvitamin ist nur in tierischen Lebensmitteln enthalten. Neben der Eisen- ist auch die Kalziumversorgung knapp – das kann bleibende Schäden verursachen. Mit Kalzium angereicherte Sojamilch kann die schlimmsten Defizite verhindern. Den zwangsläufig hohen Getreideanteil durch feines Mahlen und Garen verträglich machen. Keine empfehlenswerte Ernährung für ein mitteleuropäisches Kleinkind!

## Kleine Esstypen und ihre Probleme

## Wie Sie damit umgehen

**Der Spatz** pickt nur am Essen und knabbert ewig an der Mini-Portion. → Kleine Kinder brauchen kleine Portionen. Und es gibt auch gute Futterverwerter und ruhige Naturelle, die mit wenig auskommen. Stimmt das Gewicht, brauchen Sie sich keine Sorgen machen (s. Seite 146/147).

Beginnen Sie keinen Affentanz ums Essen: So könnten Marotten entstehen. Gemeinsam zu essen ist wichtig, nehmen Sie sich Zeit und lassen Sie dem Spatz nicht alles durchgehen. Fangen Sie mit kleinen Portionen an: Essensberge entmutigen ihn.

**Der Purist** mag alles mono: Salat ohne Dressing, nackte Nudeln, Pfannkuchen ohne Apfelmus, Eintopf gar nicht. → Ein urtümliches Misstrauen gegenüber Unbekanntem steckt dahinter, der Wunsch nach klarem Geschmack und die gewohnte Monotonie des Babybreis.

Salat extra, Möhre zum Knabbern und Käsewürfel zum Brot sind okay. Lassen Sie Ihr Kind die Sauce selber unter die Pasta mischen. Ändern Sie nicht den Speiseplan. Bieten Sie öfter Kombigerichte an. Das Problem legt sich im Kindergartenalter.

**Der Vielfraß** hat immer Appetit. Sobald etwas Essbares in Sicht ist, gibt's Geschrei und der Teller kann nicht voll genug sein. → Stimmt sein Gewicht (s. Seite 146/147)? Dann ist Ihr Kind ein schlechter Futterverwerter, viel in Bewegung oder macht gerade einen »Schuss« – also alles ganz normal.

Mit 2 gehaltvollen Zwischenmahlzeiten wie Müsli oder Käsewürfeln mit Obst und 3 Hauptmahlzeiten, bei denen es tüchtig zu kauen gibt, bekommt Ihr Kind genug. Es verhungert nicht, wenn es auf die nächste Mahlzeit ein wenig warten muss. Beginnen Sie nicht eine »Rund-um-die-Uhr-Versorgung«.

**Der Süßschnabel** kann von Keksen, Puddings, Schokolade nicht genug bekommen. Jeder Einkauf wird zum Spießrutenlauf und wenn Besuch kommt … → Die süße Vorliebe stammt aus der Babyzeit und ist ganz normal. Doch das industrielle Angebot ist unnatürlich süß und verdirbt den natürlichen Geschmackssinn hin zur »Süßsucht«.

Besuch und Oma bekommen »Süß-Schenk-Verbot«. Genascht wird nur einmal am Tag nach dem Essen aus der Naschkiste. Ab und zu gibt's gesunde, süße Hauptgerichte und jeden Tag einen Obstteller, selbstgemachtes Safteis oder Joghurt. Bleiben Sie im Supermarkt hart und legen Sie keine süßen Vorräte an.

**Der Snacker** isst ständig: Ohne Brezel, Flasche oder Keks im Mund ist das Kind nicht zufrieden. Zu den Mahlzeiten dagegen ist der Hunger klein. → Gerade Snacks sind nicht vollwertig. Gesunde, gegarte Lebensmittel kommen zu kurz, die Zähne leiden und die Kommunikation: Wer isst, spricht nicht.

Ihr Kind braucht 5–6 Mahlzeiten am Tag, davon 3 Hauptmahlzeiten. Mehr schadet den Zähnen und dem Appetit und setzt die Insulinproduktion ganz schön unter Druck. Sorgen Sie für essfreie Zonen und beschäftigen Sie sich mit dem kleinen Snacker. Essen ist nämlich keine Kinderbeschäftigung!

**Der Fleischfan** isst die Wurst vom Brot und das Hack aus dem Burger. Er mag's würzig. → 3 Portionen Fleisch in der Woche reichen, Wurst ist wegen viel Salz nur in Maßen gut, Fertiggerichte sind voller Aromastoffe.

Schon kleine Mengen Fleisch würzen ein Gericht. Die Wurst dünn schneiden und mit Brot essen. Pflanzliche Aufstriche (s. Seite 89) schmecken ebenso würzig wie Streichwurst! Sojasauce statt Salz liefert den Geschmack »umami« (s. Seite 81).

**Der Gemüsemuffel** sortiert jedes Petersilienblatt aus und lehnt Grünzeug ab. → Gemüse ist wegen des hohen Nährstoffgehalts wichtig – jetzt werden Essgewohnheiten geprägt, deshalb ist eine Erweiterung des Speisezettels wichtig.

Versuchen Sie es mit rohem Knabbergemüse (s. Seite 93) oder Gemüse im Essen versteckt, als Saft gemixt mit Obst. Probieren Sie es immer wieder – und seien Sie ein gutes Vorbild. Viel Kartoffeln, Obst und Tomatensauce verhindern einen Mangel.

**Der Konservative** will immer dasselbe Essen und lehnt alles Neue ab. → Dieses Misstrauen hat die Menschheit geschützt. Monokost im 1. Jahr verstärkt diese Tendenz. Darunter leidet später aber die Vielfalt.

Alles muss probiert werden, streichen Sie den Speiseplan nicht zusammen! Nur durch Kennenlernen kann Ihr Kind neue Vorlieben entwickeln. Einseitige Vorlieben sind ungesund.

**Der Schlürflutscher** hängt an der Flasche, mag Pudding, Pasta, Babybrei – nur nichts, was er kauen muss. → Wichtige Lebensmittel kommen zu kurz, zu wenig Ballaststoffe und träge Verdauung können die Folge sein und zu viel Industrie-Futter. Baby forever!

»Häschen« spielen mit Knabbergemüse, reichlich Sauce zu festem Fleisch, Gemüse auch mal pürieren und genug Trinken zum Essen bringen ihn auf den Geschmack. Je mehr er kauen muss, desto stärker werden Kiefer und Zähne.

# Kinderbrot (Bild links)

**ZUTATEN FÜR
1 KASTENFORM
(20 SCHEIBEN)**

50 g Haferkörner
1 Päckchen Trockenhefe
400 g Dinkelmehl
(Type 630)
2 EL Apfelkraut
100 g Quark
50 ml Rapsöl
1–2 TL Salz
Fett für die Form

saftig | gehaltvoll

**15 Min. + 3–4 Tage Keimen +
1 Std. 30 Min. Ruhen + 50 Min. Backen**

**ZUBEREITUNG**

**1.** Haferkörner 6–8 Stunden in einem Keimglas in Wasser einweichen. Danach Wasser abgießen und die Haferkörner in dem Glas so lange keimen lassen, bis sie 1–2 cm große Keime bekommen. Dabei täglich 1- bis 2-mal die Körner mit Wasser durchspülen.

**2.** Hefe und Dinkelmehl mischen. Apfelkraut mit 200 ml lauwarmem Wasser verrühren und dann mit dem Mehl-Hefe-Mix zu einem glatten Teig verkneten. 30 Min. im Ofen bei 50° zugedeckt gehen lassen. Öl, Quark, Haferkeime und -körner mischen und ebenfalls im Ofen anwärmen.

**3.** Die Form fetten. Angewärmte Öl-Quark-Hafer-Mischung und Salz unter den Brotteig kneten und den Teig 1 weitere Std. gehen lassen.

**4.** Backofen auf 200° vorheizen. Den Teig in die Form geben und im Ofen (unten, Umluft 180°) ca. 50 Min. backen.

*pro Scheibe ca. 105 kcal*
*5 g Eiweiß · 3 g Fett · 17 g Kohlenhydrate*

**Praxis-Tipp** Decken Sie das Brot nach 15 Min. mit Alufolie ab: Die Kruste bleibt heller und weicher.

**Blitz-Idee** Statt Haferkeimen saftig gegarten Zartweizen oder Reis – auch Reste – zugeben.

**Pluspunkt** Durch das Keimen steigen der Vitamin- und Mineralstoffgehalt und der Hafer wird weicher. Apfeldicksaft liefert Säure und sorgt für Haltbarkeit. Quark liefert Eiweiß, Öl die nötigen Fettsäuren.

## Andere Zutaten – anderes Brot

→ **Saatenbrot** Statt Hafer eine Mischung aus Sesam- und Leinsamen, Kürbis- und Sonnenblumenkernen verwenden. Etwas mehr Wasser dazugeben.

→ **Kartoffelbrot** Hafer und Quark durch 150 g frisch gekochte, durchgedrückte Pellkartoffeln, Apfeldicksaft durch 2 EL Senf ersetzen.

→ **Rüblibrot** Statt Hafer 50 g gemahlene Mandeln und statt Quark 150 g geraspelte Möhren zufügen.

## Butter oder Margarine?

Butter ist ein Naturprodukt, enthält Vitamin D und ist leicht verdaulich. Eine fürs Kind geeignete Margarine sollte viele Omega-3-Fettsäuren enthalten. Wechseln Sie einfach ab!

## Aber bitte ohne dunkle Kruste!

In dunkler Kruste bildet sich → **Acrylamid.** Deshalb für Ihr Kind die Kruste lieber abschneiden.

# Mini-Apfelbrötchen (Bild rechts)

**ZUTATEN FÜR
16 STÜCK**

1 Päckchen Trockenhefe
400 g Dinkelmehl
(Type 630)
2 EL Apfelkraut
2 Äpfel (je 130 g)
100 g Quark
50 ml Rapsöl · 1 TL Salz
Backpapier

einfach | fürs Kinderfest

**20 Min. + 1 Std. 30 Min. Ruhen + 18 Min. Backen**

**ZUBEREITUNG**

**1.** Hefe und Dinkelmehl mischen. Apfelkraut mit 200 ml lauwarmem Wasser verrühren und mit dem Mehl-Hefe-Mix zu einem glatten Teig verkneten. 30 Min. zugedeckt gehen lassen.

**2.** Die Form fetten. Äpfel waschen, vierteln, dabei die Kerngehäuse entfernen. Die Viertel raspeln. Quark, Öl, Salz und Apfelraspel mischen, unter den Teig kneten und 1 weitere Std. gehen lassen.

*pro Stück ca. 135 kcal*
*4 g Eiweiß · 4 g Fett · 21 g Kohlenhydrate*

**3.** Den Backofen auf 200° vorheizen. Den Teig nochmal gut durchkneten, dabei eventuell noch Mehl zugeben, so dass er nicht mehr klebt. 16 kleine Brötchen formen, auf ein mit Backpapier ausgelegtes Backblech legen und im Ofen (unten, Umluft 180°) ca. 18 Min. backen.

**Kinder machen mit** Beim Formen der Brötchen können sogar schon die Kleinsten mitmachen.

# Kindertee

mild | anregend

**5 Min.**

*pro Portion (100 ml) ca. 5 kcal*
*0 g Eiweiß · 0 g Fett · 1 g Kohlenhydrate*

ZUTATEN
FÜR 1 l

10 Blätter frische
Pfefferminze
3 Hibiskusblüten
3 TL getrocknete
Hagebutten
3 TL Himbeerblätter
3 TL Brombeerblätter
1–2 TL Honig

**ZUBEREITUNG**

**1.** Die Minze waschen. Alle Trockenzutaten in
einen Teebeutel geben, beides in einem Krug
mit 1 l kochendem Wasser übergießen.

**2.** Nach 5 Min. den Beutel entfernen. Den Tee
mit Honig süßen.

**Praxis-Tipp** Sie können gleich eine größere
Menge Trockentee mischen und in einer verschließbaren Dose aufbewahren. Wie Sie Minze in Honig haltbar machen, steht auf Seite 12.

**Austausch-Tipp** Anstatt Hibiskus- Heidel-
beerblüten verwenden. Das stärkt schlappe
Kinder durch eine Extra-Portion Eisen. Statt
mit Honig mit Fruchtsaft süßen – das kühlt
den Tee gleichzeitig auf Trinktemperatur.

**Pluspunkt** Das ätherische Öl der Minze
regt an, Hibiskus und Hagebutten enthalten
die Vitamine A, B$_1$, B$_2$ und C, die zusätzlich
Power geben. Mehr zu Tee auf Seite 143.

# Himbeer-Milch

für Morgenmuffel | schnell

**5 Min.**

*ca. 200 kcal*
*9 g Eiweiß · 8 g Fett · 23 g Kohlenhydrate*

ZUTATEN FÜR
1 PORTION

50 g TK-Himbeeren
200 ml Vollmilch
1 EL Instant-
Haferflocken
1 TL Honig
Kakaopulver zum
Bestäuben

**ZUBEREITUNG**

**1.** Die gefrorenen Himbeeren mit Milch,
Haferflocken und Honig im Mixer pürieren.
Den Drink in ein Glas geben und mit Kakao
bestäuben.

**Austausch-Tipp** Die Milch wird noch ge-
haltvoller mit 1 TL Weizenkleie. Statt Himbeeren sind auch andere weiche Obstsorten
geeignet. Bei gesüßten Produkten Honig
weglassen.

**Pluspunkt** Super für alle Kinder, die morgens noch nichts Festes frühstücken mögen.
Die Himbeeren und die Haferflocken liefern
viele wichtige Mineral- und Ballaststoffe.

**Info** → Probiotischer Joghurt regeneriert
die Darmflora – z. B. nach einer Antibiotika-
Therapie.

# Pizzacreme

pikant | für den Vorrat
**30 Min.**
*pro EL ca. 35 kcal*
*1 g Eiweiß · 2 g Fett · 3 g Kohlenhydrate*

ZUTATEN FÜR
1 GLAS (350 ml)
55 g getrocknete
Tomaten
325 ml Tomatensaft
55 g Hirse
65 g Macadamianüsse
1 kleines Glas Kapern
(20 g Abtropfgewicht)
Salz · Pfeffer

ZUBEREITUNG

1. Die getrockneten Tomaten grob zerkleinern. Den Tomatensaft aufkochen, Hirse und getrocknete Tomaten einrühren, bei schwacher Hitze 25 Min. zugedeckt köcheln lassen.

2. Die Hirse samt Tomaten, Nüssen und Kapern mit 1 EL Kapernflüssigkeit pürieren und mit Salz und Pfeffer abschmecken.

3. Die Paste in ein Schraubglas füllen und im Kühlschrank lagern. Sie hält sich mindestens 1 Monat.

**Austausch-Tipp** Statt Macadamianüssen Pinienkerne oder Walnüsse verwenden, statt Kapern 1 Bund Basilikum oder Rucola.

**Pluspunkt** Ein leichter Aufstrich mit pflanzlichen Fetten und reichlich Ballaststoffen. Eisen aus der Hirse und → Lykopin und Milchsäure aus den Kapern stärken das Immunsystem.

# Aprikose-Mandel-Paste

beruhigend | für den Vorrat
**10 Min. + 30 Min. Ruhen**
*pro EL ca. 40 kcal*
*1 g Eiweiß · 2 g Fett · 4 g Kohlenhydrate*

ZUTATEN FÜR
1 GLAS (350 ml)
140 g getrocknete
Aprikosen
70 g Mandeln
1 TL getrockneter
Lavendel
1 ½ EL Honig

ZUBEREITUNG

1. Aprikosen, Mandeln samt Schale und Lavendel mit Wasser bedecken und 1 Min. erhitzen (in der Mikrowelle bei 600 Watt). Anschießend 30 Min. weichen lassen. Dann alles mit dem Einweichwasser pürieren und den Honig unterrühren.

2. Die Aprikose-Mandel-Paste in ein Schraubglas füllen und im Kühlschrank aufbewahren. Hält sich 14 Tage.

**Pluspunkt** Getrocknete Aprikosen enthalten viel Kalium und Vitamin A und liefern eine natürliche Süße. Mandeln sind reich an Vitamin E, die Schale liefert wichtige Ballaststoffe.

# Schnittlauch-Kürbis-Käse

eiweißreich | für den Vorrat
**15 Min.**
*pro EL ca. 50 kcal*
*2 g Eiweiß · 4 g Fett · 1 g Kohlenhydrate*

ZUTATEN FÜR
1 GLAS (350 ml)
230 g Tofu natur
80 g Kürbiskerne
3 EL Kürbiskernöl
1 Bund Schnittlauch
Salz · Pfeffer

ZUBEREITUNG

1. Den Tofu grob zerkleinern, mit den Kürbiskernen und dem Kürbiskernöl pürieren.

2. Den Schnittlauch waschen, in feine Röllchen schneiden und unter die Paste mischen. Mit Salz und Pfeffer abschmecken.

3. Die Paste in ein Schraubglas füllen und im Kühlschrank lagern. Hält sich 14 Tage.

**Austausch-Tipp** Statt Schnittlauch 2–3 EL Tomatenmark verwenden, Sesamsamen, Olivenöl und 1 TL getrocknete Kräuter der Provence.

**Pluspunkt** Tofu versorgt Ihr Kind mit wichtigem Eiweiß, Kürbiskerne und -öl mit gesundem Fett.

# Karibik-Butter

gut verträglich | für den Vorrat
**5 Min.**
*pro EL ca. 55 kcal*
*1 g Eiweiß · 2 g Fett · 8 g Kohlenhydrate*

ZUTATEN FÜR
1 GLAS (350 ml)
1 kleine reife Banane
200 g gekochte,
geschälte Maroni
(vakuumverpackt)
3 EL Kakaopulver
(ungezuckert)
50 g Rohrzucker
50 g Butter
1 TL Zimtpulver

ZUBEREITUNG

1. Die Banane klein schneiden und mit Maroni, Kakaopulver, Rohrzucker, Butter und Zimt fein pürieren.

2. Die Maroni-Kakao-Bananen-Butter in ein Schraubglas füllen und im Kühlschrank lagern. Sie hält sich etwa 14 Tage.

**Praxis-Tipp** Sie können den Brotaufstrich auch mit frischen Esskastanien herstellen. 250 g Kastanien mit einem Messer auf der Spitze kreuzweise einschneiden, dabei das braune Häutchen nicht verletzen. Kastanien nass auf ein mit Backpapier belegtes Blech legen. 20–30 Min. (Mitte) backen, bis die Schalen aufspringen. Zwischendurch wenden. Oder Kastanien in kochendem, leicht gesalzenen Wasser etwa 15 Min. kochen. Kastanien abkühlen lassen, dann schälen.

## Alles wird gut

magenmild | stärkend
**15 Min.**
*ca. 265 kcal*
*6 g Eiweiß · 8 g Fett · 45 g Kohlenhydrate*

ZUTATEN FÜR
1 PORTION

3 knappe EL Dinkel-
schrot (40 g)
1 EL Rosinen
½ kleiner Apfel (40 g)
1 TL Honig
2 EL Sahne

ZUBEREITUNG

**1.** Den Dinkelschrot und die Rosinen
mit ⅛ l Wasser in einem Topf zum
Kochen bringen. Bei schwacher Hitze
zugedeckt 5–7 Min. kochen.

**2.** Den Apfel waschen, trockenreiben,
putzen und mit Schale im Blitzhacker
raspeln, zur Grütze geben und nochmals aufkochen.

**3.** Anschließend den Honig unterziehen
und die Grütze mit Sahne begießen.

**Praxis-Tipp** Ist der Brei zu dick, noch
etwas Wasser oder Apfelsaft zugeben.

## Pop in den Tag

für den Vorrat | knusprig
**10 Min.**
*pro Portion ca. 115 kcal*
*3 g Eiweiß · 4 g Fett · 17 g Kohlenhydrate*

ZUTATEN FÜR
CA. 16 PORTIONEN

50 g Popcornmais
4 EL Rapsöl
4 EL Vanille-Honig
250 g Haferflocken
50 g getrocknete
Weizenkeime

ZUBEREITUNG

**1.** Den Popcornmais in einer Pfanne mit
Deckel vorsichtig erhitzen, bis der Mais zu
Popkorn wird, dabei die Pfanne rütteln. Das
Popcorn in eine Schale geben.

**2.** Öl und Honig in einer Pfanne mischen,
die Haferflocken darin ca. 2 Min. leicht anrösten. Das Popcorn untermischen. Zum
Schluss die Weizenkeime einstreuen und
ca. 1 Min. weiterrösten.

**3.** Das Müsli abkühlen lassen und in ein gut
verschließbares Schraubglas geben.

**Info** 1 Portion sind 2–3 EL Müsli mit 150 ml
Milch oder Joghurt und etwas Obst.

**Pluspunkt** Popcorn macht kalorienarm
satt, Weizenkeime liefern B-Vitamine für die
Nerven, Haferflocken und Vanille machen
gute Laune.

# Heidis Müsli

für den Vorrat | regt die Verdauung an

**5 Min.**

*pro Portion ca. 105 kcal*
*3 g Eiweiß · 4 g Fett · 15 g Kohlenhydrate*

ZUTATEN FÜR
22 PORTIONEN

75 g getrocknete
Aprikosen
50 g Mandeln
50 g Walnusskerne
300 g Haferflocken
(kernig)
75 g Rosinen
50 g getrocknete
Cranberrys

**ZUBEREITUNG**

**1.** Die Aprikosen, Mandeln und Walnüsse im Blitzhacker zerkleinern.

**2.** Die Mischung mit den Haferflocken, Rosinen und Cranberrys mischen und in einem gut verschließbaren Gefäß aufbewahren.

**Praxis-Tipps**  Pro Portion 2–3 EL Müsli mit 150 g Joghurt und 100 g frischem Obst mischen. Bei Bedarf können Sie das Müsli mit ½ TL Honig pro Portion süßen.
Wenn Ihr Kind noch nicht so gut kauen kann, weichen Sie das Müsli 10 Min. ein.
Ab dem 2. Jahr verträgt Ihr Kind Selbstgeflocktes. Gut geeignet sind die weichen Haferkörner. Die durch den Flocker zu pressen macht Kindern Spaß. Und in den frischen Flocken sind alle Nährstoffe des Korns.

**Pluspunkt**  Cranberrys sind reich an Bioaktivstoffen und → Antioxidantien, die vor Harnwegsinfektionen schützen. Walnüsse liefern mehrfach ungesättigte Fettsäuren. Haferflocken enthalten viel Eisen und Zink.

# Rosa Müsli

für Träumer | schnell

**5 Min.**

*ca. 225 kcal*
*9 g Eiweiß · 9 g Fett · 26 g Kohlenhydrate*

ZUTATEN FÜR
1 PORTION

150 ml Vollmilch
1 TL Mandelmus
1 TL neutrale
Hefeflocken
1 TL Erdbeer-Vanille-
Fruchtaufstrich
2 Vollkorn-Zwiebäcke

**ZUBEREITUNG**

**1.** Die Milch mit Mandelmus, Hefeflocken und Erdbeeraufstrich verquirlen und dabei erhitzen.

**2.** Die Zwiebäcke in Stücke brechen und in eine Schale geben. Mit der heißen rosa Milch übergießen.

**Noch gesünder**  Das Müsli wird frischer und gesünder mit 1 kleinen Hand voll frischen oder aufgetauten Erd- oder Himbeeren.

**Pluspunkt**  Träumern fällt der Start in den Tag schwer. Bei diesem Müsli brauchen sie sich nicht anzustrengen – es isst sich von alleine und baut sie auf. Ideal auch für Kinder mit Halsentzündung oder nach einer Operation im Rachenbereich!

## Fertigmüsli

Müsli ist nicht automatisch gesund. Leider enthalten die beliebten, aufgepoppten süßen Cerealien viel zu viel Zucker und zu wenig sättigende Ballaststoffe. Auf der Zutatenliste sind die Zutaten der Menge nach sortiert – wenn's viele Zuckersorten (s. Seite 69) gibt, rutschen sie nach hinten. Aber schauen Sie genau hin: Die Summe macht's!

→ Gerade Knuspermischungen sind zuckerreich. Der Zucker-Getreide-Mix legt sich wie ein Karamellbonbon um die Zähne und ist nur schwer zu entfernen.

→ Überflüssig sind außerdem Aromastoffe. Das tut der Geschmacksbildung nicht gut.

→ Je weniger Zutaten das Müsli hat, desto besser. Basis sollten Vollkornflocken sein, ergänzt durch Nüsse, Samen und Kerne sowie Trockenfrüchte. Mischen Sie es selbst nach unseren Rezepten.

→ Die ideale Ergänzung zu Getreide sind Milchprodukte und frisches Obst. Zusätzlich zu süßen ist überflüssig!

# BUTTERBROT, OBST, JOGHURT ODER WAS?

## Eine Zwischenmahlzeit ist kein Snack!

Ein Kleinkind braucht 3 feste Hauptmahlzeiten am Tag – und jeweils vormittags und nachmittags 1 Zwischenmahlzeit, weil es noch nicht so viel auf einmal essen kann. Das bedeutet aber nicht, dass es unentwegt essen sollte. Alle 2 ½–3 ½ Stunden ist der Magen für Nachschub bereit – aber nicht stündlich! Was beim Kleinkind noch unproblematisch ist, weil es enorm wächst, kann später zum Dickmacher werden. Denn wer ständig nascht, ist nie hungrig und kann enorme Mengen verdrücken. Das hat die Natur für uns Menschen nicht so vorgesehen – so funktioniert Mast: ständig essen, konzentriertes Futter, wenig Bewegung… Ebenso wichtig wie die Zwischenmahlzeiten sind **Esspausen!** Gerade die Snacks, die als gesunde Zwischenmahlzeit beworben werden, sind oft zu stark bearbeitet, zu süß, zu fett.

## Welches Brot?

Vollkornbrot ist in jedem Fall das Beste für Ihr Kind. Doch ein Baguette oder eine Laugenbrezel sieht freundlicher aus, ist leichter zu kauen und schmeckt schon im Mund leicht süßlich. Ab und zu ist das okay, sollte aber die Ausnahme sein. Entscheidend ist das Alltagsbrot: Achten Sie darauf, dass es mit Jodsalz gebacken wird, weil unser Wasser zu wenig Jod enthält. Außerdem sollte es zumindest zu 50 % aus Vollkorn bestehen. Denn dessen Ballaststoffe sorgen dafür, dass die Darmflora gesund und Ihr Kind länger satt bleibt. Außerdem sind in der Außenschicht des Korns die Mineralstoffe, Vitamine und → Bioaktivstoffe konzentriert. Sie können das auch an der Mehltype erkennen: Je höher die Type, desto mehr Mineralstoffe sind noch drin. Im Keim sind Eiweiß und wertvolle Fette konzentriert: Bausteine für eine neue Pflanze. Das alles baut Ihr Kind auf. Doch zu grobkörnig darf das Brot nicht sein. Es gibt auch **fein gemahlenes Vollkornbrot.** Dabei ist Hefebrot aus Weizen und Dinkel oft etwas trocken. Günstiger sind Roggen und Hafer. Auch Quark, Kartoffeln und Saaten machen ein Brot saftig. Probieren Sie aus, was Ihr Kind mag und wechseln Sie ab. Ab und zu ist auch helles Brot in Ordnung.

## Süße Aufstriche

Konfitüre besteht zur Hälfte aus Zucker. Fruchtaufstriche enthalten mehr Früchte. Doch bei kleinen Mengen ist das nicht so entscheidend. Wichtiger ist es, die **Marmelade mit frischem Obst zu kombinieren:** Bananenscheiben, Mandarinenschnitze oder Erdbeeren. Die passen auch zu **Honig,** der nun nicht mehr tabu ist (s. Seite 54). Gerade morgens bringt diese kleine, leicht verdauliche Energiespritze Ihr Kind auf Touren. Nuss-Nougat-Creme oder Erdnussbutter lernt es oft erst im Kindergarten kennen. Beides ist sehr fett und schwer verdaulich – lassen Sie sich damit Zeit (gesunde Alternativen s. Seite 88/89). Für Süßschnäbel ist ein fruchtiges Vollkornbrot auch eine prima Nachmittagsmahlzeit und viel gesünder als Kekse und Kuchen!

## Käse und Frischkäse

Käse kann Milch ersetzen: Je härter er ist, desto mehr Kalzium enthält er (100 ml Milch ≙ 15 g Käse oder 30 g Frischkäse). Gerade gereifter Käse enthält wenig Milchzucker und wird von empfindlichen Kindern (s. Seite 144/145) oft besser vertragen. Ihr Kind darf auch Rohmilchkäse essen. Gut, wenn es sich an die **Vielfalt von Käse** gewöhnt und nicht bei Butterkäse hängen bleibt – in Frankreich ist das selbstverständlich. Schneiden Sie von allen Käsesorten die Rinde ab – sie schmeckt meist herb und ist oft nicht so gut verträglich. Verzichten Sie auf Schmelzkäse, er enthält zu viel Salz. Der Fettgehalt spielt für ein Kleinkind noch keine große Rolle.

## Aufschnitt: lieber wenig!

Die meisten Kinder lieben Wurst. Doch wie gesund ist sie wirklich? Zu viele gepökelte, geräucherte Fleischwaren scheinen das Krebsrisiko zu erhöhen: Das Nitritpökelsalz (→ Nitrat) kann sich im Magen zu Nitrosaminen umwandeln, zu stark Geräuchertes kann ebenfalls schädliche Benzpyrene enthalten. Sie erkennen Gepökeltes an der appetitlichen rosa Farbe. Beim Biometzger gibt es auch ungepökelte Wurst, die einen eher grauen Ton hat. Auch Gelbwurst, Weiß- und Grillwürste sind nicht gepökelt. Wichtig: Gepökeltes nicht knusprig braun braten, das erhöht den Gehalt an Schadstoffen. **Wurst** enthält aber auch wertvolles Eiweiß, Eisen und Zink. Deshalb hat sie ihren Platz neben Käse – aber **in Maßen.** Der Fettgehalt ist nicht mehr so hoch und für Ihr Kind unproblematisch. Allerdings wird zunehmend Wurst überflüssigerweise mit → Aromastoffen angereichert. Jede Sorte hat ihre guten Seiten, sorgen Sie für eine bunte Mischung. Vor allem: Lassen Sie sich dünne Scheiben schneiden und drücken Sie Ihrem Kind nicht das Wienerle pur in die Hand! Kombinieren Sie das Wurstbrot mit Paprikastreifen, Kräutern oder Orangensaft: Vitamin C verhindert die Bildung von Nitrosaminen! Etwas Salat unter der Wurst macht den Happen saftig.

## Milch, Kakao, Sojamilch?

Jetzt verträgt Ihr Kind **Milch** pur. Es kommt mit 3,5 % Fettgehalt gut zurecht. Doch wenn es von vornherein an fettarme Milch (1,5 %) gewöhnt ist, kann das später ein Vorteil sein, wenn es langsamer wächst und der Kalorienbedarf etwas sinkt. Pasteurisierte Frischmilch ist etwas vitaminreicher, doch auch H-Milch oder die neuen länger haltbaren Frischmilchsorten (→ ESL) sind empfehlenswert, weil es in erster Linie ums Kalzium geht. Gut, wenn Ihr Kind Milch mag – dann können Sie auf **Kakao** verzichten. Denn der kann stopfend wirken, enthält hauptsächlich Zucker, ist aber unschädlich – und überflüssig. Wenn Ihr Kind Milch ablehnt, sind Joghurt, Buttermilch oder Dickmilch ein vollwertiger Ersatz. Am besten die reinen Produkte kaufen und mit frischen Früchten und Säften mischen. → Probiotische Produkte wirken positiv auf die Darmflora. Nach Antibiotikabehandlung am besten eine 14-tägige Kur damit machen. Auch hier gilt: je weniger Zusatzstoffe, desto besser. Und **Sojamilch?** Sie ist ein sehr stark verarbeitetes Produkt und enthält von Natur aus kaum Kalzium. Und dieses wird auch noch schlechter vom Körper aufgenommen. Wenn Sie Sojamilch aus triftigen Gründen (s. Seite 144/145) wählen, achten Sie darauf, dass sie mit Kalzium (mindestens 120 mg/ml) angereichert ist. Gesünder als Milchprodukte sind Sojaprodukte keinesfalls.

## Tee löscht Durst und tut gut

Kräuter, Blätter, Früchte enthalten Wirkstoffe, die beim Aufbrühen ins Teewasser übergehen und beim Trinken ihre Wirkung entfalten. Da Kinder sehr empfindlich reagieren, reicht für sie schon eine sehr schwache Dosierung: Pro ¼ l Wasser reicht 1 TL Tee. Lassen Sie den Tee 5–10 Min. ziehen. Versuchen Sie so zu mischen, dass nicht zusätzlich gesüßt werden muss. Besonders mild ist Roibuschtee. Süßholz macht eine Teemischung ebenfalls lieblicher. Machen Sie ruhig gleich eine Kanne Tee. Kinder trinken ihn auch gerne kalt.

**Süße Tiere** Es müssen nicht immer Kunstwerke sein, doch in mundgerechten Stückchen rutscht Obst einfach besser.

**Luxus-Saft** Frisch gepresst ersetzt er eine kleine Obstportion. Im Edelglas wird Ihr Kind den Saft besonders genießen.

**Leckeis** ist im Nu selbst gemacht: Saft im Eiswürfelbereiter einfrieren, nach 30 Min. abgeschnittene Trinkhalme hineinstecken.

**Knusperbrot** Tolle Verwertung für altbackenes Brot und gesünder als Chips: Mit wenig Butter in der Pfanne frisch braten.

**Knabber-Gemüse** schmeckt in Form nochmal so gut: Paprika ausstechen, Möhrentaler und Gurkenringe schneiden.

**Mit Dip** aus Quark und Brotsticks wird mundgerechtes Gemüse zur vollwertigen Zwischenmahlzeit, die Spaß macht.

**Obst-Brot** ist saftiger als Konfitüre pur und sorgt für Vitamine. Ein Hauch Kakaopulver macht die Banane schokoladig.

**Wurst mit Vitamin C** Keine Butter, statt dessen Kräuter, Gemüse und Obst aufs Brot: die gesunde Ergänzung zur Wurst.

**Brotschnecke** Eine rechteckige Brotscheibe entrinden, belegen, aufrollen, in Folie aufbewahren, kurz vorher aufschneiden.

# Karotörtchen

braucht etwas Zeit | fruchtig
**25 Min. + 2 Std. Kühlen
+ 12 Min. Backen**
*bei 15 Törtchen pro Stück ca. 225 kcal*
*3 g Eiweiß · 11 g Fett · 28 g Kohlenhydrate*

**ZUTATEN FÜR
12–15 TÖRTCHEN**

**Für den Teig:**
50 g Trockenaprikosen
100 ml Orangensaft
50 g Möhren
250 g Mehl
200 g Butter
80 g Zucker
Mehl zum Arbeiten

**Für den Belag:**
ca. 750 g große
Aprikosen
100 g Aprikosen-
konfitüre
ca. 100 g Himbeeren

**ZUBEREITUNG**

**1.** Die Trockenaprikosen 5 Min. im Orangen-saft einweichen. Möhren schälen, alles im Blitzhacker zerkleinern und mit Mehl, Butter und Zucker zu einem Teig kneten. In Folie wickeln, 2 Std. kalt stellen.

**2.** Den Backofen auf 200° (Umluft 180°) vorheizen. Den Teig auf einer bemehlten Fläche ca. ½ cm dick ausrollen und 12–15 Kreise (9 cm Ø) ausstechen. Teigreste rollen und als Rand auf die Kreise legen.

**3.** Für den Belag die Aprikosen waschen, ent-kernen und in Spalten schneiden. Die Spalten auf die Törtchen legen. Im Ofen (2. Schiene von unten) ca. 12 Min. backen.

**4.** Die Konfitüre mit 1 EL heißem Wasser mischen, durch ein Sieb streichen, die war-men Törtchen damit überziehen. Mit Him-beeren garnieren.

**Austausch-Tipp** Schmeckt auch mit klei-nen Äpfeln oder Zwetschgen.

# Karotin-Muffins

einfach | zum Mitnehmen
**30 Min. + 30 Min. Backen**
*pro Stück ca. 205 kcal*
*4 g Eiweiß · 10 g Fett · 26 g Kohlenhydrate*

**FÜR 1 MUFFIN-
BLECH (12 STÜCK)**
250 g Kürbisfleisch
(geputzt gewogen)
250 g Mehl
2 TL Backpulver
¼ TL Natron (Apo-
theke, Drogeriemarkt)
¼ TL Salz
¼ TL Zimtpulver
2 Eier (M)
100 g Zucker
100 g weiche Butter
150 ml Orangensaft
100 g Joghurt
(1,5 % Fett)
30 g gehackte
Mandeln
Fett für das Blech

**ZUBEREITUNG**

**1.** Backofen auf 190° vorheizen. Vertiefungen eines Muffinblechs fetten (oder mit Papier-backförmchen auskleiden).

**2.** Das Kürbisfleisch fein raspeln. Mehl, Back-pulver, Natron, Salz und Zimt mischen. Die Eier verquirlen. Zucker, Butter, Orangensaft und Joghurt unterrühren. Mehlmischung dazugeben. Kurz mischen, bis die Zutaten sich verbunden haben. Dann die Kürbisraspel unterheben.

**3.** Teig in die Förmchen füllen, mit Mandeln bestreuen. Im Ofen (unten, Umluft 170°) 30 Min. backen.

**Austausch-Tipp** Schmeckt auch mit Möhren oder Raspeläpfeln statt Kürbis und mit Vollkornmehl und Vollrohrzucker. Wer kein Natron hat, nimmt insgesamt 3 TL Backpulver.

# Tigerschnecken

fruchtig | fürs Kinderfest
**20 Min + 1 Std. Ruhen + 20 Min. Backen**
*pro Stück ca. 195 kcal*
*4 g Eiweiß · 8 g Fett · 28 g Kohlenhydrate*

**ZUTATEN FÜR
18 STÜCK**
400 g Mehl
1 Päckchen
Trockenhefe
50 g Zucker
1 Prise Salz
200 ml lauwarme Milch
100 g zimmer-
warme Butter
1 Packung Mohn-
backmischung (250 g)
2 Äpfel · 1 Eigelb

**ZUBEREITUNG**

**1.** Mehl, Hefe, Zucker und Salz mischen, mit Milch (bis auf 1 EL) und Butter verkneten und zugedeckt 30 Min. gehen lassen.

**2.** Die Äpfel waschen, entkernen und raspeln. Teig gut durchkneten, auf einer bemehlten Fläche zu einem Rechteck von 25 x 42 cm Größe ausrollen.

**3.** Den Teig mit Mohnmasse bestreichen. Die Apfelraspel darauf geben und von der breiten Seite her aufrollen. Die Rolle in 3 cm breite Scheiben schneiden, diese etwas aus-einander ziehen.

**4.** Die Schnecken auf ein mit Backpapier ausgelegtes Backblech legen. 30 Min. gehen lassen. Backofen auf 200° vorheizen.

**5.** Das Eigelb mit 1 EL Milch verquirlen, Schnecken damit bestreichen. Im Ofen (Mitte, Umluft 180°) in ca. 20 Min. gold-braun backen.

**Austausch-Tipp** Für **Marzipanschnecken** statt Mohnmix 200 g Marzipan-Rohmasse mit 50–100 ml Apfelsaft verrühren.

# Knabberkekse

ballaststoffreich | ohne Milch und Ei
**10 Min. + 10–12 Min. Backen pro Blech**
*pro Stück ca. 35 kcal*
*0 g Eiweiß · 2 g Fett · 4 g Kohlenhydrate*

**ZUTATEN FÜR
CA. 70 KEKSE**
200 g Dinkelmehl,
(Type 630)
½ Päckchen
Backpulver
150 g weiche Butter
2 EL Puderzucker
1 ½ EL Kakaopulver
150 g frische Datteln

**ZUBEREITUNG**

**1.** Den Backofen auf 180° (Umluft 160°) vorheizen. Mehl, Backpulver, Butter, Puder-zucker und Kakaopulver zu einem Teig ver-arbeiten.

**2.** Die Datteln entkernen, fein hacken und unter den Teig kneten. Den Teig zu hasel-nussgroßen Bällchen formen. Die Bällchen flach auf mit Backpapier ausgelegte Back-bleche drücken. Im Ofen (Mitte) 10–12 Min. backen. Die Kekse herausnehmen und auf einem Gitter auskühlen lassen.

**Austausch-Tipp** Für helle Aprikosen-Kekse statt Datteln getrocknete Softaprikosen mit 5 TL Honig pürieren, den Kakao weglassen.

**Pluspunkte** Für Allergiker geeignet. Datteln liefern Ballast- und Mineralstoffe.

# Zitronenzwerge

erfrischend | blitzschnell

**15 Min.**

*bei 8 Portionen pro Portion ca. 80 kcal*
*4 g Eiweiß · 6 g Fett · 4 g Kohlenhydrate*

ZUTATEN FÜR
6–8 MINI-
PORTIONEN

½ Bio-Zitrone
6 Stücke Würfelzucker
250 g Quark
etwas Mineralwasser
100 g Sahne

### ZUBEREITUNG

**1.** Die Zitrone heiß abwaschen. Die Zuckerwürfel an der Zitronenschale reiben, bis sie sich gelb färben. Die Zitrone auspressen. Zitronensaft mit Zuckerstücken und Quark verrühren. Die Quarkcreme mit 1 Schuss Mineralwasser aufschlagen.

**2.** Die Sahne steif schlagen und unter die Quarkmasse heben.

**Praxis-Tipp** Mischen Sie Mandarinenstücke aus der Dose oder klein geschnittene Orangenstücke unter die Creme, die liefern eine zusätzliche Portion Vitamine.

**Pluspunkt** Ein Nachtisch ohne Aroma- und Konservierungsstoffe, im Nu zubereitet mit Gelinggarantie. Wird schön gelb durch 1 Prise Safranpulver.

# Couscous mit Obst

schnell | ohne Milch

**10 Min. + 30 Min. Quellen**

*ca. 445 kcal*
*10 g Eiweiß · 1 g Fett · 98 g Kohlenhydrate*

ZUTATEN FÜR
2 PORTIONEN

60 g Instant-Couscous
1 Prise Zimtpulver
2 EL Rosinen
⅛ l Orangensaft
1 Orange
1 weiche Birne

### ZUBEREITUNG

**1.** Den Couscous mit Zimt, Rosinen und Saft mischen und 30 Min. quellen lassen.

**2.** Die Orangen bis aufs Fruchtfleisch schälen, vierteln, das weiße Innere entfernen und die Viertel in schmale Scheiben schneiden. Die Birne waschen, abreiben, vierteln und entkernen, in Scheiben schneiden. Das Obst zum Couscous geben.

**Blitz-Idee** Couscous quillt schneller, wenn der Saft heiß ist.

**Pluspunkt** Diese Zwischenmahlzeit auf Getreidebasis ganz ohne Milchprodukte kann den Nachmittagsbrei ersetzen – oder das Müsli.

# Wassermelonen-Sorbet

**25 Min. + 5 Std. Gefrieren**

*bei 10 Portionen pro Portion ca. 40 kcal*
*0 g Eiweiß · 3 g Fett · 10 g Kohlenhydrate*

**ZUTATEN FÜR**
**½ l SORBET**

1 kg Wassermelone
(mit Schale gewogen)
1 Bio-Limette
1–2 EL Agavendicksaft
einige Strohhalme

**ZUBEREITUNG**

**1.** Die Melone in Spalten schneiden, die Kerne entfernen, das Fruchtfleisch aus der Schale schneiden. Die Limette heiß abwaschen, die Schale abreiben, den Saft auspressen.

**2.** Die Melone mit 3 EL Limettensaft, der Schale und dem Agavendicksaft pürieren. Das Sorbet in Eiswürfelbereiter füllen und mindestens 5 Std. gefrieren lassen.

**3.** Trinkhalme in 10 cm lange Stücke schneiden und, sobald das Eis zu gefrieren beginnt, als Stiele in die Mitte der Eiswürfel stecken.

**Pluspunkt** Die Melonen machen das Sorbet zu einer vitaminreichen Nascherei. Der Agavendicksaft löst sich perfekt.

# Bananen-Milcheis

**25 Min. + 5 Std. Gefrieren**

*bei 10 Portionen pro Portion ca. 80 kcal*
*3 g Eiweiß · 3 g Fett · 10 g Kohlenhydrate*

**ZUTATEN FÜR**
**½ l EIS**

3 reife Bananen
150 ml Vollmilch
200 g Magerquark
5 EL Raspelschokolade
einige Strohhalme

**ZUBEREITUNG**

**1.** Die Bananen schälen, grob zerteilen und mit der Milch und dem Quark fein pürieren. Dann die Raspelschokolade unterziehen. Schnell arbeiten, damit das Bananenmus nicht braun wird.

**2.** Die Masse in Eiswürfelbereiter füllen und mindestens 5 Std. gefrieren lassen.

**3.** Die Strohhalme in ca. 10 cm lange Stücke schneiden und, sobald das Eis zu gefrieren beginnt, als Stiele in die Mitte der Eiswürfel stecken.

**Pluspunkt** Das Eis ist eine gesunde Erfrischung an heißen Tagen. Quark und Vollmilch liefern zugleich Kalzium für Knochen und Zähne.

# Rübchen-Polenta

karotinreich | vegetarisch
**15 Min.**
*ca. 505 kcal*
*17 g Eiweiß · 27 g Fett · 47 g Kohlenhydrate*

**ZUTATEN FÜR
1 KINDERPORTION**

1–2 Möhren (200 g)
1 EL Butter
200 ml Milch
40 g Polenta
1–2 EL geriebener
Butterkäse
Salz · Pfeffer

**ZUBEREITUNG**

**1.** Die Möhren waschen, schälen und im Blitzhacker grob raspeln.

**2.** In einem kleinen Topf die Butter erhitzen, die Möhrenraspel darin andünsten. Die Milch dazugießen und die Polenta einrühren. Zugedeckt bei schwacher Hitze ca. 5 Min. köcheln lassen, dabei öfters umrühren.

**3.** Den Butterkäse unter die Möhren-Polenta mischen und mit Salz und Pfeffer abschmecken.

**Praxis-Tipp** Polenta (Maisgrieß) braucht viel Flüssigkeit und brennt schnell an – ein beschichteter Topf und gutes Rühren verhindern das.

**Pluspunkt** Mais und Möhren enthalten das gelbe Karotin, das mit Fett am besten aufgenommen wird.

# Grüner Reis mit weißen Inseln

mild
**20 Min.**
*ca. 400 kcal*
*16 g Eiweiß · 17 g Fett · 45 g Kohlenhydrate*

**ZUTATEN FÜR
1 KINDERPORTION**

1 kleiner
Zucchino (200 g)
50 g Instant-Milchreis
50 ml Milch · 1 EL Pesto
(aus dem Glas)
Hefeflocken · Salz
5 Mini-Mozzarella
(insgesamt ca. 40 g)

**ZUBEREITUNG**

**1.** Den Zucchino waschen, die Enden entfernen und den Zucchino pürieren.

**2.** Zucchinopüree und Milchreis mit 50 ml Wasser in einen kleinen Topf geben, aufkochen und bei schwacher Hitze ca. 5 Min. köcheln lassen.

**3.** Die Milch und das Pesto unterrühren. Mit Hefeflocken und Salz würzen und mit den Mozzarellakügelchen belegen.

**Austausch-Tipp** Wenn Ihr Kind es noch nicht so würzig mag, tauschen Sie das Pesto gegen Butter.

# Nudeltopf mit Klößchen

schnell | aus dem Vorrat
**15 Min.**
*ca. 385 kcal*
*12 g Eiweiß · 26 g Fett · 25 g Kohlenhydrate*

**ZUTATEN FÜR
1 KINDERPORTION**

1 kleine rohe
Bratwurst (ca. 80 g)
150 ml Gemüsebrühe
30 g Mie-Nudeln
50 g TK-Gemüse-
mischung
Salz · Pfeffer

**ZUBEREITUNG**

**1.** Für die Klöße das Brät portionsweise aus der Wurst drücken und zu Klößchen formen.

**2.** Die Gemüsebrühe aufkochen lassen, Mie-Nudeln, TK-Gemüse und die Brätklößchen hineingeben und bei schwacher Hitze ca. 5 Min. ziehen lassen. Mit Salz und Pfeffer abschmecken.

**Pluspunkt** Auch wenn keine Zeit zum Kochen ist: Mit kleingeschnittenem tiefgefrorenem Gemüse und den schnellen China-Nudeln ist ein Essen im Nu fertig.

**Austausch-Tipps** Statt Brät ein Rührei braten und unterziehen oder 50 g Schinken, Fleischwurst oder Krabben nehmen.

# Gnocchi mit Lauch-Tomatensauce

blitzschnell | stärkt Abwehrkräfte
**20 Min.**
*ca. 365 kcal*
*13 g Eiweiß · 23 g Fett · 26 g Kohlenhydrate*

**ZUTATEN FÜR
1 KINDERPORTION**

1 dünne Stange Lauch
20 g Putenschinken
1 EL Butter
50 ml Gemüsebrühe
1 EL Tomatenmark
100 ml Milch
150 g Fertig-Gnocchi
(Kühlregal)

**ZUBEREITUNG**

**1.** Den Lauch von Wurzeln und Grün befreien, längs aufschlitzen und waschen. Längs in feine Streifen schneiden, diese quer fein würfeln. Den Putenschinken in feine Würfel schneiden.

**2.** Die Butter in einem Topf erhitzen, den Lauch darin kurz andünsten. Die Schinkenwürfel 2–3 Min. mitdünsten. Gemüsebrühe zugießen, Tomatenmark einrühren, Milch zugeben. Alles erhitzen und mit Salz und Pfeffer würzen.

**3.** Die Gnocchi zugeben und noch einige Min. bei schwacher Hitze in der Sauce kochen lassen.

**Pluspunkt** Lauch punktet durch seinen hohen Gehalt an Folsäure und Eisen. Er enthält zudem antibakterielle Substanzen.

# Brägele rot-weiß

**25 Min.**
*ca. 370 kcal*
*16 g Eiweiß · 22 g Fett · 27 g Kohlenhydrate*

**ZUTATEN FÜR
1 KINDERPORTION**

½ rote Paprika-
schote (100 g)
2–3 Kartoffeln (200 g)
1 EL Rapsöl · Salz
1 EL Feta (30 g)
1 Ei · 2 EL Milch

**ZUBEREITUNG**

**1.** Die Paprika waschen, putzen, mit einem
Sparschäler schälen und in kleine Würfel
schneiden. Die Kartoffeln waschen, schälen
und in dünne Scheiben hobeln.

**2.** Das Öl in einer breiten Pfanne erhitzen
und die Kartoffelscheiben darin anbraten.
Salzen. Nach 5 Min. die Paprika zugeben
und weiterbraten, bis die Kartoffeln gar sind
(das dauert ca. 5 Min.).

**3.** Den Feta mit der Gabel zerdrücken, mit
Ei und Milch verquirlen. Über die Kartoffel-
pfanne gießen und bei schwacher Hitze ca.
3 Min. weiterbraten, bis das Ei stockt. Auf
den Teller schieben.

**Pluspunkt** Kartoffeln und Ei enthalten
wertvolleres Eiweiß als ein kleines Steak!
Paprika sorgt für Vitamin C (→ biologische
Wertigkeit).

# Pickelpuffer

**20 Min.**
*ca. 280 kcal*
*10 g Eiweiß · 18 g Fett · 19 g Kohlenhydrate*

**ZUTATEN FÜR
1 KINDERPORTION**

30 g TK-Suppengemüse
1 Scheibe Brot
vom Vortag
2–3 EL Milch · 1 Ei
Salz · Pfeffer
1 TL Öl zum Anbraten
1 TL Zitronensaft
2 EL Schmand

**ZUBEREITUNG**

**1.** Das Gemüse auftauen lassen. Das Brot in
kleine Würfel schneiden.

**2.** Die Milch mit dem Ei verquirlen und das
Gemüse sowie die Brotwürfel dazugeben.
Mit Salz und Pfeffer würzen.

**3.** Das Öl in einer Pfanne erhitzen. Die Brot-
masse zu zwei kleinen Puffern formen und
von beiden Seiten goldbraun braten.

**4.** Zitronensaft und Schmand verrühren und
zu den Brotpuffern reichen.

**Austausch-Tipps** Statt TK-Suppengemüse
schmecken auch Gemüsereste oder Möhren,
Erbsen oder Mais aus der Dose.

# Himmel-und-Erde-Küchlein

preiswert | vegetarisch
**20 Min.**
*ca. 435 kcal*
*11 g Eiweiß · 27 g Fett · 36 g Kohlenhydrate*

ZUTATEN FÜR
1 KINDERPORTION

½ Apfel (ca. 50 g)
2 kleine Kartoffeln
(ca. 100 g)
1 kleines Ei · Salz
2–3 EL Haferflocken
2–3 EL Butter
zum Braten
Zimt und Zucker
zum Bestreuen

ZUBEREITUNG

**1.** Den Apfel waschen, vierteln, das Kerngehäuse entfernen. Die Kartoffeln waschen
und schälen.

**2.** Apfel und Kartoffel im Blitzhacker zerkleinern, mit dem Ei, 1 Prise Salz und den Haferflocken verrühren.

**3.** Die Butter in einer Pfanne erhitzen. Die
Apfel-Kartoffelmasse in einem Sieb abtropfen
lassen, dann mit einer Kelle vier Portionen in
die Pfanne geben, leicht flach drücken und
von beiden Seiten bei mittlerer Hitze goldgelb
braten. Zum Schluss die Puffer mit Zimt und
Zucker bestreuen.

**Austausch-Tipp** Für salzige Puffer statt
Obst Möhren oder Zucchini raspeln.

**Pluspunkt** Die Kombination aus Kartoffeln, Haferflocken und Ei liefert wertvolles
Eiweiß. Die Äpfel geben den Reibeküchlein
eine fruchtige Note.

# Leoparden-Pfannkuchen

preiswert | magnesiumreich
**20 Min.**
*ca. 465 kcal*
*16 g Eiweiß · 16 g Fett · 65 g Kohlenhydrate*

ZUTATEN FÜR
1 KINDERPORTION

4 EL Schmelz-
haferflocken (Instant)
100 ml Milch
1 kleines Ei (Größe S)
1 EL Zucker
1 TL Kakaopulver
1 kleine Banane
1 TL Butter
etwas Puderzucker
zum Bestäuben

ZUBEREITUNG

**1.** Haferflocken, Milch, Ei, Zucker und Kakao
in einem Schüttelbecher gut durchschütteln.

**2.** Die Banane schälen und in 2 cm dünne
Scheiben schneiden. Die Butter in einer beschichteten Pfanne erhitzen. Banane hineinlegen, den Teig darüber geben. Den Pfannkuchen zugedeckt bei mittlerer Hitze braten,
bis der Teig stockt.

**3.** Den Pfannkuchen auf einen Topfdeckel
gleiten lassen, in die Pfanne stürzen, von der
anderen Seite 1–2 Min. backen. Mit Puderzucker bestäuben.

**Praxis-Tipp** Kleine S-Eier sind für Kleinkinder ideal. Wenn Sie keine bekommen,
die doppelte Teigmenge mit 1 M-Ei rühren.
So kann Mami mitessen oder es reicht noch
für den nächsten Tag.

**Pluspunkt** Hafer, Banane und Kakao enthalten viel Magnesium.

# Fische im Tomatensee

ZUTATEN FÜR
1 ERWACHSENEN-
UND 1 KINDER-
PORTION

150 g Fischfilet (frisch
oder TK, aufgetaut)
Salz · Pfeffer
400 ml Tomatensaft
50 g Instant-Reis
3 EL Sahne
Sojasauce

einfach | jodreich
**20 Min.**

*insgesamt ca. 330 kcal*
*32 g Eiweiß · 11 g Fett · 25 g Kohlenhydrate*

### ZUBEREITUNG

**1.** Den Fisch pürieren und mit Salz und Pfeffer würzen. Mit einem nassen Teelöffel kleine Portionen vom Püree abstechen und zu Klößchen formen.

**2.** Den Tomatensaft aufkochen lassen und den Instant-Reis einrühren. Die Fischklößchen einlegen und zugedeckt alles bei schwacher Hitze ca. 6 Min. köcheln lassen.

**3.** Die Sahne unterziehen und mit Sojasauce abschmecken.

**Praxis-Tipp** Schlagen Sie die Sahne auf, dann wird's schaumig.

**Pluspunkt** Seefisch (vor allem Schellfisch) liefert Jod und → Omega-3-Fettsäuren.

# Gemüse-Gyros

ZUTATEN FÜR
1 ERWACHSENEN-
UND 1 KINDER-
PORTION

300 g Kürbis, Möhren
oder Pastinaken
(geputzt ca. 250 g)
200 g Champignons
2–3 EL Rapsöl
Salz · Pfeffer
50 g magerer
Putenschinken
2 EL saure Sahne
2 EL Schnittlauch-
röllchen oder
gehackte Petersilie
1 Scheibe
altbackenes Brot

einfach | Resteverwertung
**30 Min.**

*insgesamt ca. 520 kcal*
*20 g Eiweiß · 36 g Fett · 28 g Kohlenhydrate*

### ZUBEREITUNG

**1.** Den Kürbis schälen, die Kerne und groben Fasern entfernen, das Fruchtfleisch in 1 cm große Würfel schneiden. Möhren oder Pastinaken schälen und schneiden. Die Pilze putzen und in Scheiben schneiden.

**2.** 1 EL Öl in einem Topf erhitzen, das Gemüse darin 3–4 Min. anbraten. Pilze zugeben, würzen und 3 Min. mitbraten.

**3.** Den Schinken in schmale Streifen schneiden und in den Topf geben, 3 Min. weitergaren. Mit saurer Sahne und Schnittlauch oder Petersilie mischen und abschmecken.

**4.** Das Brot würfeln und mit 1 El Öl in einer Pfanne rösten. Auf dem Gyros anrichten.

**Veggi-Tipp** Den Schinken weglassen, dafür 300 g Pilze nehmen und Parmesan darüber hobeln oder 3 EL Kürbiskerne zugeben.

# Lieblingssüppchen

ZUTATEN FÜR
1 ERWACHSENEN-
UND 1 KINDER-
PORTION

1 Bund Suppengemüse
(1 Lauch, 1 Möhre,
1 Stück Sellerie,
Petersilie)
1 EL Rapsöl
1 EL Tomatenmark
400 ml Gemüsebrühe
(Instant)
120 g Gabelspaghetti
Salz · 2 Wiener
Würstchen

einfach | preiswert
**25 Min.**

*insgesamt ca. 885 kcal*
*31 g Eiweiß · 39 g Fett · 102 g Kohlenhydrate*

### ZUBEREITUNG

**1.** Das Suppengrün waschen, putzen und schälen. Den Lauch längs aufschlitzen, waschen und in feine Ringe schneiden. Möhre und Sellerie würfeln.

**2.** Das Öl in einem Topf erhitzen und das Gemüse darin 5 Min. andünsten. Das Tomatenmark zugeben. Die Gemüsebrühe angießen und aufkochen lassen. Die Spaghetti und 1 TL Salz hinzufügen und die Nudeln bissfest garen.

**3.** Die Petersilie waschen, trockenschleudern und die Blätter hacken. Die Würstchen klein schneiden. Kurz vor Ende der Garzeit beides in den Nudeltopf geben und erwärmen.

**Noch gesünder** Hühnerfleisch mit dem Gemüse andünsten. – Hühnerbrühe tut übrigens gut bei Schnupfen.

**Blitz-Idee** Noch schneller geht's mit TK-Suppengemüse, das Sie unaufgetaut in der Suppe gar ziehen lassen können.

# Rahm-Töpfchen

ZUTATEN FÜR
1 ERWACHSENEN-
UND 1 KINDER-
PORTION

300 g Blumenkohl
300 g Kartoffeln
300 ml Gemüsebrühe
4 EL Paprika-Frischkäse
Salz · Pfeffer
Paprikapulver

mild | vegetarisch
**25 Min.**

*insgesamt ca. 450 kcal*
*18 g Eiweiß · 21 g Fett · 46 g Kohlenhydrate*

### ZUBEREITUNG

**1.** Den Blumenkohl waschen und in Mini-Röschen teilen. Den Strunk in kleine Würfel schneiden. Die Kartoffeln waschen, schälen und in Würfel schneiden.

**2.** Die Gemüsebrühe in einem Topf aufkochen lassen, Kartoffeln und Blumenkohl zugeben, alles zugedeckt 10–15 Min. garen.

**3.** Den Frischkäse unterziehen und mit Salz und Pfeffer würzen. Den Blumenkohl-Kartoffel-Topf auf zwei Teller verteilen und mit Paprikapulver bestäuben.

**Austausch-Tipp** Schmeckt auch mit Brokkoli statt Blumenkohl.

**Pluspunkt** Blumenkohl und Kartoffeln wirken gegen Übersäuerung und sind gesunde »Sattmacher«.

## Nüsschen-Nudeln

vegetarisch | einfach
### 30 Min.
*insgesamt ca. 1070 kcal*
*29 g Eiweiß · 48 g Fett · 129 g Kohlenhydrate*

**ZUTATEN FÜR
1 ERWACHSENEN-
UND 1 KINDER-
PORTION**

150 g Nudeln
Salz · 1 Zwiebel
40 g Nüsse
(nach Geschmack)
1 EL Öl · 1 EL Mehl
180 ml Gemüsebrühe
(Instant)
40 g Frischkäse
Salz · Pfeffer

**ZUBEREITUNG**

**1.** Nudeln nach Packungsanweisung in reichlich Salzwasser bissfest kochen.

**2.** Die Zwiebel schälen und klein würfeln. Die Nüsse hacken. Das Öl in einem Topf erhitzen, die Zwiebel darin glasig dünsten. Die Nüsse mitrösten. Das Mehl darüber stäuben und andünsten. Die Gemüsebrühe angießen und aufkochen lassen.

**3.** Den Käse einrühren und bei schwacher Hitze schmelzen lassen. Die Sauce 5 Min. köcheln lassen. Mit Salz und Pfeffer abschmecken. Nudeln mit der Käsesauce servieren.

**Noch gesünder** 2–3 Möhrchen raspeln und mitdünsten. Oder rohes Knabbergemüse servieren, während die Sauce kocht.

**Pluspunkt** Nüsse sind eine gute Alternative zu Fleisch. Sie enthalten gesunde Fettsäuren, viel Eiweiß, Mineralstoffe und Vitamine.

## Kinder-Carbonara

Klassiker | ohne Ei
### 20 Min.
*insgesamt ca. 885 kcal*
*35 g Eiweiß · 25 g Fett · 129 g Kohlenhydrate*

**ZUTATEN FÜR
1 ERWACHSENEN-
UND 1 KINDER-
PORTION**

150 g Bandnudeln
Salz · 1 Zwiebel
½ Paprikaschote
50 g gekochter
Schinken
1 EL Olivenöl
1 EL Tomatenmark
1 gehäufter TL Mehl
125 ml Milch
2 EL Sahne
Honig · Pfeffer

**ZUBEREITUNG**

**1.** Die Nudeln in reichlich Salzwasser nach Packungsangabe bissfest garen, dann abgießen.

**2.** Die Zwiebel schälen. Die Paprika waschen und putzen. Beides in kleine Würfel schneiden, ebenso den Schinken.

**3.** Das Öl in einer Pfanne erhitzen, das Gemüse darin glasig dünsten. Dann Schinken und Tomatenmark dazugeben und 2 Min. mitbraten. Mit Mehl überstäuben, andünsten und die Milch angießen. 2–3 Min. leicht kochen lassen.

**4.** Die Sauce mit Sahne, ein wenig Honig, Salz und Pfeffer abschmecken.

**Praxis-Tipp** Besser verträglich wird die Paprika, wenn sie geschält wird.

**Veggi-Tipp** Den Schinken durch 150 g Erbsen ersetzen.

## Murmel-Pfanne

ZUTATEN FÜR
1 ERWACHSENEN-
UND 1 KINDER-
PORTION

300 g reife Kirsch-
tomaten
2 EL Butter
3 EL Pinienkerne
1 TL Rohrzucker · Salz
150 g Gabelspaghetti
1 TL Balsamessig
Pfeffer · Parmesan
zum Bestreuen

edel | vegetarisch
**20 Min.**
*insgesamt ca. 1125 kcal*
*25 g Eiweiß · 54 g Fett · 137 g Kohlenhydrate*

ZUBEREITUNG

**1.** Die Tomaten waschen und halbieren, dabei die Stielansätze entfernen. Die Butter in einer Pfanne erhitzen, die Pinienkerne darin anbraten. Zucker und Tomaten dazugeben, salzen und pfeffern. Offen 5–10 Min. schmoren, bis die Flüssigkeit verkocht ist.

**2.** Gleichzeitig die Nudeln in sprudelndem Salzwasser gar kochen, abgießen und abtropfen lassen.

**3.** Den Balsamessig zu den Tomaten geben, dann die Nudeln in der Pfanne schwenken. Mit Parmesan überraspeln und zu Tisch bringen.

**Austausch-Tipp** 3 getrocknete Tomaten hacken, mit 1 gewürfelten Zwiebel dünsten, mit 100 g passierten Tomaten ablösen.

**Pluspunkt** Tomaten sind reich an → Lykopin, Pinienkerne liefern gesundes Eiweiß.

## Sonnen-Pasta

ZUTATEN FÜR
1 ERWACHSENEN-
UND 1 KINDER-
PORTION

150 g Nudeln · Salz
300 g Kürbis
(ungeputzt gewogen)
1 EL Olivenöl · Pfeffer
mildes Currypulver
10 schwarze Oliven
2–3 EL Gorgonzola

vegetarisch | würzig
**25 Min.**
*insgesamt ca. 890 kcal*
*30 g Eiweiß · 29 g Fett · 126 g Kohlenhydrate*

ZUBEREITUNG

**1.** Die Nudeln in reichlich Salzwasser nach Packungsangabe kochen.

**2.** Inzwischen den Kürbis schälen, putzen und klein würfeln. Das Öl in einer Pfanne erhitzen. Die Kürbiswürfel darin anbraten. Mit Salz, Pfeffer und etwas Curry würzen, zudecken und 8–10 Min. garen. Eventuell etwas Wasser zugeben. Kurz vor Ende der Garzeit die Oliven entkernen, halbieren und dazugeben.

**3.** Nudeln unter das Kürbisgemüse mischen. Gorgonzola zerbröseln und über die Nudeln verteilen. Die Pfanne so lange auf dem Herd lassen, bis der Käse geschmolzen ist.

**Austausch-Tipps** Gibt es keinen Kürbis, Möhrchen weich dünsten. Statt Oliven 80 g kleingeschnittenes Putenfleisch oder 50 g Macadamianüsse anbraten und zugeben. Oder Oliven weglassen und mehr Käse nehmen.

**Pluspunkt** Oliven und Käse sättigen durch Eiweiß und Fett. Kürbis liefert Beta-Karotin.

# Entengrütze

einfach | für Kaumuffel
**25 Min.**
*insgesamt ca. 715 kcal*
*27 g Eiweiß · 20 g Fett · 107 g Kohlenhydrate*

ZUTATEN FÜR
1 ERWACHSENEN-
UND 1 KINDER-
PORTION
1 EL Öl · 120 g Milchreis
200 ml Gemüsebrühe
200 ml Milch
200 g gehackter
Blattspinat (TK)
50 g körniger
Frischkäse
Salz · Pfeffer
geriebene Muskatnuss

### ZUBEREITUNG

**1.** Das Öl in einem Topf erhitzen und den Reis darin unter Rühren glasig dünsten.

**2.** Die Gemüsebrühe angießen und alles zum Kochen bringen. Den Reis zugedeckt bei schwacher Hitze 10 Min. quellen lassen, dabei ab und zu umrühren.

**3.** Die Milch und den gefrorenen Spinat zum Risotto geben und weitere 10 Min. köcheln lassen. Kurz vor Ende der Garzeit den Frischkäse unterrühren und das Risotto mit Salz, Pfeffer und etwas Muskat abschmecken.

**Praxis-Tipps** Wenn das Risotto steht, quillt es nach und wird trocken – ein Schuss Milch macht es wieder saftig.

**Austausch-Tipp** Statt Milchreis können Sie auch Risottoreis nehmen.

# Sonnenkörnchen

einfach | magenmild
**20 Min.**
*insgesamt ca. 1110 kcal*
*52 g Eiweiß · 10 g Fett · 204 g Kohlenhydrate*

ZUTATEN FÜR
1 ERWACHSENEN-
UND 1 KINDER-
PORTION
½ Dose Mais-
körner (200 g)
100 g Hühnerbrustfilet
100 g Polenta
(Maisgrieß)
Salz · Pfeffer
einige Stängel
Basilikum

### ZUBEREITUNG

**1.** Den Mais abtropfen lassen, die Flüssigkeit auffangen. Das Hühnerfleisch waschen, abtrocknen und würfeln.

**2.** Die Maisflüssigkeit mit Wasser auf 400 ml auffüllen, mit Mais und Polenta in einen Topf geben und aufkochen lassen. Das Fleisch dazugeben. Alles zugedeckt bei schwacher Hitze 5–10 Min. köcheln lassen. Gelegentlich umrühren.

**3.** Die Polenta mit Salz und Pfeffer abschmecken. Das Basilikum waschen, die Blätter mit einer Schere darüber schneiden.

**Mehr draus machen** Wird besonders saftig mit einem Schuss Sahne am Ende der Garzeit.

**Austausch-Tipp** Von 2 frischen Maiskolben die Körner abschneiden und in 1 EL Butter andünsten, dann Polentagrieß zugeben.

# Wundertopf

ZUTATEN FÜR
1 ERWACHSENEN-
UND 1 KINDER-
PORTION
1 Bund Suppengemüse
1 EL Rapsöl
100 g Rinderhackfleisch
120 g Hirse
½ l Gemüsebrühe
(Instant)
Salz · Pfeffer
Orangensaft
50 g Schmand
1 TL Currypulver

eisenreich | macht fit
**40 Min.**
*insgesamt ca. 1050 kcal*
*45 g Eiweiß · 45 g Fett · 116 g Kohlenhydrate*

ZUBEREITUNG

**1.** Das Suppengemüse waschen und putzen.
Den Lauch längs aufschlitzen, waschen und
in feine Ringe schneiden. Sellerie und Möhre
schälen und klein raspeln.

**2.** Das Öl in einem Topf erhitzen und das
Hackfleisch darin krümelig anbraten. Das
Gemüse dazugeben und weiterbraten, bis
das Fleisch braun ist. Die Hirse zugeben
und die Brühe angießen. Bei schwacher Hitze
zugedeckt ca. 25 Min. köcheln lassen. Mit
Salz, Pfeffer und Orangensaft abschmecken.

**3.** Den Schmand mit dem Curry vermischen
und zu dem Hirse-Topf servieren.

**Pluspunkt** Hirse und Fleisch liefern Eisen,
das durch das Vitamin C im Orangensaft
noch besser aufgenommen wird.

# Strandgut

ZUTATEN FÜR
1 ERWACHSENEN-
UND 1 KINDER-
PORTION
300 g Brokkoli
1 EL Rapsöl
120 g Instant-Getreide-
grütze (s. Praxis-Tipp)
etwas frische Minze
2 EL Walnussöl
100 g gegarte,
geschälte Krabben
3–4 EL Zitronensaft
Salz · Pfeffer

schmeckt frisch | ohne Milch und Ei
**10 Min. + 20 Min. Zeit zum Ziehen**
*insgesamt ca. 875 kcal*
*47 g Eiweiß · 38 g Fett · 87 g Kohlenhydrate*

ZUBEREITUNG

**1.** Den Brokkoli in feine Röschen teilen. Den
Stiel schälen und raspeln. Das Öl in einem
Topf erhitzen, die Brokkoliraspel dazugeben
und kurz dünsten. Mit 200 ml Wasser ablöschen. Die Grütze einrühren und zugedeckt
bei mittlerer Hitze 1 Min. kochen. Brokkoliröschen 1 Min. mitkochen. Die Grütze auf
der ausgeschalteten Herdplatte ca. 20 Min.
ziehen lassen. (Oder auf dem Gasherd bei
ganz schwacher Hitze.)

**2.** Die Minze waschen, die Blätter vom Stiel
zupfen und mit dem Öl pürieren.

**3.** Gegen Ende der Garzeit Krabben, Zitronensaft und Minzöl unter die Grütze rühren, erwärmen und mit Salz und Pfeffer würzen.

**Praxis-Tipp** Getreidegrütze gibt's im Bio-
laden – sie besteht aus geschrotetem, körnig
kochendem Getreide, das schnell gart.

**Mehr draus machen** Schmand dazugeben.
Statt Krabben 50 g Kochschinken nehmen.

## Wohltuende Wirkungen

→ **Ei im Nest**  Mangold stärkt Leber und Niere. Wenn Sie nur Frei-landware nehmen und mit Zitronensaft würzen, entstehen beim Ko-chen keine Nitrosamine (→ Nitrat).

→ **Käsenudeln**  → Bioaktivstoffe im Kohl stärken die Widerstandskräf-te. Spitz- und Chinakohl sind sehr mild. Kümmel beugt Blähungen vor.

→ **Klößchen-Reis**  Paprika und Sprossen sind wahre Vitamin-C-und Folsäure-Knüller, deshalb nur kurz braten, denn Hitze zerstört die Vitamine.

→ **Kartoffeln 1001 Nacht**  Scharfe Gewürze tun bei Erkältungskrank-heiten gut, weil sie die Durchblutung der Schleimhäute anregen.

# Ei im Nest

ZUTATEN FÜR
1 ERWACHSENEN-
UND 1 KINDER-
PORTION
300 g Mangold
2 EL Öl · 300 g gegarte Pellkartoffeln
Salz · Pfeffer
2–3 EL Zitronensaft
1 Ei · 3 EL körniger
Frischkäse (130 g)
2 EL Schmand

vegetarisch | vollwertig
**25 Min.**
*insgesamt ca. 685 kcal*
*35 g Eiweiß · 40 g Fett · 45 g Kohlenhydrate*

ZUBEREITUNG

**1.** Den Mangold waschen, die Blätter von den Stielen trennen. Stiele entfädeln, klein schneiden. Blätter in feine Streifen schneiden.

**2.** Das Öl im Wok erhitzen und die Stiele darin ca. 5 Min. braten. Die Blätter zugeben und zusammenfallen lassen. Kartoffeln schälen, würfeln und dazugeben. Mit Salz, Pfeffer und Zitronensaft würzen, kurz weiterbraten.

**3.** Das Ei mit Frischkäse, etwas Salz und Pfeffer in einem Schüttelbecher gut mischen. Kartoffeln und Mangold mit dem Schmand verrühren, an den Wokrand schieben und das Rührei in der Mitte braten.

**Praxis-Tipp** Warme Kartoffeln sind leichter zu schälen. Kalte Kartoffeln zum Pellen deshalb kurz mit heißem Wasser übergießen.

# Gebratener Klößchen-Reis

ZUTATEN FÜR
1 ERWACHSENEN-
UND 1 KINDER-
PORTION
120 g parboiled Reis
(oder ca. 350 g
gekochter Reis)
2–3 TL Rapsöl
edelsüßes Paprikapulver · Salz
1 Paprikaschote
100 g Schweinehackfleisch
50 g Quark
2 EL Haferflocken
Sojasauce
100 g Sojasprossen
(frisch oder aus
dem Glas)
Ingwerpulver

asiatisch | vitaminreich
**40 Min.**
*insgesamt ca. 795 kcal*
*44 g Eiweiß · 17 g Fett · 115 g Kohlenhydrate*

ZUBEREITUNG

**1.** Reis mit 1 TL Öl und etwas Paprikapulver in einem Topf andünsten, bis die Körner glasig sind. Knapp ¼ l Wasser und 1 TL Salz zugeben und aufkochen lassen. Den Reis bei schwacher Hitze in 15 Min. ausquellen lassen.

**2.** Inzwischen die Paprika waschen, putzen und in kleine Würfel schneiden.

**3.** Das Hackfleisch mit Quark und Haferflocken mischen, mit Sojasauce würzen. Aus dem Teig 8–10 kleine Bällchen formen. 1 EL Öl im Wok erhitzen, die Klößchen darin anbraten, bis sie fest sind. Paprika und Sprossen weitere 5 Min. mitbraten. Dann noch den Reis unter Rühren ca. 3 Min. mitbraten, mit Sojasauce und Ingwer würzen.

**Blitz-Idee** Hackbällchen aus Kühlregal oder Tiefkühltruhe oder aus Bratwurstbrät (s. Seite 66, Kartoffel-Mais-Suppe) nehmen.

# Geschmolzene Käse-Nudeln

ZUTATEN FÜR
1 ERWACHSENEN-
UND 1 KINDER-
PORTION
300 g China- oder
Spitzkohl
1 Frühlingszwiebel
5–6 Kirschtomaten
120 g Mie-Nudeln
Salz · 1 EL Rapsöl
200 ml Gemüsebrühe
Pfeffer · Kümmel
60 g Schnittkäse in
Scheiben (z. B. mit
Kreuzkümmel
oder Paprika)

mild | vegetarisch
**20 Min.**
*insgesamt ca. 800 kcal*
*31 g Eiweiß · 31 g Fett · 96 g Kohlenhydrate*

ZUBEREITUNG

**1.** Das Gemüse waschen. Den Kohl putzen und in feine Streifen schneiden. Die Frühlingszwiebel putzen und samt Grün in schmale Ringe schneiden. Die Tomaten halbieren oder vierteln.

**2.** Die Mie-Nudeln mit kochendem Wasser übergießen, salzen und nach Packungsangabe gar ziehen lassen. Die Nudeln abgießen und klein schneiden.

**3.** Öl im Wok erhitzen und Kohl und Frühlingszwiebelringe darin unter Rühren ca. 5 Min. braten, bis sie knackig gar sind. Mit Brühe ablöschen und mit Salz, Pfeffer und Kümmel würzen. Nudeln 2 Min. mitbraten.

**4.** Die Tomatenstücke in den Nudeln verteilen. Den Käse entrinden, in Streifen schneiden und als Gitter auf die Nudeln legen, zugedeckt schmelzen lassen.

# Kartoffeln 1001 Nacht

ZUTATEN FÜR
1 ERWACHSENEN-
UND 1 KINDER-
PORTION
300 g kleine
Frühkartoffeln
Salz · 250 g zarte,
kleine Möhren
2 Frühlingszwiebeln
1 Knoblauchzehe
1 Rosmarinzweig
1 EL Olivenöl
2 Nürnberger Würstchen (gebrüht) · Pfeffer
etwas Kreuzkümmel

würzig | orientalisch
**35 Min.**
*insgesamt ca. 665 kcal*
*19 g Eiweiß · 40 g Fett · 58 g Kohlenhydrate*

ZUBEREITUNG

**1.** Die Kartoffeln unter Wasser abbürsten. Zugedeckt in wenig Salzwasser ca. 20 Min. dämpfen. Möhren waschen, falls nötig, schälen und je nach Größe quer und längs halbieren. Nach 15 Min. zu den Kartoffeln geben.

**2.** Die Frühlingszwiebeln putzen, waschen und samt Grün in schmale Ringe schneiden. Den Knoblauch schälen und würfeln. Den Rosmarin waschen, trockentupfen, Nadeln abstreifen.

**3.** Das Öl im Wok erhitzen. Die Würste in Stücke schneiden und mit dem Rosmarin anbraten. Kartoffeln und Möhren abtropfen lassen, dazugeben, würzen. Alles ca. 10 Min. braten. Zwiebeln und Knoblauch kurz mitbraten und mit Salz, Pfeffer und Kreuzkümmel abschmecken.

**Mehr draus machen** Wer es etwas kräftiger mag, nimmt statt der Nürnberger marokkanische Lammbratwürstchen (Merguez).

# Kartoffeln für Faule

ZUTATEN FÜR
1 ERWACHSENEN-
UND 1 KINDER-
PORTION

1 Ei · 400 g Kartoffeln
300 g Champignons
50 g Rucola
1 EL Rapsöl
100 g Sahne
Salz · Pfeffer
150 ml Milch

vegetarisch | baut auf
**30 Min.**
*insgesamt ca. 865 kcal*
*29 g Eiweiß · 54 g Fett · 67 g Kohlenhydrate*

ZUBEREITUNG

**1.** Das Ei in 8 Min. hart kochen und abschrecken. Die Kartoffeln waschen und in wenig Wasser ca. 20 Min. garen.

**2.** Die Champignons säubern und putzen. Im Blitzhacker zerkleinern. Rucola abbrausen, abtrocknen, Stiele abschneiden.

**3.** Das Öl in einem Topf erhitzen. Die Pilze darin bei mittlerer Hitze ca. 5 Min. dünsten. Das Ei pellen, mit Sahne und Rucola pürieren. Salzen und pfeffern, zu den Pilzen geben und erwärmen.

**4.** Die Milch erhitzen. Die Kartoffeln pellen und mit einem Stampfer in der Milch zerdrücken. Salzen und pfeffern. Mit der Pilzsauce anrichten.

**Pluspunkt** Kartoffeln, Ei, Pilze und Milch liefern eine Extraportion Eiweiß. Super nach einer Krankheit zum Aufbauen.

# Gold-Gratin mit Würstchen

ZUTATEN FÜR
1 ERWACHSENEN-
UND 1 KINDER-
PORTION

200 g Möhren
350 g Kartoffeln
ca. 1/4 l Vollmilch
Salz · Pfeffer
Muskatnuss
2 Wiener Würstchen
Butter für die Form

braucht etwas Zeit | gut vorzubereiten
**20 Min. + 30–35 Min. Backen**
*insgesamt ca. 700 kcal*
*26 g Eiweiß · 34 g Fett · 46 g Kohlenhydrate*

ZUBEREITUNG

**1.** Den Backofen auf 200° vorheizen. Eine flache Auflaufform mit etwas Butter einfetten.

**2.** Möhren und Kartoffeln waschen, schälen und mit der Küchenmaschine fein hobeln. Gemüse in die Auflaufform einschichten.

**3.** Die Milch mit Salz, Pfeffer und Muskat würzen und so viel über den Auflauf gießen, dass er knapp bedeckt ist. Im Backofen (Mitte, Umluft 180°) in 30–35 Min. goldbraun backen.

**4.** Wasser erhitzen, die Wiener im heißen Wasser ohne Hitzezufuhr ein paar Min. erwärmen, zum Gratin reichen.

**Praxis-Tipp** Sie können das Gratin prima vorbereiten: Gemüse einschichten, Milch angießen, mit Folie bedecken und bis zum Backen einige Std. in den Kühlschrank stellen.

# Mini-Puffer mit Sugo

ZUTATEN FÜR
1 ERWACHSENEN-
UND 1 KINDER-
PORTION

1 Zwiebel
1 Knoblauchzehe
1 TL Öl
1 Dose geschälte
Tomaten (400 g)
Salz · Pfeffer · Zucker
1 TL Oregano
350 g vorwiegend fest
kochende Kartoffeln
150 g Kürbis (geputzt
gewogen) · 1 Ei
geriebene Muskatnuss
Öl zum Braten

vegetarisch | stärkt Abwehrkräfte
**25 Min.**
*insgesamt ca. 685 kcal*
*19 g Eiweiß · 40 g Fett · 64 g Kohlenhydrate*

ZUBEREITUNG

**1.** Zwiebel und Knoblauch schälen und fein würfeln. Öl in der Pfanne erhitzen, beides glasig dünsten. Tomaten dazugeben, mit Salz, Pfeffer, Zucker und Oregano würzen. Bei mittlerer Hitze mit Spritzschutz 10 Min. einkochen lassen.

**2.** Die Kartoffeln waschen, schälen und grob würfeln. Den Kürbis würfeln und beides im Blitzhacker klein hacken. Die Masse gut ausdrücken und das Ei untermischen. Kräftig mit Salz, Pfeffer und etwas Muskat würzen.

**3.** Öl in einer großen Pfanne erhitzen. Pro Puffer 1 EL Masse in der Pfanne flach drücken und bei mittlerer Hitze von beiden Seiten ca. 5 Min. knusprig braten, auf Küchenpapier abtropfen lassen. Mit der Sauce servieren.

**Pluspunkt** Kürbis und Tomaten enthalten → Bioaktivstoffe, die unsere Zellen schützen.

# Kinder-Tortilla

ZUTATEN FÜR
1 ERWACHSENEN-
UND 1 KINDER-
PORTION

150 g Kartoffeln
100 g Mehl
Salz · Pfeffer
Muskatnuss
1 Ei (Größe S)
40 g körniger
Frischkäse
20 g Würfel von rohem
Schinken (Kühlregal)
80 ml Mineralwasser
80 ml Milch
etwas Schnittlauch
Öl zum Braten

einfach | preiswert
**30 Min. + 20–25 Min. Garen**
*insgesamt ca. 900 kcal*
*33 g Eiweiß · 43 g Fett · 95 g Kohlenhydrate*

ZUBEREITUNG

**1.** Kartoffeln waschen und in 20–25 Min. gar kochen. Abgießen und etwas abkühlen lassen.

**2.** Mehl, Salz, Pfeffer, Muskat, Ei, Frischkäse, Schinkenwürfel, Mineralwasser und Milch zu einem Teig verarbeiten. Den Schnittlauch waschen, in feine Röllchen schneiden und unter den Teig rühren. Die Kartoffeln pellen und in dünne Scheiben schneiden.

**3.** Das Öl in einer beschichteten Pfanne erhitzen. Die Hälfte der Kartoffelscheiben hineinlegen, mit der Hälfte Teig bedecken. Bei schwacher Hitze zugedeckt backen, bis der Teig stockt. Auf einen Teller gleiten lassen, zurück in die Pfanne stürzen. Bei schwacher Hitze fertig backen. Zweiten Pfannkuchen genauso backen.

**Blitz-Idee** Schneller geht's mit Pellkartoffeln vom Vortag.

Getreide-Puffer (links oben), Fröschchen mit Sauce (rechts oben), Mini-Falafel (links unten), Frikadellen (rechts unten)

# Grundrezept Getreide-Puffer

ZUTATEN FÜR
1 ERWACHSENEN- UND
1 KINDERPORTION

100 g feiner Grünkernschrot
300 ml Gemüsebrühe
1 mittelgroße Möhre (80 g)
1 Bund Petersilie
1 Knoblauchzehe
50 g geriebener Käse · 1 Ei
2–3 EL Haferflocken
½ TL getrocknete
Mittelmeerkräuter
Salz · Pfeffer
3–4 EL Öl zum Braten

vegetarisch | braucht etwas Zeit
**40 Min.**

ZUBEREITUNG

**1.** Grünkernschrot und Gemüsebrühe in einem Topf aufkochen und zugedeckt bei schwacher Hitze 10 Min. leicht köcheln lassen. Anschließend den Schrot vom Herd nehmen und nachquellen lassen.

**2.** Die Möhre schälen und fein raspeln. Die Petersilie waschen, trockentupfen und die Blättchen klein hacken. Den Knoblauch schälen und sehr fein schneiden.

**3.** Grünkernschrot, Möhre, Petersilie, Knoblauch, Käse und Ei zu einem Teig kneten. Nach und nach

insgesamt ca. 1110 kcal
39 g Eiweiß · 67 g Fett · 88 g Kohlenhydrate

die Haferflocken hinzugeben, bis die Masse gut formbar ist. Mit Kräutern, Salz und Pfeffer würzen.

**4.** Aus dem Teig mit nassen Händen etwa 12 kleine Puffer formen und flach drücken.

**5.** In einer beschichteten Pfanne Öl erhitzen. Die Puffer anbraten und bei schwacher Hitze ca. 5 Min. braten, wenden und fertigbraten.

**Das schmeckt dazu** Tsatsiki oder Kräuterquark

**Pluspunkt** Grünkern und Haferflocken enthalten viel Eisen, Zink und Magnesium.

---

## Fröschchen mit Sauce

vegetarisch | braucht etwas Zeit
**30 Min.**
insgesamt ca. 860 kcal
50 g Eiweiß · 34 g Fett · 90 g Kohlenhydrate

ZUTATEN FÜR 1 ERWACHSENEN-
UND 1 KINDERPORTION

Salz · 200 g TK-Rahmspinat (aufgetaut)
100 g Magerquark · 2 Eier (Größe S)
6–8 EL Semmelbrösel · Salz · Pfeffer
Muskatnuss · 2 TL Butter · 2 TL Mehl
200 ml Gemüsebrühe (Instant)
3–4 EL Tomatenmark · 80 ml Kondensmilch

ZUBEREITUNG

**1.** Reichlich Salzwasser zum Kochen bringen. Spinat mit Quark, Ei und Bröseln mischen. Mit Salz, Pfeffer und Muskat würzen und mit feuchten Händen zu kleinen Knödeln formen. Die Knödel im siedenden Wasser ca. 5 Min. ziehen lassen. Mit dem Schaumlöffel herausnehmen und abtropfen lassen.

**2.** Für die Sauce Butter und Mehl mit einer Gabel verkneten. Brühe, Tomatenmark und Kondensmilch verrühren und zum Kochen bringen. Mehlbutter einrühren, bis sie aufgelöst und die Sauce gebunden ist. Mit Salz und Pfeffer würzen. Zu den Knödeln servieren.

**Info** Kondensmilch ist eingedampfte Milch mit viel Eiweiß, Milchzucker, aber wenig Fett. Vorteil: Sie gerinnt nicht so leicht.

**Pluspunkt** Spinat punktet vor allem mit Folsäure und Eisen.

---

## Mini-Falafel mit Möhren-Tsatsiki

exotisch | vollwertig
**25 Min.**
insgesamt ca. 1165 kcal
42 g Eiweiß · 75 g Fett · 82 g Kohlenhydrate

ZUTATEN FÜR 1 ERWACHSENEN-
UND 1 KINDERPORTION

2–3 zarte Möhren (150 g) · ½ kleine Zwiebel
150 g Naturjoghurt · 1 TL Honig · 3 TL gehackte glatte Petersilie · Oliven- oder Rapsöl
Salz · Pfeffer · 125 g Kichererbsenmehl · ¼ TL
Kreuzkümmel (Kumin) · 50 g Sesamsamen

ZUBEREITUNG

**1.** Möhren waschen, mit Schale grob raspeln. Zwiebel schälen, halbieren und fein würfeln.

**2.** Joghurt mit Möhren, Zwiebel, Honig, 1 TL Petersilie, 1 EL Öl, Salz und Pfeffer mischen.

**3.** Kichererbsenmehl mit 100 ml Wasser verkneten. 2 TL Petersilie, Kreuzkümmel und ½ TL Salz unterkneten. Mit feuchten Händen aus der Masse 10 Bällchen formen, in Sesam wälzen und flach drücken.

**4.** In einer Pfanne etwa 1 cm hoch Öl erhitzen und die Falafel von jeder Seite ca. 2 Min. goldbraun braten. Mit dem Joghurt servieren. Dazu passt Pitabrot.

**Info** Kichererbsenmehl gibt's im Bio- oder Asienladen. Notfalls selber mahlen.

**Pluspunkt** Kichererbsenmehl ist eiweiß- und folsäurereich, Möhren liefern Karotin.

---

## Frikadellen

Klassiker | einfach
**25 Min.**
insgesamt ca. 815 kcal
39 g Eiweiß · 59 g Fett · 30 g Kohlenhydrate

ZUTATEN FÜR 1 ERWACHSENEN-
UND 1 KINDERPORTION

50 g Brötchen oder 1 Scheibe Brot
vom Vortag · 1 kleine Zwiebel
150 g Hackfleisch (halb und halb)
1 Ei (Größe S)
1 TL Senf · Salz · Pfeffer
Öl zum Braten

ZUBEREITUNG

**1.** Das Brötchen oder Brot in Wasser einweichen. Zwiebel schälen und fein würfeln.

**2.** Das Brötchen ausdrücken, mit Hackfleisch, Zwiebel, Ei und Senf verkneten. Mit Salz und Pfeffer würzen und zu 6–8 kleinen Frikadellen formen.

**3.** Das Öl in einer Pfanne erhitzen und die Frikadellen von jeder Seite 3–4 Min. braten. Auf Küchenpapier abtropfen lassen. Dazu passen Bratkartoffeln, Kartoffelsalat oder -püree und Salat.

**Praxis-Tipps** Ist der Teig zu dünn, geben Sie Semmelbrösel oder Haferflocken dazu. Am besten die vierfache Menge zubereiten und einfrieren, weil Hackfleisch immer frisch gekauft sein muss (s. Seite 171).

**Pluspunkt** Fleisch enthält reichlich Eisen und liefert viel Eiweiß.

# Beeren im Plümoh

leicht verdaulich | macht fit
**20 Min.**
*insgesamt ca. 1025 kcal*
*30 g Eiweiß · 60 g Fett · 88 g Kohlenhydrate*

ZUTATEN FÜR
1 ERWACHSENEN-
UND 1 KINDER-
PORTION
250 g gemischte
Sommerbeeren (z. B.
Erdbeeren, Himbeeren,
Johannisbeeren)
2 Eier · 1 EL Zucker
75 g Mehl
125 ml Milch
2 EL gemahlene
Mandeln · Salz
Butter zum Braten
Puderzucker
zum Bestäuben

ZUBEREITUNG

**1.** Beeren waschen und putzen, je nach Größe halbieren oder vierteln.

**2.** Die Eier trennen. Die Eigelbe verquirlen, nacheinander Zucker, Mehl, Milch und Mandeln unterrühren. Die Eiweiße mit 1 Prise Salz steif schlagen, unter den Teig heben. Zum Schluss die Beeren unterziehen.

**3.** 1 EL Butter in einer beschichteten Pfanne (24 cm Ø) erhitzen, die Hälfte des Teigs gleichmäßig darin verteilen. Bei schwacher Hitze zugedeckt ca. 5 Min. braten, wenden, weitere 2–3 Min. backen, bis das Omelett goldbraun ist. Das zweite ebenso backen.

**4.** Beide Omeletts auf Teller geben. Mit etwas Puderzucker bestäubt servieren.

**Pluspunkt** Beeren haben die höchste → Nährstoffdichte.

# Versunkene Schätze

schmeckt auch kalt | schnell
**20 Min.**
*insgesamt ca. 625 kcal*
*19 g Eiweiß · 20 g Fett · 93 g Kohlenhydrate*

ZUTATEN FÜR
1 ERWACHSENEN-
UND 1 KINDER-
PORTION
100 g Kirschen
(aus dem Glas)
300 ml Milch
Salz · 75 g Grieß
1 Päckchen Vanille-
zucker · 2 TL Butter
etwas Puderzucker
zum Bestäuben

ZUBEREITUNG

**1.** Kirschen abtropfen lassen. Die Milch mit Salz in einem Topf aufkochen. Grieß und Vanillezucker einrühren, aufkochen und bei schwacher Hitze 2 Min. quellen lassen.

**2.** Die Butter in einer beschichteten Pfanne erhitzen, den Grießbrei darin glatt streichen. Die Kirschen in den Grieß stecken, zugedeckt bei schwacher Hitze 4–5 Min. backen.

**3.** Den Grießkuchen auf einen Teller gleiten lassen, zurück in die Pfanne stürzen. Von der anderen Seite 4–5 Min. backen. Mit Puderzucker bestäubt servieren.

**Mehr draus machen** 100 g Quark mit 3–4 EL Kirschsaft glatt rühren, 100 g Kirschen unterziehen. Zum Kuchen reichen. Hat viel Eiweiß und macht dadurch richtig satt!

# Mohrenspeise mit Kompott

anregend | macht satt
**30 Min.**
*insgesamt ca. 950 kcal*
*30 g Eiweiß · 39 g Fett · 121 g Kohlenhydrate*

ZUTATEN FÜR
1 ERWACHSENEN-
UND 1 KINDER-
PORTION
300 g Aprikosen
400 ml Milch
100 g Bulgur
30 g Nüsse nach
Geschmack · 2 Stücke
Schokolade (14 g)

ZUBEREITUNG

**1.** Die Aprikosen waschen, vierteln und die Kerne entfernen. Aprikosen in einem Topf mit 50 ml Wasser zugedeckt bei mittlerer Hitze 5–10 Min. kochen, ab und zu umrühren.

**2.** Die Milch erhitzen, den Bulgur einrühren und bei schwacher Hitze 15 Min. köcheln lassen.

**3.** Nüsse und Schokolade hacken. Den Bulgur vom Herd nehmen, beides einrühren.

**4.** Den Bulgur warm oder kalt mit Aprikosenkompott servieren.

**Das schmeckt auch dazu** Kompott (selbst eingeweckt oder fertig gekauft), Mandarinen aus der Dose, Obstsalat oder Vanillejoghurt

# Obst am Spieß mit Kirmesreis

ohne Milch und Ei | schmeckt auch kalt
**35 Min.**
*insgesamt ca. 725 kcal*
*8 g Eiweiß · 18 g Fett · 133 g Kohlenhydrate*

ZUTATEN FÜR
1 ERWACHSENEN-
UND 1 KINDER-
PORTION
100 ml Kokosmilch
(aus der Dose)
100 g Milchreis
1 EL Zucker · Salz
1 kleine Banane
2 Scheiben Ananas
(am besten frisch)
50 g Weintrauben
1 EL Butter
Schaschlikspieße

ZUBEREITUNG

**1.** Kokosmilch mit ½ l Wasser in einem Topf aufkochen lassen. Reis, Zucker und 1 Prise Salz einrühren und zugedeckt bei schwacher Hitze 30 Min. quellen lassen.

**2.** Inzwischen die Banane und die Ananasscheiben schälen, die Trauben waschen. Ananas und Banane in traubengroße Stücke schneiden. Das Obst abwechselnd auf Schaschlikspieße stecken.

**3.** Die Butter in einer Pfanne erhitzen. Die Spieße darin bei schwacher Hitze rundum braten, zum Kokosreis reichen.

**Praxis-Tipps** Im Sommer Reis kalt servieren mit Beeren zum Aufspießen. Wenn es schnell gehen soll, einfach statt Milchreis Reisflocken nehmen. Diese zu der Kokosmilch und dem Wasser geben, 1 Min. kochen lassen, dann abseits vom Herd ca. 4 Min. ausquellen lassen.

**Pluspunkt** Kokosmark ist sehr reich an Selen (stärkt Abwehr) und Biotin (für die Nägel) und eine Alternative für Milchallergiker.

## Das Sonntagsessen: alle an einem Tisch

Oft findet nur noch am Wochenende eine gemeinsame Mahlzeit mit der ganzen Familie statt. Kinder genießen das besonders. Wer während der Woche kocht, will am Wochenende vielleicht Pause haben. Dann sollten alle helfen. Ein Brunch ist mit einem Kleinkind noch nicht so gut: Es wird früh wach – ausschlafen ist (noch) nicht! Da kommt das gute alte Sonntagsessen (s. Seite 126–127) zu Ehren. Sie können wieder mal so richtig genießen und etwas Raffiniertes kochen. Ihr Kind lernt, zwischen Alltagskost und Festessen zu unterscheiden und entdeckt neue Geschmäcker. Gerade Kleinkinder sind oft erstaunlich probierfreudig. Unterstützen Sie das: Außer Alkohol darf Ihr Kind jetzt alles genießen.

## Regeln am Familientisch

Allen soll die gemeinsame Mahlzeit schmecken und Spaß machen. Ihr Kind kann natürlich jetzt noch nicht mit Messer und Gabel essen. Aber es bekommt vom Drumherum viel mehr mit, als Sie glauben. Am meisten lernt es durch Ihr Vorbild – drum sollte die ganze Familie an einem Strang ziehen und jeder sich an die gemeinsamen Regeln halten.

→ **Gemeinsam beginnen** Wenn jeder kommt und geht, wie er hungrig ist oder wenn alle Teller fast leer sind, bevor Sie sich setzen konnten, läuft was schief. Leichter fällt der gemeinsame Anfang, wenn der Tisch schon fertig gedeckt ist. Ein Tischgebet oder ein Reim (kommt spätestens mit dem Kindergarten) sind Rituale, die verbinden und den Startschuss geben.

→ **... und enden** Für die Großen gilt: Jeder bleibt so lange sitzen, bis der Letzte aufgegessen hat. Also auch, wenn das jüngste Kind noch isst. Andersherum darf ein Kleinkind aus seinem Stühlchen, wenn es satt ist und Sie noch länger brauchen. Doch wer einmal aufgestanden ist, bekommt nichts mehr und darf die »Sitzengebliebenen« nicht stören.

→ **Stammplatz** Sie vermeiden Unruhe und Hektik, wenn jeder seinen Platz hat. Für Ihr Kind bedeutet das Orientierung und Sicherheit. Wenn dann noch jeder sein Set, seine Serviette und Ihr Kind sein Lätzchen hat, ist die Welt in Ordnung.

→ **Appetitlich** Richten Sie den Essplatz kindgerecht und schön ein: Sets auf einem Holztisch oder gleich eine abwaschbare Tischdecke sind ideal. Kinderteller und -becher sollten einen stabilen Stand haben. Und der Boden pflegeleicht sein.

→ **Füttern oder futtern?** Am Anfang ist es ein bisschen stressig, zusammen zu essen, weil Ihr Kind noch nicht eine volle Mahlzeit selber löffeln kann. Gut, wenn Sie sich beim Füttern abwechseln können. Es hält auch auf, das Essen klein zu schneiden: Bevorzugen Sie deshalb mundgerechte Kost. Vielleicht schaffen Sie nicht nur für Ihr Kind, sondern auch für sich einen Warmhalteteller an? Dann können Sie ganz entspannt füttern – und futtern.

→ **Tellergericht?** Anfangs sind Tellergerichte in Ordnung. Später sollte jeder lernen, sich die richtige Portion zu nehmen. Also: Schüsseln und Platten auf den Tisch. Das beendet auch den Stafettenlauf zum Herd für den Nachschlag.

→ **Medienpause** Zeitung und Buch, Radio oder TV sind bei Tisch tabu. Sie ersticken jede Kommunikation, lenken vom Schmecken ab und sind unhöflich. Das gilt auch fürs Telefon oder Handy. Reservieren Sie die Mahlzeit füreinander.

## Die Familie unter einen Hut bringen

Gemeinsam zu essen ist schön – und praktisch. Doch die Realität sieht oft anders aus: Das Berufsleben ist familienunfreundlich, Kindergärten machen früh Mittagspause und Schulkinder kommen sehr spät. Das klappt nur mit Restaurant Mama? Versuchen Sie, möglichst viele Fliegen mit einer Klappe zu schlagen. Automatisch funktioniert das nicht. Sie müssen sich darüber Gedanken machen und sich mit der ganzen Familie besprechen und einigen.

→ **Mama allein zu Haus** Sind Sie tagsüber allein mit Kind, kochen Sie am besten mittags für zwei (s. Seite 103–115). Abends gibt es dann eine kalte Mahlzeit; manche Kinder lieben noch ihren Milchbrei. Oder Sie zaubern eine Kleinigkeit für alle (s. Seite 134–139).

→ **Papa hat abends Hunger** Wenn Ihr Partner mittags keine warme Mahlzeit hat, ist es sinnvoll, abends für alle zu kochen (s. Seite 118–129). Aber nicht zu spät, weil der Lebensrhythmus Ihres Kindes sich noch stark nach dem Tageslicht richtet. Schlimmstenfalls gibt's für den Vater Aufgewärmtes. Sie können sich dann aussuchen, mit wem Sie essen. Mittags gibt es für Ihr Kind eine Kleinigkeit extra (s. Seite 98–101). Das kann auch ein Müsli sein, ein Milchbrei oder ein Rest vom Vortag.

→ **Krabbelgruppe und Krippe** Ist Ihr Kind in einer privaten Krabbelgruppe, kochen oft die Mütter (s. Seite 130–133). In diesem Fall sind Sie frei, abends für die ganze Familie zu kochen oder Ihrem Kind etwas Kleines zuzubereiten. In Krippe und Hort wird es ohne elterliche Mitwirkung versorgt – diese ist aus hygienischen Gründen in der Regel auch unerwünscht.

→ **Einmal was Warmes am Tag** braucht Ihr Kind, sonst kommen wertvolle Lebensmittel wie Gemüse, Fleisch, Fisch und Getreide zu kurz. Die nötigen Mengen als Rohkost und Brotmahlzeit zu bewältigen, ist noch zu viel für Ihr Kind. Doch auch Ihnen bekommt eine warme Mahlzeit am Tag gut.

→ **Zweimal warm?** Dagegen ist nichts einzuwenden, wenn die Mahlzeit kein Fast Food ist, sondern vollwertig. Achten Sie aber darauf, dass genug Salat oder rohes Knabbergemüse dabei ist.

### Was gibt's heute?

Eine magische Frage. Ihr Kochlöffel ist der Zauberstab, mit dem Sie im Handumdrehen für gute Stimmung sorgen können – oder für Ärger. Liebe geht durch den Magen, Essen hat viel mit Gefühlen zu tun. Nutzen Sie diesen Joker und halten Sie mit den Mahlzeiten die Familie zusammen. Fragen Sie nach Wünschen, beziehen Sie alle ins Kochen ein, aber auch ins Tischdecken und Kücheaufklaren.

### Warm halten, aufwärmen, Fertiggerichte?

In einer Familie wird es kaum möglich sein, immer alle frisch zu bekochen. Doch wie gehe ich mit Resten um (s. Seite 166/167) und mit stündlich versetzten Mittagszeiten?

→ Am besten bleiben Geschmack und Vitamine erhalten, wenn das Essen **schnell abkühlt** und dann möglichst **kurz erhitzt** wird. Am besten ist dafür die Mikrowelle geeignet – vor allem, weil Sie damit ein Tellergericht erhitzen können. Es gibt dabei keine gesundheitlichen Nachteile. Achten Sie aber auf die Gardauer: 1 Min. zu lang kann schon alles verderben.

→ Je länger Sie eine Speise **warm halten,** desto mehr Vitamine werden zerstört. Außerdem steigt die Gefahr einer Keimentwicklung über 30° sprunghaft an: Vor dem Servieren müssen Sie deshalb alles noch einmal aufkochen. Fazit: lieber nicht.

→ Und **Fertiggerichte** für Nachzügler? Schauen Sie zuerst auf die Zutatenliste: Eine Latte von Zusatzstoffen, vor allem → Aromastoffe und → Glutamat, sind überflüssig, ein hoher Fett- und Salzgehalt ebenfalls. Am besten bleibt der Nährwert in Tiefkühlkost erhalten. Mittlerweile sind auch gekühlte Fertiggerichte in guter Qualität erhältlich. Gläschen oder Dose haben zu wenig Biss und zuviel Einheitsgeschmack. Instantsuppen sind viel zu salzig und arm an Vitaminen.

# Tomatenreis mit Häubchen

würzig | einfach
**15 Min.**
*bei 4 Portionen pro Portion ca. 575 kcal*
*23 g Eiweiß · 15 g Fett · 87 g Kohlenhydrate*

ZUTATEN FÜR
3–4 PORTIONEN

1 EL Rapsöl
200 g Rinderhackfleisch
1 TL Salz · Pfeffer
250 g Schnellkochreis
1 große Dose
Tomaten (800 g)
½ Dose Mais-
körner (200 g)
50 g Schmand
Sojasauce

ZUBEREITUNG

**1.** Das Öl in einem Topf erhitzen. Das Hack-fleisch darin krümelig und braun braten. Mit Salz und Pfeffer würzen. Den Reis dazu-geben und andünsten. Die Tomaten unter-rühren und aufkochen lassen. Alles zugedeckt bei schwacher Hitze 2 Min. quellen lassen.

**2.** Inzwischen den Mais abtropfen lassen, pürieren und mit dem Schmand mischen.

**3.** Den Reis mit Sojasauce abschmecken, auf vier Teller verteilen. Von dem Mais-Schmand kleine Kleckse darauf geben.

**Praxis-Tipp** Frischer, saftiger Zuckermais lässt sich auch roh verwenden: vom Kolben schneiden und wie oben pürieren.

**Veggi-Tipp** Statt Hackfleisch können Sie auch Tofu verwenden.

# Bohnen im Versteck

vegetarisch | aus dem Vorrat
**10 Min.**
*bei 4 Portionen pro Portion ca. 555 kcal*
*16 g Eiweiß · 33 g Fett · 49 g Kohlenhydrate*

ZUTATEN FÜR
3–4 PORTIONEN

2 Dosen Prinzess-
bohnen (à 220 g
Abtropfgewicht)
¼ l Milch
2 Beutel Kartoffel-
püree zum Anrühren
(6 Portionen)
200 g Sahne
50 g Körner-Mix
(s. Info)

ZUBEREITUNG

**1.** Die Bohnen abtropfen lassen, den Sud da-bei auffangen. Die Bohnen klein schneiden.

**2.** Bohnensud mit Wasser auf 600 ml auffül-len, in einen Topf geben und aufkochen. Vom Herd nehmen. Die Milch und dann die Püree-flocken einrühren. Sahne steif schlagen und mit den Bohnen unter das Püree heben.

**3.** Körner-Mix in einer Pfanne ohne Fett an-rösten und über die Kartoffelcreme streuen.

**Info** Körner-Mix gibt's im Supermarkt bei Salat oder bei den Nüssen oder im Bio-Laden.

**Dazu passt's** Tolle Beilage zu Bratwurst oder Fisch. Dann die Menge halbieren.

**Praxis-Tipp** Bei Dosengemüse immer den Sud mit verwenden: Viele Mineralstoffe und Vitamine stecken in ihm. Die innere Beschichtung schützt sicher vor Verunreini-gungen durch das Dosenmetall.

# Würstchen im Grünen

einfach | aus dem Vorrat
**35 Min.**
*bei 4 Portionen pro Portion ca. 410 kcal*
*15 g Eiweiß · 16 g Fett · 51 g Kohlenhydrate*

ZUTATEN FÜR
3–4 PORTIONEN
600 g TK-Rahm-
spinat-Minis
250 g Instant-Couscous
Salz · Pfeffer
Muskatnuss · 1 TL Öl
4 Bratwürstchen
50 g saure
Sahne (10 %)

ZUBEREITUNG

**1.** Spinat-Minis in einen Topf geben und bei starker Hitze auftauen lassen. Zwischendurch öfter mal umrühren.

**2.** Den Couscous und 150 ml Wasser einrühren und bei schwacher Hitze 5–10 Min. ziehen lassen. Mit Salz, Pfeffer und Muskat abschmecken.

**3.** Das Öl in einer Pfanne erhitzen und die Bratwürstchen darin braten. Spinat-Couscous mit Klecksen von saurer Sahne garnieren und mit den Bratwürstchen servieren.

**Praxis-Tipp** Reste sofort kalt stellen und entweder mit Knoblauch, Zitronensaft und Olivenöl zu einem Salat verarbeiten. Oder kurz erhitzen und dann aufessen.

**Pluspunkt** Durch das Tiefkühlen bleiben die Vitamine im Spinat erhalten – die Mineralstoffe wie Eisen sowieso.

# Aschenputtel-Suppe

ballaststoffreich | sättigend
**25 Min.**
*bei 4 Portionen pro Portion ca. 425 kcal*
*24 g Eiweiß · 17 g Fett · 45 g Kohlenhydrate*

ZUTATEN FÜR
3–4 PORTIONEN
1 Zwiebel · 1 Knob-
lauchzehe · 1 EL Öl
200 g braune Linsen
½ l Gemüsebrühe
(Instant)
300 g Kartoffeln
300 g Möhren
1 Dose Tomaten (800 g)
Salz · Pfeffer
1 TL getrockneter
Majoran
150 g Mini-Cabanossi
eventuell etwas
saure Sahne

ZUBEREITUNG

**1.** Die Zwiebel und den Knoblauch schälen und fein hacken.

**2.** Das Öl im Schnellkochtopf erhitzen, Zwiebel und Knoblauch darin anbraten. Die Linsen zugeben, die Brühe angießen. Den Topf schließen und die Linsen auf Stufe 2 6 Min. garen.

**3.** Den Topf abdampfen lassen. Kartoffeln und Möhren waschen, schälen und würfeln. Mit Tomaten, Salz, Pfeffer und Majoran zu den Linsen geben. Geschlossen 4 Min. (Stufe 2) kochen.

**4.** Topf erneut abdampfen lassen. Die Cabanossi (ohne Druck) im Eintopf erwärmen. Den Eintopf abschmecken. Nach Wunsch mit 1 Klecks saurer Sahne servieren.

**Praxis-Tipp** Ohne Schnellkochtopf garen die Linsen 45 Min., nach 30 Min. die Kartoffeln zugeben, nach 35 Min. die Möhren.

# Pfannkuchentorte mit Radieschenquark

braucht etwas Zeit | preiswert
**30 Min.**
*bei 4 Portionen pro Portion ca. 395 kcal*
*27 g Eiweiß · 16 g Fett · 36 g Kohlenhydrate*

**ZUTATEN FÜR
3–4 PORTIONEN**
250 g Möhren
150 g Mehl · 3 Eier
300 ml fettarme Milch
Salz · Pfeffer
1 Bund Radieschen
250 g Magerquark
Mineralwasser
8 TL Öl zum Braten
50 g dünn aufge-
schnittenes Kasseler
50 g geriebener
Parmesan

**ZUBEREITUNG**

**1.** Backofen auf 50° vorheizen. Möhren schälen und raspeln. Mehl, Eier, Milch, Möhren
zu einem Teig rühren, salzen und pfeffern.

**2.** Radieschen waschen, putzen und würfeln.
Quark mit etwas Mineralwasser aufschlagen,
salzen, pfeffern und Radieschen zugeben.

**3.** 1 TL Öl in einer Pfanne erhitzen. 3 Scheiben Kasseler zugeben und 1 kleine Kelle Teig
darüber verteilen. 4 Min. backen, wenden,
mit Parmesan bestreuen und zugedeckt
3 Min. braten. Im Ofen warm halten. 7 weitere Pfannkuchen backen und im Ofen stapeln.
Wie eine Torte in Stücke schneiden und mit
dem Quark servieren.

**Austausch-Tipp** Für süße Pfannkuchen
statt Möhren Äpfel in den Teig raspeln, mit
nur 1 Prise Salz würzen, mit Nuss-Nougatcre-
me oder Konfitüre bestreichen und stapeln.

# Hühnerfrikassee

Klassiker | lässt sich einfrieren
**1 Std. + 1 Std. Garen**
*bei 4 Portionen pro Portion ca. 395 kcal*
*39 g Eiweiß · 17 g Fett · 22 g Kohlenhydrate*

**ZUTATEN FÜR
3–4 PORTIONEN**
3 EL Mehl
3 EL Butter
1 Bund Suppengrün
1 küchenfertiges
Suppenhuhn (ca. 800 g)
1 Lorbeerblatt · Salz
300 g TK-Erbsen
50 g Schmand · Pfeffer
etwas Zitronensaft
etwas gehackte
Petersilie

**ZUBEREITUNG**

**1.** Mehl mit Butter verkneten, zu walnuss-
großen Kugeln formen und kalt stellen.

**2.** Das Suppengrün waschen, putzen und
grob zerteilen. Das Huhn waschen, mit Suppengrün, Lorbeerblatt und 2 TL Salz in einen
großen Topf geben. 1 l Wasser angießen, zum
Kochen bringen und zugedeckt bei schwacher
Hitze ca. 1 Std. garen.

**3.** Das Huhn aus dem Topf nehmen, zerteilen
und die Haut abziehen. Das Fleisch ablösen
und klein schneiden. Brühe durch ein Sieb
gießen, dabei auffangen, Suppengrün wegwerfen. ½ l Brühe zum Kochen bringen und
die Mehlbutter einrühren. Solange kochen,
bis sich die Kugeln aufgelöst haben.

**4.** Erbsen, Hühnerfleisch und Schmand ein-
rühren und heiß werden lassen. Mit Salz,
Pfeffer und etwas Zitronensaft abschmecken.
Mit Petersilie bestreuen. Dazu passt Reis.

# Überbackene Krautspätzle

braucht etwas Zeit | preiswert
**40 Min. + 5–15 Min. Backen**
*bei 4 Portionen pro Portion ca. 300 kcal*
*9 g Eiweiß · 14 g Fett · 33 g Kohlenhydrate*

**ZUTATEN FÜR
3–4 PORTIONEN**
150 g Mehl · 1 TL Salz
geriebene Muskatnuss
2 Eier (Größe M)
1 kleines Gläschen
Baby-Möhren (125 g)
500 g Weißkohl
1–2 EL Rapsöl · Pfeffer
150 ml Gemüse-
brühe (Instant)
100 g Schmand

**ZUBEREITUNG**

**1.** Mehl, Salz und Muskat mischen. Eier,
Möhrchen und so viel Wasser unterrühren,
bis der Teig Pfannkuchen-Konsistenz hat.

**2.** Den Kohl waschen, zerteilen und putzen,
fein hobeln. Öl in einem Topf erhitzen und
den Kohl andünsten. Mit Salz, Pfeffer und
Muskat würzen, die Brühe zugeben. Zugedeckt 10 Min. bei mittlerer Hitze garen, mit
Schmand verrühren.

**3.** Gleichzeitig in einem breiten Topf Salzwasser erhitzen. Spätzleteig portionsweise in einen
Spätzlehobel füllen und ins kochende Wasser
hobeln. Wenn die Spätzle nach oben kommen,
mit einem Schaumlöffel herausheben. In eine
feuerfeste Form geben, eine Portion Kraut darauf verteilen. Spätzle und Kraut im Wechsel
einschichten, im Ofen bei 50° warm halten.

**4.** Zum Essen in der Mikrowelle bei 800 Watt
5 Min. erhitzen. Oder im Ofen bei 180° (Umluft 160°) 15 Min. aufbacken.

# Ratz-Fatz

schnell | kalziumreich
**15 Min. + 20 Min. Backen**
*bei 4 Portionen pro Portion ca. 930 kcal*
*42 g Eiweiß · 28 g Fett · 129 g Kohlenhydrate*

**ZUTATEN FÜR
3–4 PORTIONEN**
300 g Spätzle oder
Gnocchi (Kühlregal)
150 g Cabanossi
3 Eier · 300 ml Milch
200 g körniger
Frischkäse
Salz · Pfeffer
Paprikapulver
1 Dose Maiskörner
(400 g) · 300 g
TK-Rahmspinat-Minis
Fett für die Form

**ZUBEREITUNG**

**1.** Teigwaren, die noch fertig garen müssen,
in Salzwasser bissfest kochen. Den Backofen
auf 200° vorheizen. Die Cabanossi in dünne
Scheiben schneiden.

**2.** Für den Guss Eier, Milch und Frischkäse
verquirlen, mit Salz, Pfeffer und Paprikapulver würzen. Mais abgießen.

**3.** Die Fettpfanne des Backofens einfetten.
Spätzle und Mais mischen und darauf verteilen, mit den gefrorenen Spinatpäckchen
belegen. Den Guss darüber gießen. Im Ofen
(Mitte, Umluft 180°) ca. 20 Min. backen.
Kurz vor Ende der Garzeit die Cabanossi
auf dem Auflauf verteilen.

**Praxis-Tipp** Je flacher der Auflauf, desto
schneller ist durchgegart.

# Käse-Rösti rot-weiß

vegetarisch | gut vorzubereiten
**30 Min. + 12 Std. Ruhen**
**+ 20 Min. Vorkochen**
*bei 4 Portionen pro Portion ca. 330 kcal*
*10 g Eiweiß · 17 g Fett · 34 g Kohlenhydrate*

**ZUTATEN FÜR
3–4 PORTIONEN**

1 kg fest kochende
Kartoffeln · 1–2 TL Salz
2 TL Mittelmeerkräuter
3–4 EL Rapsöl
2 mittelgroße
Tomaten (à 50 g)
100 g Raclette-Käse

**ZUBEREITUNG**

**1.** Die Kartoffeln waschen, in einem Topf
mit Salzwasser in 15 Min. knapp gar kochen,
schälen und über Nacht auskühlen lassen.

**2.** Die Kartoffeln auf einer groben Reibe
reiben, mit Salz und Kräutern würzen.
1–2 EL Öl in einer großen beschichteten
Pfanne erhitzen. Die Kartoffeln dazugeben,
flach drücken und offen bei mittlerer Hitze
in 10 Min. goldbraun braten. Die Tomaten
waschen und in Scheiben schneiden.

**3.** Die Rösti auf einen Deckel gleiten lassen,
restliches Öl in die Pfanne geben. Rösti in
die Pfanne stürzen, Tomaten und Käse darauf verteilen. Zugedeckt 10 Min. braten.

**Austausch-Tipp** Auch lecker: Ersetzen Sie
die Hälfte der Kartoffeln durch Sellerie und
die Mittelmeerkräuter durch Curry.

# Putenbrust in Currysauce

für Saucenfans | mild
**30 Min.**
*bei 4 Portionen pro Portion ca. 255 kcal*
*26 g Eiweiß · 11 g Fett · 12 g Kohlenhydrate*

**ZUTATEN FÜR
3–4 PORTIONEN**

1 Zwiebel
1 Knoblauchzehe
400 g Kürbis
(Hokkaido)
1 EL Currypulver
1 EL Mehl · 400 g Puten-
schnitzel · Salz
2–3 EL Rapsöl
100 ml Apfelsaft
100 ml Kaffeesahne
Pfeffer

**ZUBEREITUNG**

**1.** Zwiebel und Knoblauch schälen, in Würfel
schneiden. Den Kürbis waschen, Kerne und
grobe Fasern entfernen und das Fruchtfleisch
in große Würfel schneiden.

**2.** Curry und Mehl in einem Teller mischen.
Schnitzel salzen, darin wenden. Das Öl in einer Pfanne erhitzen. Die Schnitzel darin von
beiden Seiten bei mittlerer Hitze je 2 Min.
braten, herausheben und in Alufolie packen.

**3.** Im Fond Zwiebel und Knoblauch andünsten. Kürbis dazugeben, salzen und Apfelsaft
angießen. Zugedeckt in ca. 15 Min. bei schwacher Hitze gar dünsten. Das Ganze pürieren,
Kaffeesahne dazugeben, salzen und pfeffern.

**4.** Die Schnitzel in Streifen schneiden, samt
ausgetretenem Fleischsaft zur Sauce geben.
Alles nochmal erhitzen und abschmecken.
Dazu passt Reis, Bulgur oder Nudeln.

**Austausch-Tipps** Statt Kürbis Möhren
oder Zucchini, statt Pute Fischfilet nehmen.

# Jägerschnitzel mit Pilzen

mild | eiweißreich
**45 Min.**
*bei 4 Portionen pro Portion ca. 385 kcal*
*39 g Eiweiß · 22 g Fett · 8 g Kohlenhydrate*

**ZUTATEN FÜR
3–4 PORTIONEN**

2 Zwiebeln
500 g Champignons
200 g Pfifferlinge
Salz · Pfeffer
edelsüßes Paprika-
pulver · 3 EL Mehl
4 Schweineschnitzel
(aus der Keule, à 150 g)
2–3 EL Butter
100 g Schmand
Sojasauce

**ZUBEREITUNG**

**1.** Die Zwiebeln schälen und fein würfeln.
Pilze mit einer weichen Bürste putzen und
halbieren oder vierteln, kleine ganz lassen.

**2.** Gewürze und Mehl in einem Teller
mischen. Die Schnitzel salzen, in dem Mix
wenden. Die Butter in einer Pfanne erhitzen
und die Schnitzel darin von beiden Seiten
bei mittlerer Hitze je ca. 2 Min. anbraten,
herausheben und in Alufolie packen.

**3.** Die Zwiebeln im Fond andünsten, die
Pilze dazugeben, würzen und bei mittlerer
Hitze braten, bis die Pilze zusammenfallen.
Mit Schmand, Gewürzen und Sojasauce ab-
schmecken. Schnitzel mit Saft zugeben und
5 Min. ziehen lassen.

**Das schmeckt dazu** Nudeln, Salzkartoffeln
oder Reis

**Pluspunkt** Pilze enthalten viel pflanzliches
Eiweiß, Fleisch tierisches. Beides ergänzt sich
ideal und liefert Futter für die Zellen.

# Ratatouille mit Feta

vegetarisch | würzig
**25 Min.**
*bei 4 Portionen pro Portion ca. 205 kcal*
*10 g Eiweiß · 15 g Fett · 8 g Kohlenhydrate*

**ZUTATEN FÜR
3–4 PORTIONEN**

2 Zwiebeln
1 kleine Auber-
gine (400 g)
1 Zucchino
1 rote Paprikaschote
2–3 EL Olivenöl
1 kleine Dose geschälte
Tomaten (400 g)
Salz · Pfeffer
getrockneter Rosmarin
150 g Feta

**ZUBEREITUNG**

**1.** Zwiebeln schälen und klein würfeln. Aubergine, Zucchino und Paprika waschen und
putzen. Aubergine längs in Spalten schneiden
(vierteln oder achteln), dann quer in Würfel.
Zucchino und Paprika klein würfeln.

**2.** Das Öl in einer Pfanne erhitzen. Aubergine
darin kräftig anbraten. Zwiebeln und Paprika
dazugeben und alles zugedeckt bei mittlerer
Hitze 3 Min. braten. Zucchino und Tomaten
dazugeben, mit Salz, Pfeffer und Rosmarin
würzen und zugedeckt 5 Min. kochen.

**3.** Den Feta würfeln und über das Gemüse
streuen. Dazu passt Brot oder Couscous.

**Praxis-Tipp** Würziger wird es, wenn Sie
das Gemüse mit Gewürzen und Öl mischen,
auf dem Backblech verteilen und unter den
Backofengrill schieben. Wenn es bräunt,
umrühren, Feta aufstreuen und fertiggrillen.

**Veggi-Tipp** Statt Feta Räucher-Tofu verwenden.

# Bauern-Auflauf

gut vorzubereiten | deftig
**30 Min. + 35–45 Min. Backen**
*bei 4 Portionen pro Portion ca. 335 kcal*
*16 g Eiweiß · 14 g Fett · 37 g Kohlenhydrate*

ZUTATEN FÜR
3–4 PORTIONEN

1 kg mehlig
kochende Kartoffeln
1 Stange Lauch
500 g Champignons
100 g rohe Schinken-
würfel (Kühltheke)
½ l Milch
Salz · Pfeffer
Muskatnuss
Butter für die Form

ZUBEREITUNG

**1.** Den Backofen auf 200° vorheizen. Eine große flache Auflaufform einfetten.

**2.** Kartoffeln waschen, schälen und in Scheiben hobeln. Lauch putzen, längs aufschlitzen, waschen und in Ringe schneiden. Die Champignons säubern und in Scheiben schneiden.

**3.** Champignons und Lauch mit Kartoffeln in die Form einschichten, zwischen die Lagen Schinkenwürfel streuen.

**4.** Die Milch mit Salz, Pfeffer und Muskat würzen, über das Gemüse gießen. Den Auflauf im Ofen (Mitte, Umluft 180°) 35–45 Min. backen.

**Austausch-Tipp** Statt der Champignons TK-Rahmspinat-Minis nehmen. Sie können gefroren in den Auflauf.

**Mehr draus machen** 3–4 EL Semmelbrösel und 40 g Butterflöckchen vor dem Überbacken auf den Auflauf streuen.

# Fisch in der Falle

einfach | zum Sattessen
**10 Min. + 35 Min. Backen**
*bei 4 Portionen pro Portion ca. 405 kcal*
*27 g Eiweiß · 22 g Fett · 24 g Kohlenhydrate*

ZUTATEN FÜR
3–4 PORTIONEN

1 Knoblauchzehe
1 EL Rapsöl
Salz · ¼ l Milch
1 Packung Instant-
Kartoffelpüree
(3 Portionen)
300 g TK-Rahmspinat
in Stückchen
400 g Lachsfilet
Pfeffer
1 Bio-Zitrone
etwas Butter

ZUBEREITUNG

**1.** Backofen auf 180° vorheizen. Knoblauch schälen und halbieren. Eine Auflaufform damit ausreiben und mit Öl auspinseln.

**2.** ½ l Wasser aufkochen und vom Herd nehmen. ½ TL Salz, Milch und die Püreeflocken einrühren. Die Hälfte des Pürees in die Form füllen und glatt streichen. Darauf die gefrorenen Spinatstückchen verteilen. Den Lachs in vier Stücke teilen, salzen und pfeffern. Auf den Spinat legen.

**3.** Die Zitrone gründlich waschen und in Scheiben schneiden. Auf dem Lachs verteilen. Den Rest des Pürees in die Zwischenräume im Spinat setzen. Butterflöckchen auf dem Spinat verteilen und alles ca. 35 Min. im Ofen (Mitte, Umluft 160°) garen.

**Tipp** Anstelle von frischem Lachs können Sie auch TK-Lachs nehmen. Lassen Sie ihn vorher auftauen.

# Süßes Murmelgratin

für Schokofans | preiswert
**25 Min. + 35 Min. Backen**
*bei 4 Portionen pro Portion ca. 355 kcal*
*12 g Eiweiß · 11 g Fett · 52 g Kohlenhydrate*

**ZUTATEN FÜR
3–4 PORTIONEN**

500 g Süßkirschen
2–3 Scheiben alt-
backenes Schwarz-
brot (ca. 180 g)
2 gestrichene EL
Kakaopulver
3 EL Raspelschokolade
2 Eier · Salz
500 g Vanillejoghurt
Kakaopulver oder
Puderzucker
zum Bestreuen

**ZUBEREITUNG**

**1.** Den Backofen auf 180° vorheizen. Die Kirschen waschen und entsteinen. Das Brot zerbröseln und mit Kakao und Raspelschokolade mischen.

**2.** Die Eier trennen. Die Eiweiße mit 1 Prise
Salz steif schlagen. Eigelbe und Vanillejoghurt
mit dem Handrührgerät gründlich verrühren. Den Eischnee unterziehen.

**3.** Brotbrösel in einer flachen Auflaufform
verteilen. Die Joghurtmasse darüber schichten und die Kirschen hineinsetzen. Im Ofen
(Mitte, Umluft 160°) ca. 35 Min. backen.
Nach Belieben mit Kakaopulver oder Puderzucker bestäuben.

**Praxis-Tipp** Falls der Auflauf zu dunkel
wird, mit Alufolie abdecken.

**Austausch-Tipp** Klappt auch mit einge-
weckten Sauerkirschen oder TK-Kirschen.

# Beeriger Müsli-Auflauf

preiswert | aus dem Vorrat
**15 Min. + 25 Min. Backen**
*bei 4 Portionen pro Portion ca. 395 kcal*
*11 g Eiweiß · 10 g Fett · 65 g Kohlenhydrate*

**ZUTATEN FÜR
3–4 PORTIONEN**

150 g Früchtemüsli
50 g getrocknete
Cranberrys
250 g Joghurt
2–3 Äpfel · 3 Eier
2 EL Honig · Salz
Butter für die Form
Puderzucker
zum Bestreuen

**ZUBEREITUNG**

**1.** Früchtemüsli und Cranberrys mischen.
Joghurt darübergießen. Quellen lassen.

**2.** Backofen auf 180° vorheizen. Eine Auflaufform (20 x 30 cm) fetten. Die Äpfel gründlich
waschen, trockenreiben, vierteln und dabei
die Kerngehäuse entfernen. Die Schale der
Viertel 3- bis 4-mal längs einschneiden.

**3.** Die Eier trennen. Die Eigelbe mit dem
Honig und 1 Prise Salz aufschlagen und unter das Müsli ziehen. Die Eiweiße steif schlagen und vorsichtig unter den Teig heben.

**4.** Teig in die Form geben und gleichmäßig
verteilen. Die Apfelspalten darauf legen. Alles
im Ofen (Mitte, Umluft 160°) ca. 25 Min.
backen. Mit Puderzucker bestreut servieren.

**Das schmeckt dazu** Eine schnelle Vanille-
sauce aus 1 Becher Vanillepudding (Fertig-
produkt) mit 100 ml Milch glatt gerührt

# Filet aus der Zaubertüte

gut vorzubereiten | leicht
**30 Min. + 5 Std. Marinieren
+ 40 Min. Backen**
*bei 4 Portionen pro Portion ca. 235 kcal
33 g Eiweiß · 6 g Fett · 12 g Kohlenhydrate*

ZUTATEN FÜR
3–4 PORTIONEN

1 Chilischote
2 Knoblauchzehen
30 g frischer Ingwer
2 TL Fünfgewürzpulver
1 TL Salz · 1 EL Sesamöl
1 großes Schweine-
filet (ca. 600 g)
½ Ananas (ca. 300 g)
1 Paprikaschote
1 Frühlingszwiebel
1 Bratbeutel

ZUBEREITUNG

**1.** Chili waschen, halbieren, putzen (Vorsicht, scharf) und fein hacken. Knoblauch und Ingwer schälen, durch die Presse drücken. Mit Fünfgewürzpulver, Chili, Salz und Sesamöl zu einer Paste verarbeiten. Das Fleisch waschen, trockentupfen und mit der Paste bestreichen.

**2.** Ananas in 2 cm dicke Scheiben schneiden, schälen und würfeln, dabei das harte Mark entfernen. Paprika waschen, halbieren, putzen und würfeln. Frühlingszwiebel waschen, putzen und in feine Ringe schneiden.

**3.** Ananas, Paprika und Zwiebelringe in den Bratschlauch schieben. Das Fleisch darauf legen. Bratbeutel mit Klipps verschließen und mindestens 5 Std. in den Kühlschrank legen.

**4.** Backofen auf 160° vorheizen. Den Beutel flach auf den kalten Rost legen, oben mit einer Nadel mehrfach einstechen. Im Ofen (Mitte, Umluft 140°) ca. 35 Min. garen, dann noch 5 Min. ruhen lassen. Dazu passt Reis.

**Praxis-Tipp** Im Bratbeutel kann das Fleisch erst marinieren und dann garen.

# Grüner Fisch im Netz

einfach | gut vorzubereiten
**35 Min.**
*bei 4 Portionen pro Portion ca. 430 kcal
29 g Eiweiß · 32 g Fett · 7 g Kohlenhydrate*

ZUTATEN FÜR
3–4 PORTIONEN

400 g Blattspinat
(oder 400 g TK-Blatt-
spinat-Minis)
400 g Kirschtomaten
150 g Sahne
2 EL Meerrettich-
Frischkäse
½ TL abgeriebene
Zitronenschale (Bio)
Salz · Pfeffer
500 g Lachsfilet
4 Gefrierbeutel
(1 l Fassungsvermögen)

ZUBEREITUNG

**1.** Den Spinat waschen, putzen und klein hacken. Tomaten waschen und mit einer Nadel anpieksen. Sahne, Frischkäse und Zitronenschale mischen, salzen und pfeffern. Den Lachs in 3 x 3 cm große Würfel schneiden.

**2.** Lachswürfel, Spinat und Tomaten auf die Gefrierbeutel verteilen und je ein Viertel des Sahne-Mixes darüber gießen. Die Beutel mit Klipps verschließen.

**3.** In einem flachen Topf etwas Wasser aufkochen. Die Beutel hineinsetzen und das Fischragout bei schwacher Hitze in ca. 11 Min. gar ziehen lassen. Jeden Beutel in einen Teller füllen. Dazu passt Reis oder Kartoffelpüree.

**Praxis-Tipp** Die Beutel können Sie 1–2 Std. zuvor einfüllen und kalt stellen.

# Schnitzel mit Krönchen

einfach | raffiniert
**20 Min. + 15 Min. Backen**
*bei 4 Portionen pro Portion ca. 260 kcal
27 g Eiweiß · 13 g Fett · 7 g Kohlenhydrate*

ZUTATEN FÜR
3–4 PORTIONEN

1 kleine rote
Paprikaschote
1 Bund Schnittlauch
100 g Frischkäse
2–3 EL Semmelbrösel
Salz · Pfeffer
4 Putenschnitzel
(à 100 g) · 2 EL Öl
150 ml Gemüsebrühe
(Instant)

ZUBEREITUNG

**1.** Backofen auf 200° vorheizen. Paprika waschen, putzen und würfeln. Den Schnittlauch waschen und in feine Röllchen schneiden.

**2.** Paprikawürfel, Frischkäse und Semmelbrösel mischen, mit Salz und Pfeffer würzen. Die Schnitzel salzen und pfeffern.

**3.** Das Öl in einer Pfanne erhitzen. Schnitzel von beiden Seiten anbraten. Herausheben, den Fond mit der Gemüsebrühe ablöschen. Schnitzel samt Fond in eine feuerfeste Form geben. Paprika-Frischkäse-Mix darauf geben, im Ofen (oben, Umluft 180°) 15 Min. überbacken. Zum Servieren die Schnittlauchröllchen darüber streuen. Dazu passen Spätzle.

# Orangenente mit Kraut

Klassiker | einfach
**50 Min. + 2 Std. Braten**
*bei 4 Portionen pro Portion ca. 695 kcal
51 g Eiweiß · 46 g Fett · 18 g Kohlenhydrate*

ZUTATEN FÜR
3–4 PORTIONEN

2 Orangen
1 Kopf Rotkohl (800 g)
2 Entenbrüste
(ca. 600 g)
Salz · Pfeffer
1 EL Rapsöl
ca. ¼ l Orangensaft
1–2 TL Orangen-
marmelade
⅛ l Hühnerbrühe
(Instant)

ZUBEREITUNG

**1.** Backofen auf 80° vorheizen. Orangen bis auf das Fruchtfleisch schälen, halbieren, das weiße Innere entfernen. Orangen in Scheiben schneiden, den Saft auffangen. Rotkohl waschen und fein hobeln.

**2.** Entenbrüste mit Salz und Pfeffer einreiben. Öl in einer Pfanne erhitzen, Entenbrüste darin rundherum anbraten, dann auf der Hautseite bei mittlerer Hitze in ca. 7 Min. das Fett ausbraten, bis die Haut braun wird. Orangen in einer feuerfesten Form verteilen, Entenbrust darauf setzen und mit ihrem Fond beträufeln. Im Ofen (Mitte, ohne Umluft) ca. 2 Std. garen.

**3.** Das Bratfett in einen Topf geben, die Entenbrust wieder in den Ofen stellen. Den Rotkohl im Fett andünsten, salzen und pfeffern. Orangensaft zugeben und zugedeckt 20 Min. garen, mit Marmelade abschmecken. Entenbrust in dünne Scheiben schneiden, auf den Orangen anrichten. Hühnerbrühe in die Pfanne gießen, den Fond loskochen, würzen und zur Entenbrust gießen. Dazu passen Spätzle oder Kartoffelklöße.

**Praxis-Tipp** Vorsicht – die Ente wird in der Pfanne schnell zu dunkel, bevor alles Fett herausgebraten ist. Langsam braten!

# Gute-Laune-Obstsalat

vitaminreich | einfach
**10 Min.**
*bei 4 Portionen pro Portion ca. 145 kcal*
*1 g Eiweiß · 1 g Fett · 34 g Kohlenhydrate*

**ZUTATEN FÜR
3–4 PORTIONEN**

1 Apfel
150 g Weintrauben
1 Kiwi · 1 Banane
1 Orange
2 EL getrocknete
Cranberrys
(Trockenobstregal)
2 EL Agavendicksaft

**ZUBEREITUNG**

**1.** Den Apfel und die Trauben waschen. Kiwi, Banane und Orange schälen. Alles in kleine Stücke schneiden. (Bananen bleiben fester, wenn Sie sie der Länge nach vierteln und dann in daumendicke Scheiben schneiden – das gibt Würfel.)

**2.** Das Obst und die Cranberries mit dem Agavendicksaft mischen.

**Kinder machen mit** Banane und Kiwi schneiden kann Ihr Kind auch schon mit 3 Jahren.

**Austausch-Tipp** Im Sommer entsprechend Beeren, Pfirsich, Nektarine, Melone, Kirschen oder Pflaumen nehmen.

**Mehr draus machen** Vanilleeis dazugeben oder Kokosquark (s. Seite 150) oder Vanilledip (s. Seite 150)

**Pluspunkt** Sauer macht lustig – und enthält jede Menge Vitamin C und Beta-Karotin.

# Lieblingspudding

Klassiker | kalziumreich
**20 Min.**
*bei 4 Portionen pro Portion ca. 320 kcal*
*6 g Eiweiß · 18 g Fett · 32 g Kohlenhydrate*

**ZUTATEN FÜR
3–4 PORTIONEN**

**Für den Pudding:**
3 EL Speisestärke
400 ml Milch
1 Stück Vanilleschote
2 EL Zucker
100 g Sahne

**Für die Sauce:**
80 g Schokolade
100 ml Milch

**ZUBEREITUNG**

**1.** Die Speisestärke mit 100 ml Milch verrühren. Die Vanilleschote längs aufschlitzen und das Mark auskratzen. 300 ml Milch mit Zucker, Vanilleschote und -mark bei mittlerer Hitze kochen. Die angerührte Stärke mit dem Schneebesen einrühren, 2 Min. unter Rühren kochen, bis die Masse dick wird. Den Pudding vom Herd nehmen. Die Vanilleschote entfernen und den Pudding abkühlen lassen.

**3.** Die Sahne steif schlagen und unter den abgekühlten Pudding ziehen. Auf vier Schälchen verteilen und kalt stellen.

**4.** Für die Sauce die Schokolade grob hacken, in der Milch bei schwacher Hitze schmelzen. Warm oder kalt zum Pudding reichen.

**Mehr draus machen** Schön gelb wird der Pudding, wenn Sie 1 Msp. Safranpulver mit wenig Wasser anrühren und zur Milch geben.

## Beeren-Tiramisu

einfach | gehaltvoll
**15 Min. + 1 Std. Ziehen**
*bei 4 Portionen pro Portion ca. 315 kcal*
*6 g Eiweiß · 21 g Fett · 24 g Kohlenhydrate*

ZUTATEN FÜR
3–4 PORTIONEN

150 g Mascarpone
250 g Joghurt
1 Päckchen
Vanillezucker
70 g Löffelbiskuits
(ca. 10 Stück)
300 g Beeren-
mischung (TK)

ZUBEREITUNG

**1.** Den Mascarpone mit dem Joghurt und dem Vanillezucker verrühren.

**2.** Die Hälfte der Löffelbiskuits eventuell zerkleinern, in eine Schale geben und die Hälfte der gefrorenen Beeren darauf verteilen. Die Hälfte der Mascarpone-Joghurt-Creme darauf streichen. Die restlichen Zutaten genauso einschichten. Das Beeren-Tiramisu ca. 1 Std. ziehen lassen.

**Austausch-Tipp** Sie können den Mascarpone oder den Joghurt auch gegen Quarksahne (s. Zitronenzwerge, Seite 96) austauschen.

## Schoko-Pudding mit Kompott

ohne Milch und Ei | gehaltvoll
**20 Min.**
*bei 4 Portionen pro Portion ca. 185 kcal*
*3 g Eiweiß · 1 g Fett · 41 g Kohlenhydrate*

ZUTATEN FÜR
3–4 PORTIONEN

**Für den Pudding:**
1 Dose ungesüßte
Kokosmilch (400 ml)
2 TL Kakaopulver
100 ml weißer
Traubensaft
2 Päckchen
Vanillezucker · Salz
50 g Vollkorngrieß

**Für das Kompott:**
2 Orangen
ca. ¼ l Orangensaft
2 EL Zucker
1 TL Speisestärke

ZUBEREITUNG

**1.** Die Kokosmilch mit Kakao, Traubensaft, Vanillezucker und 1 Prise Salz aufkochen lassen. Den Grieß unter Rühren einrieseln lassen. Alles unter ständigem Rühren aufkochen, ca. 5 Min. bei schwacher Hitze ausquellen lassen, dabei ab und zu rühren. Die Masse auf Dessertschälchen verteilen und abkühlen lassen.

**2.** Für das Kompott die Orangen schälen, dabei möglichst viel von der weißen Schale entfernen. Fruchtfleisch in Filets teilen und die Stücke halbieren oder dritteln und die Kerne entfernen. Den Saft dabei auffangen. ¼ l Orangensaft mit Zucker aufkochen. Die Stärke mit etwas Wasser anrühren und unterrühren. Die Sauce noch einmal kurz kochen. Die Orangen dazugeben. Zum Pudding servieren.

**Austausch-Tipp** Als Kompott schmecken auch Mandarinen aus der Dose.

## Kochen für die Krabbelgruppe

**Selbstverpflegung** ist meist nur in privaten Gruppen möglich. Krippen oder Kitas unterliegen den gesetzlichen Hygienebestimmungen. Deshalb dürfen Sie dorthin in der Regel nichts Selbstgekochtes für Ihr Kind mitgeben. Entweder gibt es zentrale Verpflegung oder es werden nur ungeöffnete Gläschen akzeptiert. Auch für Privatinitiativen gelten das → Infektionsschutzgesetz und die → Lebensmittelhygieneverordnung – allerdings nicht ganz so streng. Wer regelmäßig für Gruppen kocht, muss sich einer »Belehrung« durch das Gesundheitsamt unterziehen und diese jährlich wiederholen. Fragen Sie dort nach. Die Grundsätze der Hygieneverordnung finden Sie im Glossar.

### → Vorkochen und vor Ort fertigstellen
Meist ist die Küche in der Gruppe nicht so gut ausgestattet wie (hoffentlich) Ihre Küche. Für viele zu schnippeln klappt nun mal mit der großen Küchenmaschine besser. Und Sie müssen nicht jede Zutat heranschleppen. Deshalb ist es sinnvoll, die Gerichte zu Hause vorzubereiten und an Ort und Stelle fertigzustellen. So sind die Rezepte für die Gruppe (Seite 131–133) auch aufgebaut: Der letzte Arbeitsschritt beginnt mit den Worten **»Vor dem Essen«**. Das garantiert, dass das Essen frisch schmeckt und nichts Wasser zieht oder eindickt. Diese Rezepte sind auch praktisch, wenn Sie Gäste haben und nicht die ganze Zeit in der Küche stehen wollen. Oder wenn Sie mit Freunden freie Tage verbringen.

### → Tricks für die Gruppenverpflegung
**Nudeln** sind beliebt, pappen aber schnell zusammen. Deshalb lieber an Ort und Stelle kochen. Wenn sie doch zusammenkleben, einen Schwapps kochend heißes Wasser zugeben, dann flutschen sie wieder. Bevorzugen Sie Sorten, die leicht zu essen sind wie Gabelspaghetti, Spirelli, Gnocchi oder Fusilli.
**Reis und Zartweizen** sind einfacher zu bewältigen und passen auch zu Sauce. Sie können die Körner zu Hause kochen und im heißen Topf transportieren.
**Eintöpfe** brennen schnell an, bevor der Inhalt einmal gekocht hat. Deshalb beim Aufwärmen gut umrühren.
**Mikrowelle** ist zum Erhitzen eigentlich ideal, wird von vielen Eltern aber zu Unrecht als gefährlich eingestuft. Einziger Stolperstein: Sie erhitzt ungleichmäßig. Deshalb mehrmals unterbrechen und umrühren. Auch hier sollte das Essen einmal aufkochen (s. Seite 117).
**Nachwürzen** ist bei größeren Mengen nicht so einfach. Pfeffer, Salz oder flüssige Speisewürze gehören im Kinderkreis nicht auf den Tisch. Würzen Sie am besten mit Sojasauce nach.

## So klappt das Essen in der Gruppe

**→ Bunte Bolognese** (s. Seite 131) Bei aller Liebe: In turbulenter Runde sind Spaghetti für die Betreuer eher eine Tortur. Ein Muss ist in jedem Fall eine große Serviette, die sich um den Hals binden lässt und den Schoß bedeckt. Am besten selbstgenäht mit Name oder Symbol verziert und aus Frottee – die muss nicht gebügelt werden.

**→ Sahne-Kartoffelrübchen** (s. Seite 131) Ein flaches Schälchen aus Glaskeramik mit festem Stand ist ideal für alle Gerichte. Plastik ist zu leicht und Steinzeug zerbricht schnell.

**→ Putentopf** (s. Seite 131) Nicht alles lässt sich mit den Fingern essen. Achten Sie auf kindgerechtes Besteck – runder Löffel, stumpfe, breite Gabel und breites Schiebemesser.

Sahne-Kartoffelrübchen

Putentopf

# Putentopf

ZUTATEN FÜR
10 KINDER-
PORTIONEN

350 g Gabel-
spaghetti · Salz
800 g Pastinaken oder
Möhren oder Kürbis
550 g Putenbrustfilet
6 EL Rapsöl
2 l Hühnerbrühe
(Instant)
1 Dose Mais-
körner (400 g)
etwas Petersilie
Pfeffer

gegen Schnupfen | gut vorzubereiten
**45 Min.**
*pro Portion ca. 460 kcal*
*36 g Eiweiß · 11 g Fett · 54 g Kohlenhydrate*

ZUBEREITUNG

**1.** Nudeln nach Packungsangabe in reichlich
Salzwasser garen. Gleichzeitig das Gemüse
waschen, schälen und würfeln. Die Putenbrust waschen, trockentupfen und würfeln.

**2.** Das Öl in einem großen Topf erhitzen und
das Gemüse darin andünsten. Die Hühnerbrühe dazugeben, aufkochen und zugedeckt
5–10 Min. köcheln lassen. Die Putenbrust dazugeben und in ca. 4 Min. gar ziehen lassen.

**3. Vor dem Essen** den Mais mit Sud und die
Nudeln in den Eintopf geben und einmal aufkochen. Die Petersilie waschen, die Blätter
klein hacken. Den Eintopf mit Salz, Pfeffer
und Petersilie abschmecken.

**Praxis-Tipp** Damit die Suppe sämiger wird,
einige EL Gemüse daraus pürieren und wieder hineinrühren.

## Tipps für die Halbtags-Gruppe

Viele Gruppen sind nur über einige Stunden offen. Da
reichen dann ein kleiner Imbiss und etwas zu trinken.
Trotzdem sollten die Kinder am Tisch in der Runde essen. So lernen sie, Rücksicht zu nehmen und zu teilen.

**→ Getränk** Nichts spricht gegen Leitungswasser aus
der Kanne, wenn es schmeckt und die Werte in Ordnung
sind. Die Alternative ist Tee (s. Seite 87 und 92) – kalt
oder aus der Thermoskanne, in jedem Fall ungesüßt.

**→ Obst und Gemüse** Rohes Obst oder Gemüse in
mundgerechten Stücken gehört zu jeder Brotmahlzeit.
Besonders beliebt sind Äpfel, Gurken, Möhren und rote
Paprikastreifen. Mehr Ideen auf Seite 93.

**→ Brot** Bevorzugen Sie fein gemahlenes Roggenbrot:
Das schmeckt schön saftig, wird gut vertragen und ist
durch seine Säure bestens haltbar. Nutzen Sie die Chance, dass Ihr Kind in Gesellschaft meist fast alles isst.

**→ Belag** Kleinkinder pflücken gerne Wurst und Käse
vom Brot. Deshalb sind Aufstriche praktisch: Frischkäse,
milde Leberwurst oder Schinkenstreichwurst, aber auch
vegetarische Aufstriche sind gut geeignet. Sie sollten
weder zu salzig noch zu süß sein. (s. Seite 88/89). Butter oder Margarine drunter weg lassen.

**→ Müslimixe** sind sehr praktisch. Aber Sie brauchen einen Kühlschrank für Milch oder Joghurt (s. Seite 90/91).

**→ Kuchen** Ab und zu ist etwas Selbstgebackenes völlig
in Ordnung – am Geburtstag sowieso (s. Seite 94/95).

# Sahne-Kartoffelrübchen

ZUTATEN FÜR
10 KINDER-
PORTIONEN

2 kg Kartoffeln
800 g Möhren
2 EL Rapsöl
Salz · Pfeffer
1 Bund Schnittlauch
200 ml Gemüsebrühe
(Instant)
300 g Schmand
geriebene Muskatnuss
1 Packung Körner-
mix (150 g;
s. Tipp Seite 118)

mild | vegetarisch
**45 Min.**
*pro Portion ca. 320 kcal*
*9 g Eiweiß · 17 g Fett · 33 g Kohlenhydrate*

ZUBEREITUNG

**1.** Die Kartoffeln waschen und mit Wasser in
20–30 Min. gar kochen, dann abschrecken.

**2.** Inzwischen Möhren waschen, schälen und
in kleine Stücke schneiden. Diese in einem
Topf in Öl andünsten, 1/8 l Wasser dazugeben,
salzen, pfeffern, zugedeckt ca. 15 Min. garen.

**3.** Kartoffeln pellen, mundgerecht schneiden.
Den Schnittlauch waschen und in feine Röllchen schneiden.

**4. Vor dem Essen** Brühe mit dem Schmand
erhitzen, mit Salz, Pfeffer und Muskat würzen. Möhren mit Garflüssigkeit und die Kartoffeln unterheben, einmal aufkochen.
Schnittlauch und Körner-Mix dazureichen.

**Kinder machen mit** Schon die Kleinen
mögen Selbstbedienung. Beim Körner-Mix
und Schnittlauch können sie üben.

# Bunte Bolognese (Bild Seite 130 oben)

ZUTATEN FÜR
10 KINDER-
PORTIONEN

500 g Möhren
2 Zwiebeln
2 EL Rapsöl
400 g gemischtes
Hackfleisch
Salz · Pfeffer
1 große Dose
Tomaten (800 g)
1 Dose Mais-
körner (400 g)
1 TL getrocknetes
Basilikum
500 g Nudeln

gut vorzubereiten | stärkt Abwehrkräfte
**30 Min.**
*pro Portion ca. 465 kcal*
*19 g Eiweiß · 12 g Fett · 68 g Kohlenhydrate*

ZUBEREITUNG

**1.** Möhren waschen, schälen und fein raspeln.
Zwiebeln schälen und in Würfel schneiden.

**2.** Das Öl in einem Topf erhitzen, Zwiebeln
und Hackfleisch darin krümelig und braun
braten, salzen und pfeffern. Möhren und Tomaten samt Flüssigkeit dazugeben, aufkochen
lassen und zugedeckt ca. 10 Min. schmoren.
Mais mit Sud in der Sauce erwärmen. Mit
Basilikum, Salz und Pfeffer abschmecken.

**3. Vor dem Essen** die Sauce einmal aufkochen. Nudeln in reichlich Salzwasser bissfest garen, abgießen und auftischen.

**Das schmeckt dazu** Außer Nudeln passen
auch Couscous, Reis, Zartweizen oder Püree.

**Variante** Für **Lasagne** 300 g Schmand mit
200 ml Milch mischen, salzen und pfeffern.
In eine gefettete Auflaufform abwechselnd
Sauce, ca. 500 g Lasagneplatten und Schmand
schichten, bis alles aufgebraucht ist. Mit
150 g gewürfeltem Mozzarella bestreuen. Bei
180° ca. 35 Min. im Backofen (Mitte) garen.

## Kinderessen vom Blech

→ **Gartenzwerge-Pizza** stärkt mit pikantem Wirsing und Tomaten die Abwehrkräfte durch viel Eisen und Beta-Karotin. Jeder kann sich einen Extra-Belag wünschen.

→ **Knabberkartoffeln mit Fetaquark** liefern hochwertiges Eiweiß und lassen sich mit den Fingern essen.

→ **Schneewittchen-Schnitten** sind durch viel Milch und Quark kalziumreich und etwas für Süßschnäbel.

→ Wie die **Cheese-Buletten,** die extraviel Gemüse enthalten. Bevor Sie loslegen, probieren Sie aus, ob Ihr Backblech auch in den Ofen der Gruppe passt!

# Gartenzwerge-Pizza

ZUTATEN FÜR
10 KINDER-
PORTIONEN

250 g gegarte Kartof-
feln vom Vortag
400 g Weizenvollkorn-
mehl (Type 1050)
1 Päckchen Trocken-
hefe · 100 g Sonnen-
blumenkerne
1 TL Zucker · Salz
6 EL Rapsöl
1 kleiner Wirsing
(ca. 500 g) · 2 Zwiebeln
1–2 TL Kümmel oder
Kreuzkümmel
500 g passierte Toma-
ten (Tetrapak)
200 g Mozzarella
Kirschtomaten, Gurke,
Salami o. Ä.
zum Anrichten
Backpapier

pikant | gut vorzubereiten
**45 Min. + 1 Std. Ruhen**
*pro Portion ca. 330 kcal*
*14 g Eiweiß · 13 g Fett · 35 g Kohlenhydrate*

ZUBEREITUNG

**1.** Die Kartoffeln pellen und grob reiben.
Den Backofen auf 50° anheizen, Mehl, Hefe,
Sonnenblumenkerne, Zucker und 1 TL Salz
mischen. Mit Kartoffeln, ¼ l lauwarmem
Wasser und 3 EL Öl in der Küchenmaschine
zu einem Teig kneten. Im Ofen ca. 1 Std. gehen lassen.

**2.** Den Wirsing waschen, halbieren, Strunk
entfernen, Wirsing klein schneiden. Zwiebeln
schälen und würfeln. In einer Pfanne 3 EL Öl
erhitzen, Zwiebeln anbraten, Wirsing zugeben, würzen und zugedeckt 15 Min. schmoren. Tomaten zugeben und 10–15 Min. einkochen. Abkühlen lassen.

**3.** Backofen auf 200° vorheizen. Backblech
mit Backpapier auslegen. Teig durchkneten,
zur Rolle formen und auf dem Blech flach
verteilen. Wirsingmasse darauf verteilen. Im
Ofen (unten, Umluft 180°) 20 Min. backen.

**4. Vor dem Essen** Pizza und Mozzarella in
20 Stücke teilen. Auf jedes Stück 1 Scheibe
Käse legen. Im Ofen (Mitte) bei 200° 5 Min.
backen, bis der Käse geschmolzen ist. Jedes
Stück z. B. mit 1 Kirschtomate, 1 Gurken-
gesicht, 1 Fleischbällchen oder 1 Salamischei-
be belegen.

# Knabberkartoffeln mit Fetaquark

ZUTATEN FÜR
10 KINDER-
PORTIONEN

2 kg Kartoffeln
1 Rosmarin-
zweig · Salz
4 EL Olivenöl
400 g Quark
100 ml Milch
100 g Feta · Pfeffer

Fingerfood | vegetarisch
**10 Min. + 20–25 Min. Backen**
*pro Portion ca. 245 kcal*
*11 g Eiweiß · 8 g Fett · 31 g Kohlenhydrate*

ZUBEREITUNG

**1.** Backofen auf 200° vorheizen. Die Kartoffeln waschen, mit einem Stahlschwamm sauber rubbeln und längs vierteln. Rosmarinnadeln vom Zweig zupfen. Die Kartoffel-
spalten in einer Schüssel mit Öl, Rosmarin
und 1 TL Salz mischen. Auf einem mit Backpapier ausgelegten Backblech verteilen.

**2.** Die Kartoffeln im Ofen (Mitte, Umluft
180°) 20–25 Min. garen. Den Quark mit
Milch und Feta pürieren und mit Salz und
Pfeffer abschmecken.

**3. Vor dem Essen** die Kartoffeln nochmal
kurz aufbacken.

# Schneewittchen-Schnitten

ZUTATEN FÜR
10 KINDER-
PORTIONEN

1 ½ l Milch
350 g Grieß (am besten
Vollkorn) · 4 Eier
200 g Magerquark
50 g Zucker · Salz
1 kleines Glas Sauer-
kirschen (370 g)
1 kleines Glas
Apfelmus (350 g)
Puderzucker
zum Bestäuben

für Süßschnäbel | preiswert
**15 Min. + 20 Min. Backen**
*pro Portion ca. 320 kcal*
*14 g Eiweiß · 8 g Fett · 48 g Kohlenhydrate*

ZUBEREITUNG

**1.** Die Milch aufkochen, den Grieß einrühren und bei schwacher Hitze unter Rühren
zu einem Brei kochen. Den Topf vom Herd
nehmen.

**2.** Die Eier trennen. Die Eigelbe mit Quark,
Zucker, 1 Prise Salz und dem Grießbrei verrühren. Die Eiweiß steif schlagen und unter
die Grieß-Masse heben.

**3.** Ein Backblech mit Backpapier auslegen,
die Grieß-Quark-Masse darauf verteilen
und mit einem Teigschaber glatt streichen.

**4.** Die Kirschen mit 25 ml Saft im Mixer
pürieren und mit dem Apfelmus mischen.

**5. Vor dem Essen** den Backofen auf 200°
vorheizen. Den Grieß im Ofen (Mitte, Umluft
180°) ca. 20 Min. backen. In Schnitten schneiden, mit Puderzucker bestäuben und mit der
roten Sauce servieren.

# Cheese-Buletten

ZUTATEN FÜR
10 KINDER-
PORTIONEN

100 g Pilze
100 g Zucchini
200 g Möhren
2 Knoblauchzehen
500 g gemischtes
Hackfleisch
250 g Magerquark
2 Eier · Salz · Pfeffer
4–5 EL Haferflocken
oder Semmelbrösel
10 Scheiben
Vollkorntoast
10 TL Tomatenmark
10 dünne Käse-
scheiben (à 20 g)

Fingerfood | eiweißreich
**25 Min. + 25 Min. Backen**
*pro Portion ca. 320 kcal*
*24 g Eiweiß · 18 g Fett · 15 g Kohlenhydrate*

ZUBEREITUNG

**1.** Den Backofen auf 200 ° vorheizen. Pilze
abbürsten, Zucchini und Möhren waschen
und putzen. Das Gemüse in der Küchenmaschine raspeln. Den Knoblauch schälen
und durch eine Presse dazudrücken.

**2.** Hackfleisch, Quark, Eier und Gemüse zu
einem Teig verarbeiten, mit Salz und Pfeffer
würzen. So viele Haferflocken dazugeben, bis
sich der Teig gut formen lässt.

**3.** Ein Backblech mit Backpapier auslegen.
Aus der Hackfleischmasse 10 flache Buletten
formen, auf das Blech setzen und im Ofen
(Mitte, Umluft 180°) 15 Min. garen.

**4. Vor dem Essen** Toastscheiben mit Tomatenmark bestreichen. Buletten wenden und
auf die Toasts legen. Die Buletten mit 1 Käse-
scheibe belegen und bei 200° (Umluft 180°)
10 Min. im Ofen überbacken.

# Möhrensalat

einfach | orientalisch
**10 Min.**
*bei 4 Portionen pro Portion ca. 200 kcal*
*3 g Eiweiß · 15 g Fett · 12 g Kohlenhydrate*

ZUTATEN FÜR
3–4 PORTIONEN
400 g Möhren
50 g Walnusskerne
1 Orange (oder 100 ml
Orangensaft)
2 EL Rosinen
3 EL Rapsöl
Zimtpulver

ZUBEREITUNG

**1.** Die Möhren waschen, schälen und fein raspeln oder im Blitzhacker zerkleinern. Danach die Walnüsse hacken. Die Orange auspressen.

**2.** Die Möhrenraspel mit Rosinen, Walnüssen, Orangensaft und Öl mischen und mit Zimt abschmecken.

**Tuning-Tipp** Schmeckt noch cremiger mit einem Dressing aus 150 g Naturjoghurt mit 1 TL Senf, 1 EL Rapsöl, etwas Orangensaft, Salz, Pfeffer und Anis. Die Orange als Stückchen zugeben oder durch einen milden Raspelapfel ersetzen.

**Pluspunkt** Möhren sind reich an dem Spurenelement Selen und an Beta-Karotin: Beides stärkt das Immunsystem. Walnüsse enthalten außerdem gesunde Fettsäuren.

# Milder Kartoffelsalat

gut vorzubereiten
**45 Min. + 1 Std. Ziehen**
*bei 4 Portionen pro Portion ca. 295 kcal*
*5 g Eiweiß · 16 g Fett · 33 g Kohlenhydrate*

ZUTATEN FÜR
3–4 PORTIONEN
800 g fest
kochende Kartoffeln
300 g Möhren
1 Zwiebel
6 EL Rapsöl
¼ l Gemüsebrühe
(Instant)
2–3 EL Weißweinessig
1 TL Zucker
1 EL Senf
Salz · Pfeffer
1 Bund Schnittlauch

ZUBEREITUNG

**1.** Die Kartoffeln waschen und in Wasser in 20–30 Min. gar kochen. Die Möhren waschen, schälen und in Scheiben schneiden. Die Zwiebel schälen und fein würfeln.

**2.** In einem Topf 2 EL Öl erhitzen, Möhren und Zwiebel darin andünsten. Gemüsebrühe dazugießen und zugedeckt 20 Min. garen. Essig, Zucker, Senf, Salz und Pfeffer dazugeben.

**3.** Die Kartoffeln schälen, in Scheiben schneiden und zu den Möhren geben. Den Salat durchmischen und 1 Std. ziehen lassen.

**4.** Das restliche Öl unter den Salat heben. Den Schnittlauch waschen, in feine Röllchen schneiden und über den Salat streuen.

**Mehr draus machen** Für ein reichhaltiges Dressing 200 g fettarme Salatmayonnaise mit 100 g Joghurt und 1–2 EL Zitronensaft verrühren.

# Couscous-Salat

kinderleicht | fürs Grillfest
**30 Min.**
*bei 4 Portionen pro Portion ca. 355 kcal*
*7 g Eiweiß · 20 g Fett · 35 g Kohlenhydrate*

ZUTATEN FÜR
3–4 PORTIONEN
½ Zitrone
200 g Couscous
2 EL Rapsöl · Salz
1 reife Avocado
50 g Rucola
Pfeffer

ZUBEREITUNG

**1.** Die Zitrone auspressen. Den Couscous mit 4 EL Zitronensaft, dem Öl, 150 ml Wasser und ½ TL Salz vermischen und ca. 15 Min. quellen lassen.

**2.** Die Avocado halbieren, den Kern entfernen, die Schale abziehen und das Fruchtfleisch klein würfeln. Den Rucola waschen, putzen und klein schneiden.

**3.** Avocado und Rucola unter den Couscous mischen und abschmecken.

**Austausch-Tipps** Im Original gehören in den Salat 1–2 Bund glatte, gehackte Petersilie und etwas gehackter Knoblauch. Schmeckt auch toll mit fein gewürfelter Paprika, Frühlingszwiebeln und Zucchini oder mit halbierten Kirschtomaten, Basilikum und Balsamico statt Zitronensaft.

**Pluspunkt** Avocados sind durch viel ungesättigte Fettsäuren gesunde Sattmacher und versorgen den Körper mit reichlich Kalium, Magnesium, Biotin und Vitamin $B_6$.

# Raffinierter Nudelsalat

Sattmacher | vitaminreich
**20 Min. +15 Min. Ziehen**
*bei 4 Portionen pro Portion ca. 455 kcal*
*16 g Eiweiß · 17 g Fett · 58 g Kohlenhydrate*

ZUTATEN FÜR
3–4 PORTIONEN
300 g Brokkoli
150 g Eierspätzle
Salz · 1 EL Öl
150 g Maiskörner
(aus der Dose)
2 hart gekochte Eier
120 g Kräuter-
Frischkäse
100 ml Orangensaft
3–4 EL Sahne
Pfeffer

ZUBEREITUNG

**1.** Den Brokkoli waschen und in kleine Röschen teilen. Die Stiele schälen und würfeln.

**2.** Die Spätzle in reichlich Salzwasser mit Öl bissfest kochen. In den letzten 3 Min. der Garzeit den Brokkoli samt Stielwürfeln mitkochen. Alles abgießen, abschrecken, gut abtropfen und abkühlen lassen.

**3.** Den Mais abtropfen lassen. Die Eier pellen und klein würfeln.

**4.** Für das Dressing den Frischkäse mit Orangensaft und Sahne glatt rühren. Kräftig salzen und pfeffern. Alle übrigen Zutaten mit dem Dressing mischen. Im Kühlschrank ziehen lassen.

**Blitz-Idee** Noch schneller geht es mit TK-Brokkoli oder rohen Kirschtomaten statt Brokkoli.

# Tomatenquiche

gut vorzubereiten | für Gäste
**40 Min. + Ruhezeit + 30 Min. Backen**
*pro Stück ca. 355 kcal*
*9 g Eiweiß · 25 g Fett · 24 g Kohlenhydrate*

FÜR 1 TARTE-
FORM (26 CM Ø,
8 STÜCK)

250 g Mehl (Type 1050)
Salz · 1 EL Zitronensaft
175 g kalte Butter in
Stückchen
300 g Tomaten
1 Bund Basilikum
2 Eier
125 g Kräuterfrischkäse
2 EL Milch
Pfeffer · Muskatnuss
50 g geriebener
Parmesan
Fett für die Form

**ZUBEREITUNG**

**1.** Das Mehl mit 1 TL Salz, Zitronensaft und Butter rasch verkneten. Den Teig in Folie wickeln und kalt stellen.

**2.** Ofen auf 180° vorheizen. Die Tarteform fetten. Tomaten waschen, halbieren, die Stielansätze entfernen. Das Basilikum waschen, trockenschleudern und die Blätter hacken.

**3.** Für den Guss die Eier trennen. Eigelbe mit Käse, Milch, Salz, Pfeffer, Muskat und Basilikum verquirlen. Die Eiweiße steif schlagen und unterziehen.

**4.** Den Teig gut durchkneten und rund ausrollen. Boden und Rand der Form damit auslegen, mit einer Gabel einstechen, mit Parmesan bestreuen. Den Guss auf die Tarte gießen. Die Tomaten mit der Schnittfläche nach unten in die Masse drücken. Im Ofen (unten, Umluft 160°) ca. 30 Min. backen.

**Austausch-Tipp** Schmeckt auch mit Spargel, Zucchini oder Spinat.

# Curry-Rübli-Frittata

fürs Picknick | einfach
**25 Min.**
*bei 4 Portionen pro Portion ca. 160 kcal*
*8 g Eiweiß · 11 g Fett · 7 g Kohlenhydrate*

ZUTATEN FÜR
3–4 PORTIONEN

500 g Möhren
1 Bund Basilikum
4 Eier · 75 g Joghurt
Salz · Pfeffer
2 EL Rapsöl
½ TL mildes
Currypulver

**ZUBEREITUNG**

**1.** Möhren waschen, schälen, auf der Küchenreibe grob raspeln. Basilikum waschen, trockenschütteln, Blätter von den Stielen zupfen, mit der Schere in große Streifen schneiden.

**2.** Die Eier mit Joghurt, Salz und Pfeffer verquirlen, das Basilikum zugeben.

**3.** 1 EL Öl in einer Pfanne (28 cm Ø) erhitzen und die Möhren mit Curry darin ca. 2 Min. andünsten. Salzen und pfeffern. Abkühlen lassen und unter die Eiermasse mischen.

**4.** 1 EL Öl in der Pfanne erhitzen, die Masse hineingeben, glatt streichen und zugedeckt bei schwacher Hitze ca. 15 Min. stocken lassen, bis die Oberfläche gar ist. Auf eine Platte gleiten lassen und in Stücke schneiden. Schmeckt warm oder kalt mit Brot.

**Tuning-Tipp** Mit Pellkartoffeln und Zwiebelwürfeln wird es eine Tortilla. Auch lecker mit Maiskörnern und Würfelchen von getrockneten Tomaten.

# Kartoffel-Muffins

Fingerfood | fürs Kinderfest
**30 Min. + 40 Min. Backen**
*pro Stück ca. 165 kcal*
*7 g Eiweiß · 9 g Fett · 14 g Kohlenhydrate*

ZUTATEN FÜR
1 MUFFINFORM
(6 STÜCK)

500 g vorwiegend fest
kochende Kartoffeln
Salz · 40 ml Milch
Pfeffer · 50 g körniger
Frischkäse · 2 EL Würfel
von rohem Schinken
2 Eier (Größe S)
2 EL Sesamsamen
150 g Joghurt
4 EL saure Sahne
2 EL Ajvar
Butter für die Form
und zum Krönen

ZUBEREITUNG

**1.** Die Kartoffeln waschen und in der Schale
mit etwas Salz ca. 25 Min. kochen. Kartoffeln
abgießen, abschrecken, pellen und mit einem
Kartoffelstampfer zerdrücken.

**2.** Den Backofen auf 190° vorheizen. Die
Milch erwärmen, mit Salz, Pfeffer, Frischkäse,
Schinken, Eiern und 1 EL Sesam unter die
Kartoffeln ziehen.

**3.** Die Muffinform fetten, die Masse gleichmäßig einfüllen und mit Sesam bestreuen.
Die Muffins im Ofen (Mitte, Umluft 170°)
40 Min. backen. Noch heiß einschneiden und
mit Butterflöckchen krönen.

**4.** Für den Dip Joghurt, saure Sahne und
Ajvar glatt rühren und dazu servieren.

**Pluspunkt** Kartoffeln und Eier liefern
hochwertiges Eiweiß.

# Pizza-Bruschetta

schnell | Resteverwertung
**10 Min.**
*bei 4 Portionen pro Portion ca. 265 kcal*
*8 g Eiweiß · 15 g Fett · 25 g Kohlenhydrate*

ZUTATEN FÜR
3–4 PORTIONEN

200 g Weizen- oder
Mischbrot (in 1 cm
dicken Scheiben)
2–3 EL Olivenöl
1 Knoblauchzehe
Salz · Pfeffer
3–4 Tomaten
2 EL Pesto
(aus dem Glas)
40 g Parmesan

ZUBEREITUNG

**1.** Brote in je vier gleiche Stücke teilen. Das
Öl in einer Pfanne erhitzen, das Brot darin
2 Min. braten, wenden und 1–2 Min. braten.

**2.** Knoblauch halbieren und mit den Schnittflächen über die Brotscheiben reiben. Die Tomaten waschen und würfeln. Tomatenwürfel
und Pesto mischen, auf den Broten verteilen,
würzen. Den Parmesan mit dem Sparschäler
hobeln und darauf legen.

**Varianten** Für **Thunfisch-Bruschetta**
1 Dose Thunfisch naturell abtropfen lassen,
mit 2 EL Kapern und 1–2 EL Schmand
mischen, mit Pfeffer übermahlen.
Für **Lachs-Bruschetta** 2 hart gekochte Eier
grob hacken, mit 1–2 EL Senf, Salz und Pfeffer mischen, aufs Brot streichen. 50 g Räucherlachs hacken, darauf häufeln und mit
Dillfähnchen garnieren.

**Praxis-Tipp** Eine fettarme Alternative ist es,
das Brot einfach zu toasten.

# Süße Nudeln

schnell | schmeckt auch kalt
**20 Min.**
*bei 4 Portionen pro Portion ca. 435 kcal*
*10 g Eiweiß · 15 g Fett · 66 g Kohlenhydrate*

ZUTATEN FÜR
3–4 PORTIONEN

250 g Spirelli (oder
ca. 500 g gekochte
Nudelreste) · Salz
2 kleine Äpfel
(Elstar, etwa 300 g)
2 EL Zucker
1 EL Apfelsaft
40 g gemahlene
Mandeln
2 EL Butter
Puderzucker
zum Bestäuben

ZUBEREITUNG

**1.** Die Nudeln nach Packungsangabe in Salzwasser bissfest garen, dann abgießen.

**2.** Die Äpfel gründlich waschen und trocken-
rubbeln. Die Äpfel vierteln, dabei die Kerngehäuse entfernen, die Viertel in schmale
Scheiben schneiden.

**3.** Den Zucker in die Pfanne geben und bei
starker Hitze karamellisieren. Den Apfelsaft
dazugießen. Apfelscheiben in die Pfanne
geben und 1–2 Min. schwenken, in eine
Schale füllen.

**4.** Die Mandeln mit der Butter in einer
Pfanne braten, bis sie duften. Die Nudeln
kurz mitbraten und mit Puderzucker bestäubt anrichten. Mit den Äpfeln essen.

**Austausch-Tipps** Statt mit Wasser können
Sie die Nudeln auch mit ½ l Milch kochen;
dann die Mandeln weglassen. Statt Äpfeln
schmecken auch Pfirsiche.

# Hmmm-Grießbrei mit Mango

beruhigend | vitaminreich
**25 Min.**
*bei 4 Portionen pro Portion ca. 355 kcal*
*10 g Eiweiß · 16 g Fett · 43 g Kohlenhydrate*

ZUTATEN FÜR
3–4 PORTIONEN

1 reife Mango
800 ml Milch
100 g (Vollkorn-)Grieß
30 g Zucker
1 Prise Salz
100 g Sahne
2–3 EL süßer
Sanddornsaft

ZUBEREITUNG

**1.** Die Mango waschen und schälen. Das
Fruchtfleisch vom Kern schneiden und in
1 cm große Würfel schneiden.

**2.** Die Milch in einem Topf zum Kochen
bringen. Den Grieß einrühren, kurz aufkochen lassen und bei schwacher Hitze unter
Rühren 3–5 Min. ausquellen lassen. Dann
Zucker, Salz und Mangowürfel einrühren.

**3.** Die Sahne steif schlagen, den Sanddorn-
saft unterschlagen. Mit einem Löffel kleine
Stupfen in den Grieß drücken und etwas
Schlagsahne hineinfüllen.

**Tipp** Schmeckt auch kalt super. Eine halbe
Portion ist ideal als Dessert.

**Pluspunkt** Grießbrei wirkt beruhigend
und ist leicht verdaulich. Das Obst strotzt
vor Beta-Karotin und Vitamin C.

# Blaues Wunder

einfach | beruhigt den Darm
**20 Min. + 30 Min. Ruhen**
*bei 4 Portionen pro Portion ca. 220 kcal*
*11 g Eiweiß · 6 g Fett · 29 g Kohlenhydrate*

ZUTATEN FÜR
3–4 PORTIONEN

350 g Heidelbeeren
200 g Quark
250 g Joghurt
1 TL flüssiger Honig
1 Päckchen
Vanillezucker
Zimtpulver
75 g Löffelbiskuits
3–4 EL Apfelsaft

ZUBEREITUNG

**1.** Die Beeren waschen und in einem Sieb
abtropfen lassen. Quark, Joghurt, Honig,
Vanillezucker und etwas Zimt glatt rühren.
Die Löffelbiskuits in einen Gefrierbeutel
geben und mit einer Teigrolle zerdrücken.

**2.** Das Trifle in 3–4 Gläser einschichten: Zuerst den Boden mit Biskuitstücken auslegen
und mit etwas Apfelsaft beträufeln. Darauf
einen Teil der Quark-Creme und der Beeren
verteilen, dann wieder eine Schicht Biskuits
und so weiter, bis alle Zutaten verbraucht sind.

**3.** Das Trifle abgedeckt 30 Min. durchziehen
lassen.

**Austausch-Tipp** Schmeckt auch mit Himbeeren, Rhabarberkompott oder Orangen-
stückchen.

**Pluspunkt** Heidelbeeren sind reich an
Vitamin C und wirken leicht stopfend. Quark
und Joghurt liefern Kalzium für die Knochen.

# Zwieback-Schmarrn

leicht verdaulich | regt Verdauung an
**20 Min.**
*bei 4 Portionen pro Portion ca. 370 kcal*
*16 g Eiweiß · 18 g Fett · 34 g Kohlenhydrate*

ZUTATEN FÜR
3–4 PORTIONEN

80 g Vollkornzwiebäcke
3 Eier
1–2 EL Zucker
250 g Quark
200 ml Milch
300 g Zwetschgen
1–2 EL Butter
zum Braten
Kakaopulver
zum Bestreuen

ZUBEREITUNG

**1.** Zwieback in einem Gefrierbeutel mit einer
Nudelrolle grob zerbröseln. Die Eier trennen.
Eigelb mit Zucker, dann Quark und Milch
verrühren und über die Zwiebäcke gießen.

**2.** Die Zwetschgen waschen, halbieren und
die Steine entfernen, dann eventuell vierteln.
Die Eiweiße steif schlagen und unter den Teig
heben.

**3.** Butter in einer Pfanne erhitzen. Zwetschgen in der Pfanne verteilen und 3 Min. andünsten. Den Teig darüber geben und zugedeckt bei mittlerer Hitze in 3–4 Min. goldgelb backen. Den Pfannkuchen wenden und
bei schwacher Hitze etwas anbacken lassen.
Mit einer Gabel den Teig zerreißen und mit
Kakao bestreuen.

**Austausch-Tipps** Statt Zwieback eignen
sich auch Brotreste. Diese dann mit Puderzucker bestreuen. Statt Pflaumen schmecken
auch Pfirsiche.

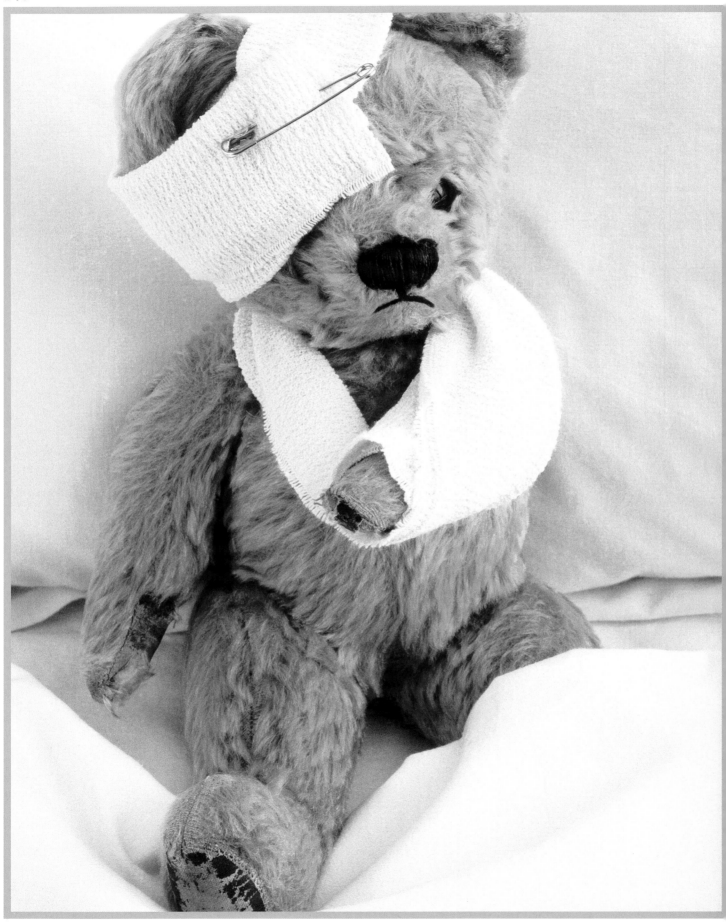

Nicht immer geht alles reibungslos. Ihr Kind entwickelt seine **Abwehrkräfte** erst durch Krankheiten. Mit natürlichen Mitteln können Sie ihm dabei helfen. Komplizierter sind mögliche **Unverträglichkeiten**

und **Allergien.** Auch **Essstörungen** sind schon bei Kleinkindern auf dem Vormarsch. Dieses Kapitel bietet

## Hilfe bei Problemen.

Dazu gehört auch das **richtige Gewicht.** Wir unterstützen Sie dabei, Fehlentwicklungen rechtzeitig zu erkennen und **gegenzusteuern.** Jetzt ist die Chance dafür am größten! Eine **vielseitige Ernährung,** regelmäßige **Mahlzeiten** und Genuss beim Essen schaffen die **besten Voraussetzungen.**

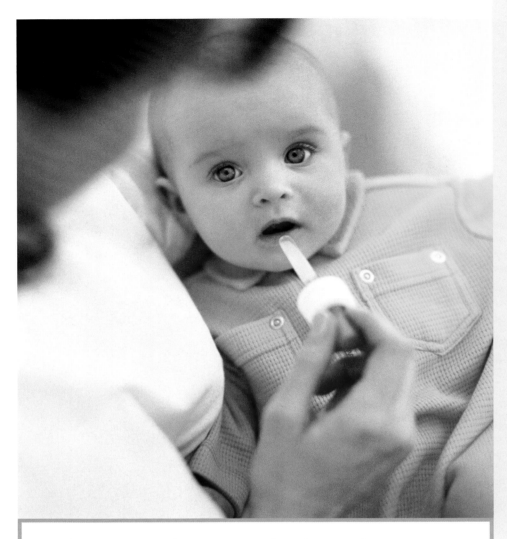

## Kranke Kinder: Verwöhnen tut gut und macht gesund

→ **Bettruhe muss nicht sein.** Aber Ruhe ist wichtig. Bauen Sie Ihrem kranken Häschen ein Nest auf dem Sofa, denn es braucht jetzt auch Nähe und eine Extraportion Aufmerksamkeit. Vorlesen, malen und sanfte Musik lassen Ihr Kind zur Ruhe kommen.

→ **Tee aus der Trinkflasche** Trinken ist vor allem bei Fieber und Durchfall wichtig. Stellen Sie Ihrem Kind eine Trinkflasche hin. Wenn Sie merken, dass es zu wenig trinkt, geben Sie ihm alle 10 Min. ein paar Schlückchen, pro Stunde zwischen 100 ml (Fieber) und 300 ml (Durchfall).

→ **Etwas zum Knabbern** Leicht verdaulich und nicht zu süß sollte der Snack sein: Trockenfrüchte sind ideal, aber auch Cracker oder Vollkorngebäck tun gut.

# Das kranke Kind pflegen

→ **Abwehrkräfte** Bis zu 15-mal im Jahr krank zu werden, ist bei Kleinkindern normal: Bei jeder Infektionskrankheit erwirbt es Abwehrstoffe. Häufiger und intensiver Kontakt mit anderen Kindern erhöht das Infektionsrisiko und macht dadurch stark fürs Leben. So wird vermutet, dass in der ehemaligen DDR Allergien seltener waren, weil alle Kinder in Krippen und Horten untergebracht waren. Denn die Krankheiten sind nur verschoben, Einzelkinder bekommen sie in der Regel später. Anstrengend ist das allemal – aber mit jedem Infekt wird Ihr Kind stärker.

→ **Pflege** Für berufstätige Eltern sind gerade die häufigen Infekte der Kleinkindzeit ein Problem: Nur bis zu 10 Tage pro Jahr darf jede Elternteil (Alleinerziehende 20 Tage) für die Pflege einer vom Arzt attestierten Krankheit des Kindes zu Hause bleiben. Vielleicht können Sie sich von Fall zu Fall mit anderen Eltern zusammentun. Schicken Sie Ihr Kind nicht zu früh wieder in die Krippe – es braucht Zeit und Zuwendung, um gesund zu werden.

→ **Die Medizin nehm' ich nicht!** Gar nicht so einfach, Medikamente ins Kind zu bekommen. Wichtig: Treten Sie so entschlossen wie der Arzt auf. Wenn möglich (Arzt oder Apotheke fragen), Tabletten auflösen und unter eine kleine Portion Lieblingsessen mischen. Saft mit Sirup süßen und Tropfen in Kompott verstecken oder unter Schokoladeneiscreme oder Pudding schlagen. Das muss dann aber aufgegessen werden!

→ **Frische Luft?** Wenn Ihr Kind warm eingepackt ist, kann es auch nach draußen. Das tut vor allem bei Atemwegserkrankungen gut. Allerdings sollte es nicht toben: Kinder erholen sich schnell, überschätzen sich – und liegen wieder auf der Nase. Wenn Ihr Kind zu matt zum Aufstehen ist, regelmäßig lüften: Kind ein mummeln, 5 Minuten das Fenster weit öffnen.

→ **Ansteckungsgefahr** Wenn Sie keine Familienepidemie haben möchten: die Hände regelmäßig und gründlich mit Seife waschen, beim Niesen Papiertaschentücher vor den Mund halten und nach Gebrauch wegwerfen, Krankengeschirr und -gläser in die Spülmaschine stellen, Vorsicht beim Gutenachtkuss.

→ **Rekonvaleszenz** Kleinkinder sind Stehaufmännchen: Sobald sie sich besser fühlen, schlagen sie gerne wieder über die Stränge. Bauen Sie Ihr Kind auf, aber bremsen Sie auch zu große Aktivitäten. Übertreiben Sie die Fürsorge nicht, sondern begleiten Sie Ihr Kind wieder liebevoll in den normalen Alltag.

## Beschwerden

## Rezepte, die helfen

**Halsweh** Oft der Beginn einer Erkältungskrankheit, dauert meist 5–9 Tage. Wichtig: Einen weichen Schal aus Vlies sollte Ihr Kind Tag und Nacht tragen. Das Lutschen von Salbeibonbons lindert, Eiscremes kühlen vorübergehend.

→ **Halstee** 20 g Salbei- und 10 g Malvenblätter, 20 g Kamillen- und 10 g Malvenblüten mit 20 g Blutwurz (aus der Apotheke) mischen. 1 TL der Mischung mit 100 ml kochendem Wasser 15 Min. überbrühen. In Schlückchen trinken – pro Tag nicht mehr als 100 ml. Eventuell mit Salbeihonig (s. Seite 25, 31) süßen.

**Husten** beginnt meist in der Mitte der Erkältung und kann sich bis zu 3 Wochen hinziehen. Dauert er länger, unbedingt zum Arzt gehen – es kann sich auch um eine Allergie handeln. Viele zahnschonende (zuckerfreie) Hustenbonbons können zu Durchfall führen (s. unten). Viel trinken hilft den Schleim zu lösen.

→ **Hustentee** 40 g Eibischwurzel, 20 g Süßholz, 10 g Königskerze und 10 g Anissamen (aus der Apotheke) mischen. ½ EL der Mischung mit kochendem Wasser überbrühen und 15 Min. ziehen lassen. Nach weiteren 15 Min. trinken. Nach Wunsch mit etwas warmem Apfelsaft süßen. Wirkt aber auch kalt.

**Schnupfen** 3 Tage kommt er, 3 Tage steht er, 3 Tage geht er – bei Kleinkindern kann das auch 14 Tage dauern. Viel trinken ist wichtig, damit die Sekrete ablaufen und die Nasennebenhöhlen nicht verstopfen. Und das Näschen vor Wundwerden schützen – mit Aloe-vera-Taschentüchern und → Rotöl.

→ **Schnupfentee** 30 g Holunder-, 10 g Schlüsselblumen- und 10 g Königskerzenblüten mit 10 g Enzianwurz mischen. 1 TL mit 100 ml kochendem Wasser 15 Min. überbrühen, mit frisch gepresstem Orangensaft süßen, bis zu 200 ml pro Tag trinken.
→ **Schnupfensuppe** Anti-Entzündungssuppe von Seite 31 hilft auch Ihrem Kind. Frieren Sie kleine Portionen auf Vorrat ein.

**Ohrenschmerzen** können Folge einer verstopften Nasennebenhöhle sein – oder der Beginn einer Mittelohrentzündung. Wird es nach 24 Stunden nicht besser, zum Arzt gehen.

**Zwiebelwickel** Zwiebel schälen, klein hacken und in ein Baumwolltaschentuch oder -söckchen packen, erwärmen (Temperatur testen) und 30 Min. aufs Ohr legen, mit einem Tuch fixieren. Wiederholen.

**Fieber** Kinder fiebern höher als Erwachsene. Der Körper macht so Erreger unschädlich: Temperaturen bis zu 39,5° sind normal, sollten aber nicht zu lange dauern. Viel trinken und schwitzen tun gut. Wird's am 3. Tag nicht besser, den Arzt rufen.

→ **Schwitztee** 30 g Mädesüß, 30 g Linden- und 30 g Holunderblüten mit 150 ml heißem Wasser 10 Min. überbrühen, absieben.
→ **Kühleis** 100 ml frisch gepressten Orangensaft mit Lindenblütenhonig süßen und einfrieren, crushen und mit dem Löffel geben.
→ **Außerdem** Melissenmix (s. Seite 37) und Kindertee (s. Seite 87)

**Bauchweh** kann der Beginn einer Magen-Darm-Erkrankung sein. Oder von Blähungen durch schwer Verdauliches oder zu viel Zucker kommen. Kleinkinder projizieren oft andere Beschwerden auf den Bauch. Ein warmes Kirschkernsäckchen (s. Seite 55) und ein warmes Bad helfen.

**Bauchweh-Tee** 20 g Kamille, 15 g Pfefferminze, 20 g Kümmel, 40 g Fenchel und 5 g Pomeranzenschale mischen, je 2 TL mit 150 ml kochendem Wasser 10 Min. aufgießen, in kleinen Tässchen trinken. Außerdem: Kartoffel-Gurken-Brei, aber stärker gewürzt (s. Seite 61), Fencheltee (s. Seite 55)

**Durchfall** wird oft durch eine Infektion ausgelöst. Wichtig: Die verlorene Flüssigkeit ersetzen. Da die kranken Darmzellen ihre Energie aus dem Darminhalt holen und nicht durchs Blut bekommen, möglichst normal essen. Fett und Zucker meiden.

→ **Reibeapfel** 1 milden Apfel schälen und auf einer Apfel- oder Kronenreibe fein reiben. (Geraspelter Apfel wirkt abführend!)
→ **Außerdem** Durchfalltee (s. Seite 55), Mini-Apfelbrötchen (s. Seite 86), Wohltu-Suppe (s. Seite 21), Rübchen-Polenta (s. Seite 99) und Lieblingssüppchen (s. Seite 102)

**Erbrechen** Meist eine Magen-Darm-Störung, die schnell vorbeigeht. Gefährlich ist der hohe Flüssigkeitsverlust bei mehrmaligem Erbrechen. Anfangs alle 5 Min. ein Schlückchen zu trinken geben. Bei Appetit leicht Verdauliches wie Nudelsuppe kochen.

**Suppe** 500 g Möhren schälen, klein schneiden, in ½ l Instant-Brühe 1 Std. kochen, pürieren, mit 100 g Sahne und 1 Tasse gegarten Nudeln mischen. Auch Durchfalltee hilft (s. Seite 55). Bei einmaligem Erbrechen löffelweise frisch gepressten Orangensaft einflößen, alternativ Rehydratationslösung (Apotheke). Behält Ihr Kind Flüssigkeit bei sich, sind Ingwerwasser und Magen-Makronen (s. Seite 13) gut. Und Wunschkost.

Ist eine Unverträglichkeit nachgewiesen (rechts), sollte das Lebensmittel 1 Jahr lang gemieden werden. Eine richtige Auswahl hilft Mangel zu verhindern, z. B. Gebäck ohne Ei oder Mehl, Käse ohne Milchzucker.

*Die häufigsten Auslöser für Unverträglichkeiten im Klein-kindalter sind Grundnahrungs-mittel: Hühnerei, Kuhmilch, Weizen, Soja, Erdnuss und Haselnuss. Diese Unverträglich-keiten verschwinden zum größ-ten Teil im Laufe der Grund-schulzeit. Das gilt nicht für Pollenallergien: Sie nehmen mit dem Alter eher zu.*

## Wichtig zu wissen

**→ Unverträglichkeit oder Allergie?**
Bei einer Allergie ist immer das Immun-system beteiligt, bei einer Unverträglich-keit kann ein Verdauungsenzym (→ Enzy-me) fehlen wie z. B. Laktase (s. unten). Oder es werden natürliche → biogene Amine wie Histamin (Käse) oder → Theobromin (Kakaobohne) in der Nahrung nicht vertragen. Oder der Kör-per reagiert gegen Zusatzstoffe wie → Glutamat, Benzoesäure und → Aroma-stoffe. Bei Kleinkindern sind allerdings Unverträglichkeiten gegenüber einfachen Grundnahrungsmitteln am häufigsten.

**→ Wie äußert sie sich?**
Die Symptome können sehr unterschied-lich sein: Von Hautreaktionen und Juck-reiz über Erbrechen, Durchfall und Bauchweh bis zu Asthma, Reizhusten und Kreislaufproblemen reicht die Band-breite. Die Stärke der Reaktionen ist dabei sehr unterschiedlich. In vielen Fällen lässt sich der Verdacht durch eine Unter-suchung nicht bestätigen. Aus diesem Grund ist eine gute Diagnostik wichtig: Sonst verzichtet Ihr Kind womöglich jah-relang ganz umsonst auf wertvolle Grund-nahrungsmittel und bekommt dadurch andere gesundheitliche Probleme.

**→ Eine sichere Diagnose**
Bei Verdacht auf Unverträglichkeiten in Absprache mit dem Allergologen zuerst 14 Tage ein Esstagebuch führen und dort auch erfassen, wann genau Symptome auftreten. Danach wird ein Bluttest auf IgE-Antikörper durchgeführt. Der auch übers Internet angebotene → IgG-Test hat keine Aussagekraft! Zusätzlich wird ein Hauttest (Pricktest) durchgeführt. Wenn beide Tests positiv ausfallen, eine Basis-diät machen oder bei einem gezielten Verdacht eine → Eliminationsdiät. Dafür sollten Sie eine Ernährungsberatung in Anspruch nehmen. Ganz am Ende steht ein → Provokationstest. Die Prozedur hört sich kompliziert an, funktioniert aber reibungslos, wenn Sie sich an Spezia-listen wenden.

**→ Ein Enzym fehlt, z. B. Laktase**
Laktase ist das → Enzym, das Milchzucker (→ Laktose) spaltet. Bei Säuglingen kommt solch ein Mangel nur in äußerst seltenen Fällen vor – sie vertragen dann nämlich auch Muttermilch nicht! Bei Asiaten und Farbigen geht mit zuneh-mendem Alter die Laktaseproduktion zurück – Milch wird nicht mehr vertra-gen. Bei Europäern und Nordamerikanern ist diese Unverträglichkeit selten – des-halb nicht auf Verdacht Milch weglassen. Wird Laktasemangel vom Arzt diagnos-tiziert, geben Sie Ihrem Kind Käse, um seinen Kalziumbedarf zu decken. Lassen Sie Milch, Joghurt, Quark und Frischkäse für mindestens 1 Jahr weg.

**→ Kreuzallergie: Pollen spielen mit**
In diesem Fall ist eine Pollenallergie mit der Allergie gegenüber bestimmten Lebensmitteln verbunden. Diese Allergien sind bei Kleinkindern viel, viel seltener (ca. 10 % aller Unverträglichkeiten) als bei Erwachsenen. Wer eine Pollenallergie hat, verträgt häufig auch bestimmte Obst- und Gemüsesorten sowie Nüsse nicht. Hasel- und Erdnuss, Sellerie, Apfel und Soja sind von dieser Kreuzallergie am häufigsten betroffen. Garen macht diese Lebensmittel in vielen Fällen wieder ver-träglich. Es gibt deshalb keinen Grund, Möhre und Apfel aus der Babykost zu eliminieren.

**→ Je häufiger …**
Unverträglichkeiten gegen Fisch sind in Portugal besonders häufig, in den USA gegen Soja und Erdnüsse, in China gegen Reis, bei uns eher gegen Weizen. Mit ande-ren Worten: Je häufiger und ausschließ-licher wir ein Lebensmittel essen, desto höher ist die Gefahr einer Sensibilisierung. Deshalb hilft es auch wenig, Kindern vor-beugend Sojamilch zu geben – sie können dagegen ebenso eine Unverträglichkeit ent-wickeln wie gegen Kuhmilch.

**→ Neurodermitis**
Sie wird auch als atopisches Ekzem be-zeichnet. Sie geht in etwa 30 % der Fälle einer mit Lebensmittel-Unverträglich-keiten. Doch diese müssen ebenso durch eine Suchkost erst gefunden werden. Die Neurodermitis-Diät gibt's nicht – nur in 30 % der Fälle führen Diätmaßnahmen zu einer Besserung. Doch die Ratschläge zur Vorbeugung gegen Unverträglichkeiten (s. Seite 145) beziehen sich auch auf Neu-rodermitis. Und eine qualifizierte Diagno-se kann auch hier viel Kummer ersparen.

# Vorbeugen ist wichtig. Was können Sie tun?

Alle vorbeugenden Maßnahmen, deren Wirkung durch wissenschaftliche Studien gestützt sind, wurden im Jahre 2004 in einer Leitlinie zur Allergieprävention zusammengefasst (www.allergiepraevention.de).

→ Ihr Kind hat ein erhöhtes **Risiko,** wenn ein Elternteil oder beide oder Geschwister Allergiker sind. Besonders gefährdet ist es, wenn Vater und Mutter dieselbe Allergie haben. Keine Bedeutung haben Nickel- oder Sonnenallergie.

→ Studien der letzten Jahre bestätigen nicht die Vermutung, dass **Stillen** alleine vor Allergien schützt. Hier besteht allerdings noch Forschungsbedarf.

→ Wenn ein Risikokind (s. oben) nicht gestillt wird, ist im 1. Halbjahr eine **allergenarme HA-Nahrung** am besten. Laut einzelnen Studien war eine → hydrolisierte und zusätzlich pro- oder prebiotische Nahrung (s. Seite 52) noch wirkungsvoller.

→ Die Einführung von **Beikost ab dem 5. Monat** (Ende des 4. Monats) hat einen positiven Effekt. Im Gegensatz zu früheren Empfehlungen wird Abwechslung empfohlen: neue Lebensmittel nach und nach einführen.

→ **Rauchen, Staub und Schimmelpilze** in den Wohnräumen erhöhen das Risiko ebenfalls. Einen gewissen Schutz gegen Hausstaubmilben bieten Hüllen um die Matratze, ebenso Kopfkissen und Bettdecken aus Synthetik. Die lassen sich auch in der Maschine waschen. **Nickelschmuck** und -knöpfe vermeiden. Mit anderen Worten: Zuviel **Hygiene und Keimfreiheit** scheinen die Immunabwehr des Körpers zu schwächen und Allergien zu fördern!

→ Eine bestimmte **Diät in der Schwangerschaft oder Stillzeit** hatte keine nachweisbare Wirkung. Ebenso kann **keine vorbeugende Diät** fürs Baby empfohlen werden.

→ Kinder vom **Bauernhof,** aus Familien mit **mehreren Haustieren** oder mit **mehreren Geschwistern** und solche, die in den ersten zwei Jahren eine **Krippe** besuchen, haben seltener eine Allergie.

→ Wenn die Mutter den **Schnuller ableckte** (was zwischendurch Zahnärzte verboten), hatten Kinder später seltener Allergien!

## Zöliakie – ein Sonderfall

1 von 500 Babys hat diese Überempfindlichkeit gegen → Gluten. Dieses Eiweiß kommt in Weizen, Dinkel, Gerste, Roggen und in Spuren in Hafer vor. In einer Art Autoimmunreaktion zerstören sich die Darmzellen bei Kontakt mit dem Allergen: Schwere Verdauungsstörungen treten auf. Am besten zwischen 4. und 6. Monat nach und nach verschiedene Getreidesorten einführen. Wer Zöliakie hat, muss sein ganzes Leben lang glutenhaltige Lebensmittel meiden. Reis, Mais, Hirse und Buchweizen sind glutenfrei. Weitere Infos gibt Ihnen die Deutsche Zöliakie-Gesellschaft (www.dzg-online.de).

# Wenn Ihr Kind eine Unverträglichkeit hat

Sie haben eindeutig diagnostiziert, was Ihr Kind krank macht. Im nächsten Jahr sollte Ihr Kind das entsprechende Lebensmittel meiden. Im 2. Jahr sollten Sie einen neuen Versuch wagen.

→ Lesen Sie genau die Zutatenliste von Lebensmitteln. Folgende **möglicherweise allergieauslösenden Zutaten und ihre Erzeugnisse** müssen nach EU-Gesetzgebung auf dem Etikett aufgeführt sein: glutenhaltiges Getreide, Krebstiere, Eier, Fisch, Erdnüsse, Soja, Milch, Schalenfrüchte, Sellerie, Senf, Sesamsamen, Schwefeldioxid und Sulfite. Genaue Auskunft der Hersteller erhalten Sie über den deutschen Allergie- und Asthmabund (www.daab.de).

→ Bei nachgewiesener Allergie gegen **Kuhmilcheiweiß** im Säuglingsalter nur stark → hydrolisierte Nahrung (s. Seite 52) verwenden, auch zum Anrühren von Milchbrei. (Der lässt sich auch mit abgepumpter Muttermilch anrühren.) Nach dem 1. Jahr auf Sojamilch (mit Kalzium angereichert) oder Ziegen- und Schafmilch umsteigen. Statt Butter Margarine oder Öl verwenden.

→ Wenn Ihr Kind **Ei** nicht verträgt, ist Babynahrung kein Problem. Doch Lebensmittel der Familienkost können Ei enthalten. Reformhäuser und Naturkosthandel bieten eine genaue Deklaration.

→ **Viele Allergien verschwinden.** Mehrere Studien ergaben für 2,3–2,8 % der Kleinkinder eine **Kuhmilch**allergie. Nach 3 Jahren hatten 85 % dieser Kinder die Unverträglichkeit verloren. Ähnlich sieht es bei **Ei** aus, während die Reaktionen gegen **Fisch** und **Nuss** erst im Schulalter verschwinden. **Erdnuss**unverträglichkeit bleibt dagegen oft bis ins Erwachsenenalter bestehen.

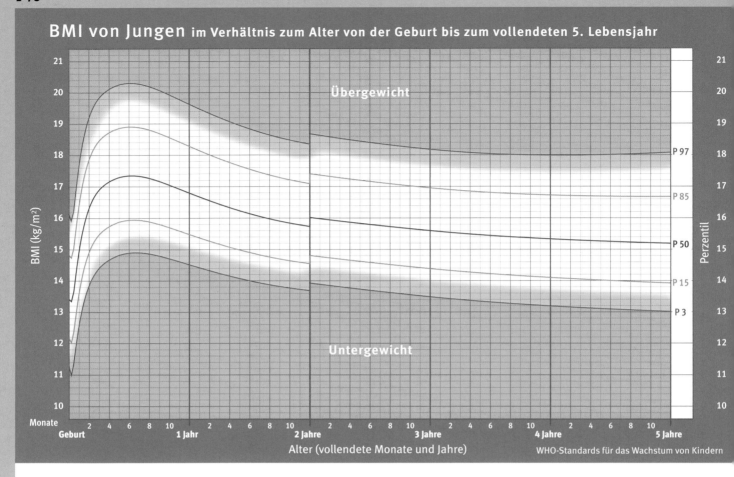

## BMI von Jungen im Verhältnis zum Alter von der Geburt bis zum vollendeten 5. Lebensjahr

WHO-Standards für das Wachstum von Kindern

## Ernährungserziehung und Gewicht

Noch ist Ihr Kind klein. Es ist in seiner Ernährung ganz auf Sie angewiesen, Sie bestimmen, was und wie es isst. Das ist eine große Verantwortung, die viele Mütter sehr belastet, weil sie alles richtig machen möchten. Dieser Drang zur Perfektion macht das Essen in Familien oft kompliziert. Dabei sind es nicht das → Acrylamid in den Pommes oder das Cumarin (s. Seite 14) im Zimt (so ärgerlich diese Dinge sind), was die Gesundheit des Kindes nachhaltig gefährdet. Es ist eher das große Ganze. Der Kühlschrank hat den Herd als Verpflegungszentrum abgelöst, Convenience-Produkte erlauben es Kindern bereits früh, sich selbst zu versorgen, die Werbung nimmt massiv Einfluss auf die Essenswünsche schon der Kleinsten. Gemeinsame Mahlzeiten mit der Familie sind nach wie vor wichtig, werden aber seltener. Essen verliert seine Selbstverständlichkeit und kann zum Problem werden. Kinder essen nur noch, was sie kennen und deshalb zunehmend einseitig. Übergewicht und Essstörungen, aber auch Untergewicht treten immer häufiger auf. Wenn Sie sich jetzt über den richtigen Rahmen Gedanken machen, kommt das Ihrem Kind später zugute. Denn sowohl Essmarotten wie auch Babyspeck fangen irgendwann ganz harmlos an, bevor sie sich zum Problem auswachsen. Die große Freiheit, die wir heute in unserer Ernährung genießen und die ständige Verfügbarkeit von Lebensmitteln stellen uns und unsere Kinder vor ein Problem. Denn trotz ihrer Unabhängigkeit in vielen Bereichen benötigen sie hier jemanden, der sie an die Hand nimmt. Das sollten in erster Linie die Eltern sein.

## Essensregeln für den gesunden Alltag

→ Achten Sie auf die **Portionsgrößen** (s. Seite 83) – Ihr Kind braucht weniger als Sie.

→ Essen Sie zu den **Hauptmahlzeiten gemeinsam** zu einem festen, zuverlässigen Zeitpunkt, auch wenn Sie nur zu zweit sind.

→ Nehmen Sie sich zum Essen **Zeit,** stellen Sie TV und Radio (evtl. auch Telefon) ab. Sonst merkt Ihr Kind nicht, wenn es satt ist.

→ Lassen Sie ab Ende des 1. Jahres Ihr Kind **alles probieren,** was auf den Tisch kommt. Was es nicht mag, muss es nicht aufessen. Aber das nächste Mal wieder probieren.

→ Tischgetränk ist **Wasser,** nicht etwa Limo oder Saft, sonst trinkt sich Ihr Kind rund.

→ Schaffen Sie **»essfreie« Räume:** Zusätzlich zu den drei Hauptmahlzeiten gibt es vor- und nachmittags eine Zwischenmahlzeit (s. Seite 92), aber es wird nicht ständig getrunken und geknabbert.

→ Ein guter **Geschmack** ist der beste Schutz vor Fast Food und gedankenlosem Futtern. Regen Sie die Geschmacksentwicklung Ihres Kindes an, geben Sie ihm schon ab dem 10. Monat Kostproben von Ihrem Teller, fragen Sie, was ihm schmeckt.

→ Kochen Sie aus **frischen Zutaten,** beziehen Sie Ihr Kind ein. Beim Kochen können Sie Kindern vieles beibringen: Gemüse benennen, Messen und Wiegen, Schneiden, Rühren und Kneten. Fangen Sie klein an: Bringen und holen können schon Dreijährige.

→ Ihr Kind sollte lernen zu fragen, ob es vom Tisch aufstehen darf und zu fragen, wenn es etwas extra essen möchte. Es ist auch

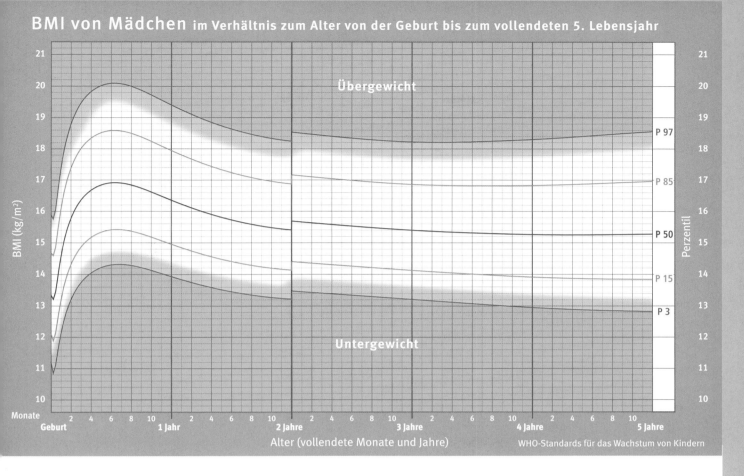

**BMI von Mädchen** im Verhältnis zum Alter von der Geburt bis zum vollendeten 5. Lebensjahr

BMI (kg/m²)

Monate
Geburt · 1 Jahr · 2 Jahre · 3 Jahre · 4 Jahre · 5 Jahre

Alter (vollendete Monate und Jahre)

Übergewicht

Untergewicht

Perzentil

P 97 · P 85 · P 50 · P 15 · P 3

WHO-Standards für das Wachstum von Kindern

---

in Fragen der Ernährung noch lange auf Ihr Augenmaß und die **Begrenzung** durch Sie angewiesen.

→ **Belohnen** Sie nicht mit Essen. Lieber eine halbe Stunde spielen, spazierengehen oder toben – auch wenn das unbequemer ist.

→ Halten Sie TV und Computer aus dem Leben Ihres Kindes heraus – zumindest solange es noch nicht in die Schule geht. Passivität und zu wenig **Bewegung** tragen zum Übergewicht bei.

## Übergewicht vorbeugen

Über 21 % aller Kinder zwischen 3 und 17 Jahren sind heute übergewichtig, ein Viertel davon schwer. Das ist ein Anstieg von über 60 % in den letzten 10 Jahren. Dieser Trend ist alarmierend. Die größte Gewichtszunahme passiert im Grundschulalter. Im Kleinkindalter ist Übergewicht relativ selten. Doch wenn Sie jetzt vorbeugen, dann wird Ihr Kind auch später eher keine Gewichtsprobleme bekommen. Die fütternde Mutter und das futternde Kind sind das »Dream Team« der Evolution. Daher stammt die große Angst, die Milch würde beim Stillen nicht reichen oder das Kind würde nachmittags auf dem Spielplatz ohne Saft und Kekse verhungern und verdursten. Kein Kleinkind sollte abnehmen. Aber übergewichtige Kleinkinder sollten langsamer zunehmen – dann normalisiert sich das Gewicht mit zunehmendem Wachstum von alleine. Irgendeine Diät braucht Ihr Kind nicht. Nur Bewegung – und eine normale, gesunde Ernährung.

## Wie viel sollte ein Kind wiegen?

Es gibt auch Kinder, die zu dünn sind. Wahrscheinlich seltener, als nach der bisherigen Gewichtskurve vermutet wurde. Denn die richtet sich immer nach dem gesamten Durchschnitt und bildet ein so genanntes → **Perzentil (P),** das das durchschnittliche Gewicht darstellt – und dann die Ausreißer als über- und untergewichtig definiert. Die WHO hat sich für einen anderen Weg entschieden. Sie hat 5 Jahre lang 8440 Kinder in allen Erdteilen (Brasilien, Ghana, Indien, Norwegen, Oman, USA) von Geburt an gemessen und gewogen. Ihre Mütter ernährten sich und ihr Kind gesund, rauchten nicht, stillten ihr Kind und sorgten für sein Wohlergehen. Mit anderen Worten: Die Kinder hatten optimale Bedingungen, ein ideales Gewicht zu entwickeln. Das erstaunliche Ergebnis: Egal aus welchem Erdteil – Größe und Gewicht (→ **BMI**) entwickelten sich ähnlich. Diese Kurve ist der zur Zeit aktuellste »Goldstandard« für gesundes Wachstum und Zunahme. Im Vergleich zu Flaschenkindern ist die Zunahme bei gestillten Babys in den ersten 3 Monaten höher, während sie mit etwa 12 Monaten im Vergleich etwas leichter waren. Die Unterschiede gleichen sich danach an. Die Untersuchung ergab aber auch, dass in einigen Fällen gestillte Babys übergewichtig wurden oder zu wenig zunahmen. Wenn der BMI Ihres Kindes deutlich über die P 85 steigt, dann sollten Sie sein Gewicht beobachten. Steigt es über P 97, ist es zu dick. Sinkt das Gewicht unter P 15 und nähert sich P 3, sollte Ihr Kind kräftiger zunehmen. Unterhalb der P 3 ist es untergewichtig. Sowohl Unter- als auch Übergewicht im Kleinkindalter wachsen sich nicht immer aus, sondern sollten ausgeglichen werden. Unter Umständen ist eine → **Ernährungsberatung** sinnvoll. Der Knick in der Kurve Ende des 2. Lebensjahres kommt durch die Umstellung der Messmethode zustande: Bis zu 2 Jahren wird im Liegen gemessen, danach im Stehen. Für Mädchen und Jungen wurden unterschiedliche Kurven angelegt.

Kindheitserinnerungen haben oft eine Menge mit **Essen und Trinken** zu tun. Denn es sind ja die besonderen, immer wiederkehrenden **Traditionen,** die sich einprägen. Für Ihr Kind bedeutet das Geborgenheit und Orientierung. **Höhepunkte** im Jahresablauf sind

# Familienfeste.

Das beginnt mit der **Taufe** und setzt sich mit jedem **Geburtstag** fort. **Weihnachten** und **Ostern** feiert jede Familie auf ihre eigene Weise. Hier finden Sie

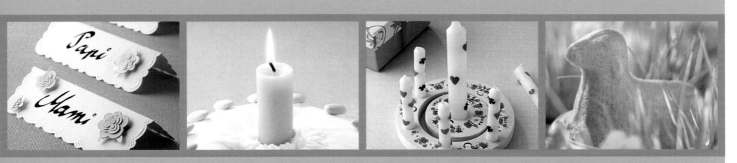

Ideen und **Anregungen,** die Sie dabei unterstützen. Starten Sie mit Ihrer ersten **Babyparty** in ein **Familienleben** voller Freude und Gemeinsamkeit.

## Ananaskuchen mit Kokosquark

*für Gäste | blitzschnell*
**20 Min. + 30–35 Min. Backen**
*bei 20 Stück pro Stück ca. 320 kcal*
*6 g Eiweiß · 13 g Fett · 45 g Kohlenhydrate*

**ZUTATEN**
**FÜR 1 BLECH**

1 Tasse mit ¼ l Inhalt
zum Abmessen
1 Tasse kandierter Ing-
wer (100 g, Asienladen)
1 ½ Tassen Rohr-
zucker (330 g)
3 Tassen Mehl
(Type 405; 540 g)
1 Päckchen Backpulver
4 Eier · 1 Tasse Rapsöl
1 Bio-Zitrone
1 knappe Tasse Mineral-
wasser mit Kohlensäure
1 kleine Ananas
2 EL Sesamsamen
250 g Magerquark
1 kleine Dose
Kokosmilch (165 ml)
1–2 EL Zucker

**ZUBEREITUNG**

**1.** Backofen auf 180° vorheizen. Ingwer klein hacken. Zucker, Mehl und Back-pulver mischen. Eier trennen. Eigelbe und Öl gut mit dem Mehl verrühren.

**2.** Zitrone heiß abwaschen, die Schale abreiben und mit Ingwer zum Teig ge-ben. Den Saft auspressen, in die Tasse gießen, mit Mineralwasser auffüllen und alles in den Teig rühren. Die Eiweiße steif schlagen und vorsichtig unterheben.

**3.** Teig auf einem mit Backpapier ausge-legten Backblech gleichmäßig verteilen.

**4.** Die Ananas schälen, ohne Strunk ca. 1 cm groß würfeln und mit dem Sesam auf dem Teig verteilen. Den Kuchen im Ofen (Mitte; Umluft 160°) in 30–35 Min. goldgelb backen.

**5.** Quark in einer Schüssel mit der Milch glatt rühren. Mit Zucker süßen. Kokosquark zum Kuchen servieren.

## Apfelkuchen mit Vanille-Dip

*gut vorzubereiten | einfach*
**20 Min. + 30–35 Min. Backen**
*bei 20 Stück pro Stück ca. 365 kcal*
*6 g Eiweiß · 19 g Fett · 46 g Kohlenhydrate*

**ZUTATEN**
**FÜR 1 BLECH**

1 Tasse mit ¼ l Inhalt
zum Abmessen
1 ½ Tassen Rohr-
zucker (330 g)
3 Tassen Mehl
(Type 405; 540 g)
1 Päckchen Backpulver
1 Päckchen
Vanillezucker
½ Tasse gemahlene
Mandeln (100 g)
4 Eier · 1 Tasse Rapsöl
1 Tasse Mineralwasser
mit Kohlensäure
6 Äpfel (1 kg)
200 g Sahne
1 Becher Vanille-
Pudding (200 g)

**ZUBEREITUNG**

**1.** Den Backofen auf 180° vorheizen. Zucker, Mehl, Backpulver, Vanillezucker und Mandeln in einer Schüssel mischen. Die Eier trennen. Die Eiweiße steif schlagen. Eigelbe und Öl zu der Mehlmischung geben und verrühren.

**2.** Das Mineralwasser zum Teig geben und den Eischnee vorsichtig unterheben. Den Teig auf ein mit Backpapier ausgelegtes Backblech geben und mit einem Löffel gleichmäßig verteilen.

**3.** Die Äpfel waschen, vierteln, die Kerngehäu-se entfernen. Äpfel in dünne Spalten schnei-den und auf dem Teig verteilen. Den Kuchen im Ofen (Mitte, Umluft 160°) in 30–35 Min. goldgelb backen.

**4.** Die Sahne steif schlagen. Den Pudding kurz unterschlagen, die Sahne zum Kuchen reichen.

## Tipps für die Baby-Party

In den ersten Wochen mit dem Baby schirmte mein Mann mich vor jedem Besuch ab. Das half mir, erst einmal einen Rhythmus zu finden. Entscheiden Sie selbst, wann Sie sich fit für Gäste fühlen, und lassen Sie sich nicht unter Druck setzen. Wundern Sie sich nicht, wenn Ihr Baby nach den ersten Besuchen aufgedreht oder quengelig ist. Das ist eine normale Reaktion auf neue Reize. Der Vorteil einer Einladung gegenüber Spontanbesuchen: Sie bestimmen den Zeitpunkt und Sie können mehrere Gäste auf einmal empfangen.

→ **Wo?** Wenn die Freundinnen und Angehörigen Ihrer Mutter bzw. Schwiegermutter das Baby begrüßen möchten, bitten Sie sie, die Einladung zu geben – mit Ihnen als Ehrengast! Vielleicht übernimmt auch eine Freundin diese Aufgabe. Wenn Sie eine Babyparty zu Hause geben, brauchen Sie Hilfe.

→ **Wann?** Am Wochenende haben Sie Ihren Mann zur Hilfe – und Berufstätige haben Zeit. Doch Baby-Partys sind oft Frauensache, deshalb finden sie meist vor- oder nachmittags statt. Richten Sie den Zeitpunkt nach dem Rhythmus Ihres Kindes und seiner (und Ihrer) Wachphase. Haben Sie den Mut, die Zeit schon bei der Einladung zu begrenzen: 2 Stunden sind genug.

→ **Wie viele Gäste?** Mehr als 6 Gäste sollten es nicht sein – sonst wird es zu turbulent. Wenn Sie wirklich eine Party für mehr geben wollen, schieben Sie Ihr Kind nach der »Präsentation« in sein Kinderzimmer und widmen sich den Gästen. Dann brauchen Sie aber einen Babysitter.

→ **Tee oder Kaffee?** Beides natürlich, mit einer stillfreundlichen Variante (s. Seite 37) – dafür sind auch ältere Damen oft dankbar. Bereiten Sie alles in Thermoskannen vor. Wer eine Espressomaschine hat, bittet zur Selbstbedienung. Das gilt auch für Zucker, Zitrone, Milch.

→ **Kuchen** Keiner erwartet Selbstgebackenes, doch der schlichte Becherkuchen kommt super an. Wenn Sie nicht einen Konditor um die Ecke haben, lassen Sie sich vom TK-Heimdienst Mini-Gebäck (Windbeutel, Biskuitrolle) liefern oder besorgen trockenen Kuchen. Beides kann man als Fingerfood herumreichen und auf Vorrat kaufen.

## Geschenke – Lust und Last

Geburtsanzeigen, eine Schleife an der Tür und Einladungen ziehen eine Geschenkeflut nach sich. Sie ersticken in Stramplern, Mützchen, Schuhen … Doch oft werden Sie gefragt, was Ihnen fehlt. Machen Sie eine Liste der Dinge, die fehlen, eventuell auch, wo es sie gibt, und legen Sie sie neben das Telefon – so haben Sie schnell einen Wunsch parat, und Ihr Mann auch. Freundinnen oder Arbeitskollegen sind vielleicht für ein Gemeinschaftsgeschenk zu begeistern: Auch das gehört auf die Liste. Und das Dankeschön? Das kann ganz schön quälen. Machen Sie sich davon frei: Mündlicher Dank reicht auch. Dabei hilft Ihnen ebenfalls eine Liste. Übrigens kann diese Aufgabe auch Ihr Partner übernehmen – notfalls per Mail oder Telefon.

## Noch mehr Verpflichtungen

Es gibt eine Menge Menschen, die Anteil genommen haben an Ihrer Schwangerschaft – und denen Sie leichtsinnig versprochen haben, das Baby vorzuführen.

→ Bei einem sehr vertrauten Kollegen-Verhältnis können Sie zur **After-Work-Baby-Party** laden. Da reichen Knabberzeug, Sekt zum Anstoßen und Saft. Ansonsten reicht es, mit Baby kurz im Büro vorbeizugehen – eventuell in der Mittagspause. Sprechen Sie ab, wann es passt.

→ Andere Mütter sind genauso gestresst wie Sie. Machen Sie ein Treffen im Café aus. Vielleicht gibt es ja in der Nähe ein Stillcafé oder einen **Müttertreff**, den Sie erkunden können. Ein Spaziergang tut allen gut und bietet Gelegenheit zum Austausch.

→ Bei **Sportclubs** ist es wunderbar, am Wochenende im Clublokal aufzutauchen – mit Partner. Sie schlagen drei Fliegen mit einer Klappe: Alle sind da, Sie können dort essen und vielleicht auch eine Runde sporteln, während die Freunde aufs Baby aufpassen.

→ **Single-Freundschaften** wollen gepflegt werden. Sie haben sich ja selber kaum vorstellen können, wie sehr ein Kind das Leben verändert. Laden Sie sie zum Brunch oder abends zur Käseplatte ein. Bitten Sie um Verständnis für die nächste Zeit und machen Sie nicht auf Superfrau.

## Für die Tafel zarte Farben

Die Grundfarbe für die Tafel ist bei einer Taufe weiß. Traditionell kommt rosa oder hellblau als zweite Farbe für Kerzen und Blumen dazu. Sie können aber auch in Grün- und Gelbtönen dekorieren – Hauptsache pastellig. Symbol der Taufe ist die Taube – hier aus Baiser. Für 12 **Baiser-Täubchen** 2 Eiweiße steif schlagen, 100 g Puderzucker und 1 Päckchen Sahnesteif einrieseln lassen. Die Masse in einen Gefrierbeutel füllen und eine Ecke abschneiden – damit die Tauben aufs mit Backpapier ausgelegte Blech spritzen, bei 100° 1 Std. mehr trocknen als backen. Süßes Give-away: italienische Zuckermandeln in feinen Beuteln – wie hier aus feinem Stoff einfach gesteppt und mit edlem Band zugebunden.

## Taufe feiern – aber wie?

Mit der Taufe wird Ihr Kind in die Kirche und Gemeinschaft der Gläubigen aufgenommen. Es bekommt Paten, die die Eltern bei ihrer Aufgabe unterstützen sollen und ihr Patenkind auf seinem Lebensweg zur Seite stehen, zumindest bis zur Konfirmation bzw. Firmung. Daneben ist die Taufe aber auch der Tag, an dem beide Familien den Nachwuchs begrüßen und feiern.

→ **Der Zeitpunkt** Es gibt keine Regel für das ideale Taufalter – nur Familientraditionen. Zu klein sollte Ihr Baby aber nicht sein. Zum einen, weil es in den ersten Monaten noch rund um die Uhr gefüttert werden muss und auf Unruhe mit Protest reagiert. Zum anderen (viel wichtiger) brauchen Sie die erste Zeit, um zu Kräften zu kommen. Sie möchten die Taufe ja auch selber genießen! Lassen sie sich also nicht hetzen.

→ **Die Formalien** Ansprechpartner für die Taufe ist Ihr Gemeindepfarrer – er wird mit Ihnen den Termin festlegen. Idealerweise passiert das im »normalen« Sonntagsgottesdienst, weil die Taufe auch Aufnahme in die Gemeinde bedeutet. Die Paten müssen bei ihrer eigenen Gemeinde eine Bescheinigung anfordern und werden im Taufschein des Kindes eingetragen. Wer Ihr Kind über das Taufbecken hält, entscheiden dagegen alleine Sie. Die meisten Pfarrer freuen sich, wenn die Eltern am Gottesdienst mitwirken.

→ **Die Gäste** Die wichtigsten Gäste sind die Paten mit ihren Partnern. Erst danach kommen die Großeltern, Onkel und Tanten. Ziehen Sie den Kreis nicht zu groß – Sie haben sonst nichts vom Fest. Gerade zur Taufe sollten Sie die Kinder der Gäste mit einladen und ins Fest einbeziehen – sie stehen dabei im Mittelpunkt.

→ **Wo wird gefeiert?** Das hängt zunächst von den finanziellen Möglichkeiten ab – ein Essen im Restaurant ist immer teurer als zu Hause. Vorteil: Sie haben keine Arbeit. Vielleicht stehen ja auch die Großeltern bei. Fürs Feiern zu Hause spricht, dass Sie sich jederzeit zurückziehen können und Ihr Kind in vertrauter Umgebung bleibt. Und es ist viel persönlicher und ungezwungener, und Sie haben ein Argument, den Kreis klein zu halten. Ein Kompromiss ist es, in den eigenen vier Wänden zu feiern und das Essen bei einem Caterer zu bestellen.

→ **Mittagessen oder Kaffee?** Getauft wird in der Regel vormittags. Danach werden alle irgendwann hungrig. Gefeiert werden sollte also mittags bis nachmittags. Sie können das Essen als Brunch mit kalten Platten gestalten. Oder aber Sie bitten zum Menü – das ist vom Kochen her der geringste Aufwand. Alternativ können Sie aber auch zu einer opulenten Kaffeetafel laden, ideal für viele Gäste.

## Checkliste fürs Feiern

→ **Tisch und Tafel** Eine Biertischgarnitur (Filzschoner nicht vergessen) im ausgeräumten Zimmer bietet Platz für 10! Wenn Raum für die große Tafel fehlt, können Sie auch mehrere Sitzgruppen machen – die Deko sorgt dann für den optischen Zusammenhalt. In Großmutters Schrank schlummert vielleicht genug Damast, notfalls tun's auch Leintücher.

→ **Sitzgelegenheiten** Planen Sie unbedingt für jeden eine Sitzgelegenheit ein. Kleinkinder können natürlich auf Mamis Schoß.

→ **Menü oder Büffet** Ein Büffet bringt Unruhe und braucht einen Extra-Platz, ein Menü braucht Bedienung. Der Kompromiss: Stellen Sie Schüsseln und Platten auf den Tisch zur Selbstbedienung. Lassen Sie sich von Ihren Gästen helfen und verabschieden Sie sich von der Erwartung, perfekt zu sein – mit Baby sind Improvisation und Humor gefragt.

→ **Gut vorzubereiten** Suppen, mariniertes Gemüse und Quiches, Braten und Ragouts, Reis oder Gnocchi, Eis und Cremes kann man gut vorbereiten, auch in größeren Mengen. Rezepte auf Seite 155. Empfindlich reagieren Salat, Nudeln, Fisch und Gemüse.

→ **Gut zuzukaufen** Fisch-Delikatessen und italienische Antipasti als Vorspeise sind ideal. Spätzle oder Schupfnudeln aus dem Kühlregal, der Braten heiß vom Metzger und Eiscreme mit (aufgetauten) Beeren sind Klassiker. Kann etwas geliefert werden? Haben Sie Platz zum Lagern?

→ **Hilfen** Je nach Gästeschar brauchen Sie jemanden, der die Kinder beaufsichtigt und beschäftigt. Außerdem mindestens eine Hilfe in der Küche, die abräumt, das Geschirr versorgt und Ihnen den Rücken freihält. Der »Täufling« braucht keine Extra-Betreuung – darum reißen sich die Gäste!

→ **Vorbereitung** Am Vortag sollte der Tisch gedeckt sein, die Getränke kühl, die Gläser für den Beginn, Platten und Schüsseln fürs Essen gerichtet und die Speisen soweit wie möglich fertig sein. Besprechen Sie den Ablauf mit Ihrer Hilfe – sie sollte vorbereiten, während Sie in der Kirche sind: kalte Vorspeisen auf den Tischen verteilen, Brot schneiden, Braten beaufsichtigen, Suppe nach Plan erwärmen.

→ **Mengen** Sie finden genaue Angaben bei den Rezepten. Rechnen Sie pro Erwachsenen: dicke Suppe 200 ml; Bouillon 150 ml; Salat 40 g; Fisch/Pastete als Vorspeise 50–80 g; Brot 100 g; Braten/Fisch als Hauptgang 150 g; Pasta/Reis/Kartoffeln fertig 200 g (Rohgewicht 80 g); Sauce/Dip 125 ml; Gemüse 200 g; Cremes/Obst 150 g.

### Tischkarte zur Erinnerung

Eine schöne Erinnerung ist eine persönliche Tischkarte für jeden Gast. Entweder Sie kleben ganz altmodisch ein Foto auf eine Doppelkarte oder gestalten sie am Computer. Die Gäste werden aus Sicht des Täuflings benannt, also: Mami und Papi, Patenonkel Hubi und Oma. Wenn Sie die Sitzordnung machen, mischen Sie die Familien. Setzen Sie alle Kinder, die schon selber essen können, zusammen und legen ihnen kleine – geräuscharme – Beschäftigungsspiele als Überraschung auf den Platz.

## So finden Sie das richtige Restaurant

→ Ist es **kinderfreundlich?** Gibt es also Kinderstühle, Spielzeug und Raum zum Bewegen draußen und drinnen? Für Kinder unter 8 Jahren sollte es ein Kindermenü geben, das einfach zu essen ist.

→ Gibt es einen schönen **Nebenraum,** wo Sie ungestört sind? Er sollte auch Platz bieten für einen kleinen Aperitif, bevor sich alle hinsetzen sowie ausreichend Raum für Kinderwagen.

→ Können Sie ohne Zeitdruck den **ganzen Nachmittag** den Raum in Anspruch nehmen? Eventuell möchten Sie einen Spaziergang machen und dann nochmal für Kaffee mit Kuchen einkehren.

→ Neben dem klassischen Tellerservice bietet sich für ein Familienfest der **Service mit Platten und Schüsseln** an – schließlich sind drei Generationen bei Tisch, die unterschiedlichsten Mengen essen. Sprechen Sie ab, ob Sie ein Vorlegen durch den Service wünschen.

→ Gibt es einen Ort, wo Sie ungestört **stillen** können und Ihr Baby schlafen kann?

→ Können Sie z. B. die **Tauftorte mitbringen,** um die Einladung persönlich zu gestalten?

→ Haben Sie die Möglichkeit, die Tafel **selber zu dekorieren** – am besten schon am Vortag?

→ Vereinbaren Sie einen Termin zum **Probeessen** – so ersparen Sie sich Enttäuschungen.

## Das Taufessen ohne Stress vorbereiten

→ **Vorbereiten** Die Suppe lässt sich schon am Vortag kochen – oder noch früher und einfrieren. Die Garnituren kommen extra auf den Tisch – damit machen Sie es allen recht. Wer stillt, kann so Scharfes meiden. Der Braten wird mit der Niedrig-Temperatur-Methode saftig und kann schon morgens angesetzt werden. Der Reis enthält mit den Artischocken gleich die Gemüsebeilage.

→ **Ein gemischter Salat** passt gut dazu: Wählen Sie robuste Sorten wie Feldsalat, Romana oder Eisberg oder fertigen aus dem Kühlregal. Dressings finden Sie auf Seite 39.
→ **Die Schokocreme** am Vortag vorbereiten, vor dem Servieren die Sahne unterheben. Noch einfacher: fertige Eiscreme mit Erdbeeren, Melonen oder Ananas servieren.

# Milde Gurkensuppe mit Garnitur

*gut vorzubereiten | mild*
**20 Min.**
*pro Portion ca. 150 kcal*
*8 g Eiweiß · 10 g Fett · 5 g Kohlenhydrate*

**ZUTATEN FÜR
6 PORTIONEN**

**Für die Suppe:**
1 Bund frische Minze
2 Kardamomkapseln
2 Salatgurken
2 EL Olivenöl
Salz · Pfeffer
1 Bund Dill
150 g Schmand

**Für die Garnituren:**
1 Knoblauchzehe
2 Frühlingszwiebeln
1 nussgroßes Stück
Ingwer (oder
½ TL Pulver)
2 EL Wermuth
200 g Krabben (gegart)

**ZUBEREITUNG**

**1.** ½ l kochendes Wasser auf die Pfefferminze und den Kardamom gießen, nach 10 Min. absieben (der Tee wird verwendet).

**2.** Die Gurken waschen, längs vierteln, die Enden und die Kerne entfernen, Gurken klein schneiden. Das Öl erhitzen, die Gurken darin 5 Min. andünsten. Den Tee angießen, mit 2 TL Salz und Pfeffer würzen und die Gurken in ca. 12 Min. weich kochen.

**3.** Den Dill waschen, die Spitzen abzupfen und mit Suppe und Schmand im Mixer pürieren. Die Suppe abschmecken.

**4.** Für die Garnitur den Knoblauch schälen und fein hacken. Frühlingszwiebeln waschen, putzen, in feine Ringe schneiden und mit dem Knoblauch mischen. Ingwer schälen und fein reiben. Alles mit Wermuth in einer Pfanne aufkochen und die Krabben darin heiß werden lassen. Extra zur Suppe reichen.

# Putenbrust à la Pesto

*gelingt immer | auch für kleine Gäste*
**15 Min. + 3 Std. Garen bei 100°**
*pro Portion ca. 330 kcal*
*35 g Eiweiß · 20 g Fett · 2 g Kohlenhydrate*

**ZUTATEN FÜR
6 PORTIONEN**

800 g Putenbrust am
Stück (ca. 10 cm ø)
Salz · Pfeffer
Paprikapulver, edelsüß
2 EL Öl · 4 EL rotes
Pesto (aus dem Glas)
4 EL Tomatenmark
1 Gläschen Früh-
karotten (125 g)
⅛ l Hühnerbrühe
(Instant)
150 g Crème fraîche
Sojasauce

**ZUBEREITUNG**

**1.** Die Putenbrust rundum mit Salz, Pfeffer und Paprika einreiben. Das Öl in einer Bratpfanne erhitzen, die Putenbrust darin von allen Seiten anbraten, dann abkühlen lassen. Das Pesto mit Tomatenmark mischen, die Hälfte rundherum auf dem Braten verteilen. Braten in der offenen Form im Ofen bei 100° in ca. 3 Std. garen.

**2.** Den Braten herausnehmen, warm halten. Für die Sauce im Fond restlichen Pestomix anrösten, Karotten zugeben, mit Brühe ablöschen und etwas einkochen. Die Crème fraîche dazugeben, die Sauce mit Sojasauce abschmecken.

**3.** Den Braten in dünne Scheiben aufschneiden. Garflüssigkeit zur Sauce geben.

**Praxis-Tipp** Sind die Gäste noch in der Kirche, die Hitze auf 60° reduzieren – das stoppt den weiteren Garvorgang.

**Austausch-Tipp** Schmeckt auch mit Lachsfilet. Davon brauchen Sie 950 g, das Anbraten können Sie sparen. Mindestens 1 Std. garen.

# Basmati Toskana

*blitzschnell | kinderleicht*
**25 Min.**
*pro Portion ca. 245 kcal*
*4 g Eiweiß · 6 g Fett · 43 g Kohlenhydrate*

**ZUTATEN FÜR
6 PORTIONEN**

2 EL Butter
300 g Basmatireis
1 Dose Artischocken-
herzen (220 g)
2 TL Salz
1 TL getrocknete
italienische Kräuter

**ZUBEREITUNG**

**1.** Butter erhitzen. Den Reis darin andünsten. ½ l Wasser, 1 Schuss Artischockenfond, Salz und Kräuter dazugeben, aufkochen und bei schwacher Hitze 15 Min. ausquellen lassen.

**2.** Die Artischocken abtropfen lassen, die Herzen in Achtel schneiden. Den Reis mit der Gabel lockern, die Artischocken unterziehen und 5 Min. erwärmen. Den Risotto mit Artischockensud abschmecken.

**Praxis-Tipp** Lässt sich am Morgen vorbereiten und kurz vor dem Essen in der Mikrowelle erhitzen.

**Austausch-Tipp** Statt Artischocken 30 g getrocknete Steinpilze mitgaren. 500 g frische kleine Champignons in 1 EL Butter braten und mit 2 EL gehackter Petersilie unterziehen.

# Leichte Schokocreme

*gut vorzubereiten | einfach*
**15 Min.**
*pro Portion ca. 445 kcal*
*13 g Eiweiß · 15 g Fett · 64 g Kohlenhydrate*

**ZUTATEN FÜR
6 PORTIONEN**

2 Becher Milchreis aus
dem Kühlregal (à 150 g)
50 g Raspelschokolade,
zartbitter
2 EL Kakaopulver,
entölt
1 Päckchen Vanillezu-
cker
1 Prise Zimtpulver
½ Charentais-Melone
200 g Sahne
1 Tasse Mini-Baisers
(Supermarkt)
1 Päckchen Sahnesteif

**ZUBEREITUNG**

**1.** Milchreis mit Schokoraspeln, 2 EL Kakao, Vanillezucker und Zimt pürieren, bis die Masse ganz cremig ist. Kalt stellen.

**2.** Aus der Melone mit einem Löffel die Kerne kratzen. Die Hälfte in 6 Spalten schneiden, quer in Stücke einschneiden, Schale lösen und die Stückchen verschieben, so dass sie jeweils gegeneinander versetzt sind.

**3.** Kurz vor dem Servieren die Sahne mit Sahnesteif schlagen und unter die Reismasse ziehen. Mit Kakaopulver überstäuben, mit Minibaisers verzieren und mit den Melonenschiffchen zu Tisch geben.

**Praxis-Tipp** Statt Raspelschokolade können Sie auch Schokoreste fein reiben oder schmelzen und unterziehen.

## Wie vom Konditor …

Diese Traumtorte hat einen perfekten
Mantel aus Zuckerteig (Fondant),
der einfach herzustellen ist und zwischen Frischhaltefolie ausgerollt wird.
Die Torte kann man 1–2 Tage im Voraus backen.

Traum-Tauftorte

# Rührteig Grundrezept

ZUTATEN FÜR
2 NAPFKUCHEN-
FORMEN (S. TIPP)

1 Bio-Orange
200 g Marzipanrohmasse
400 g weiche Butter
200 g Zucker
2 Päckchen Vanillezucker
1 Msp. Salz · 8 Eier
400 g Mehl · 3 TL Back-
pulver · Fett und
Mehl für die Formen

Klassiker | für den Vorrat
**40 Min. + 1 Std. Backen**

ZUBEREITUNG

**1.** Den Backofen auf 180° vorheizen. Die Formen mit
Butter fetten und mit Mehl ausstäuben. Die Orange
waschen, abtrocknen und die Schale abreiben. Das
Marzipan in Stückchen schneiden. Zimmerwarme
Butter mit Zucker, Vanillezucker, Salz und Orangenschale schaumig schlagen. Das Marzipan zugeben und
glatt rühren. Nach und nach die Eier unterrühren.

**2.** Die Orange auspressen. Mehl mit Backpulver
mischen, im Wechsel mit 100 ml Orangensaft unter
den Teig rühren.

*bei 2 x 12 Stücken pro Stück ca. 275 kcal*
*4 g Eiweiß · 17 g Fett · 27 g Kohlenhydrate*

**3.** Den Teig in die Formen füllen und glatt streichen,
dabei an den Rändern den Teig etwas hochstreichen.
Beide Kuchen im Ofen (Mitte, Umluft 160°) ca.
50 Min. backen. Etwas auskühlen lassen. Dann die
Kuchen aus der Form stürzen.

**Praxis-Tipp** Aus der Teigmenge können Sie 2 Kuchen für Formen mit mindestens 1 ½ l Inhalt backen
– die Form spielt dabei keine Rolle. Den zweiten Kuchen können Sie einfrieren.

**Austausch-Tipp** Das Marzipan durch 150 g gut ab-
getropften Magerquark und 50 g Zucker ersetzen.

# Traum-Tauftorte

ZUTATEN FÜR
2 SPRINGFORMEN
(18 cm + 24 cm Ø)
**Für den Teig:**
1 Grundrezept Rührteig
(s. oben) · 1 Glas Apriko-
senkonfitüre (360 g)
eventuell etwas
Orangensaft

**Für den Überzug:**
1 ½ Blatt Gelatine
45 g Zucker · 8 g Kokosfett
500 g Puderzucker
Fett und Mehl für die Form
pastellfarbige Zucker-
mandeln zur Dekoration
1 Kerze

für Gäste | gut vorzubereiten
**1 Std. + 1 Std. Backen + Ruhen**

ZUBEREITUNG

**1.** Den Backofen auf 180° vorheizen. Nach dem Grundrezept den Rührteig zubereiten, die Formen vorbereiten
und den Teig gleich hoch einfüllen. Die Kuchen im
Ofen (Mitte, Umluft 160°) ca. 1 Std. backen und auskühlen lassen.

**2.** Die Gelatine in 25 ml Wasser einweichen. Den Zucker mit 50 ml Wasser erhitzen, bis ein klarer Sirup entsteht. Nur einmal aufkochen, vom Herd ziehen und
die Gelatine mit Einweichwasser und das Fett dazugeben. Rühren, bis sich alles aufgelöst hat. Den Sirup
in die Küchenmaschine geben, nach und nach den
Puderzucker einrühren, bis ein fester Zuckermassen-
kloß entsteht. In Folie wickeln und kalt stellen.

**3.** Beide Kuchen waagerecht in der Mitte durchschnei-
den. Den großen Boden mit 3 EL, den kleinen mit

*bei 20 Stück pro Stück ca. 490 kcal*
*6 g Eiweiß · 21 g Fett · 71 g Kohlenhydrate*

2 EL Konfitüre bestreichen und wieder zusammensetzen. Restliche Konfitüre erwärmen und durch ein Sieb
streichen. Bei Bedarf mit etwas Orangensaft verdünnen. Beide Kuchen rundherum damit einpinseln.

**4.** Zwischen 2 Stücken Frischhaltefolie zwei Drittel des
Zuckerteiges zu einem großen und den Rest zu einem
kleinen Kreis ausrollen. Eine Folie abziehen, den Zu-
ckermantel mit der freien Seite auf den entsprechenden
Kuchen legen, rundherum behutsam andrücken. Die
zweite Folie abziehen und die Ränder nicht zu knapp
begleichen. Die kleine Torte auf die große setzen, mit
Zuckermandeln verzieren, in die Mitte die Kerze setzen.
1–2 Tage durchziehen lassen.

**Blitz-Idee** Im Handel gibt es auch fertige Marzipan-
decken für Torten. Sie sind aber nicht weiß, sondern
cremefarben.

# Marmorkuchen

ZUTATEN FÜR
1 KASTENFORM
(1 ½ l INHALT)
½ Grundrezept Rührteig
(s. oben)
2 EL Kakaopulver
Puderzucker
zum Bestreuen

fürs Kinderfest | einfach
**30 Min. + 1 Std. Backen**

ZUBEREITUNG

**1.** Den Backofen auf 180° vorheizen. Die Form
leicht mit Butter fetten und mit Mehl ausstreuen.
Den Grundteig zubereiten.

**2.** Den Teig trennen, in eine Hälfte das Kakaopulver
rühren. Erst den hellen, darauf den dunklen Teig in die
Form füllen. Eine Gabel spiralig durch den Teig ziehen.

*bei 12 Stück pro Stück ca. 280 kcal*
*5 g Eiweiß · 17 g Fett · 27 g Kohlenhydrate*

**3.** Den Kuchen im Ofen (Mitte, Umluft 160°) ca. 1 Std.
backen. Auskühlen lassen, aus der Form stürzen und
mit Puderzucker bestäuben.

**Variante** Ein **Schokoladenkuchen** wird es, wenn
Sie das Marzipan durch Raspelschokolade und den
Orangensaft durch Milch ersetzen und den Kuchen
mit Kakaopulver bestäuben.

## Geburtstage sind Highlights im Familienleben

Als frischgebackene Eltern bzw. Mutter können Sie ganz bewusst Ihre eigene Familientradition begründen. Wie haben Sie und Ihr Partner als Kind Geburtstag gefeiert? Was möchten Sie davon übernehmen – und was anders machen? Zum Festgefühl gehören Kleinigkeiten: der umkränzte Teller des Geburtstagskindes, der mitwachsende Kerzenring, der Ihr Kind in den nächsten Jahren begleiten wird, vielleicht auch eine Geburtstagskrone. Sicher ein Lied, ein Wunschessen, ein Geburtstagskuchen, Geschenke und eine kleine Feier. Es gibt Ihrem Kind Geborgenheit, wenn Geburtstage in derselben vertrauten Weise gefeiert werden. Es freut sich darauf und genießt mit Ihnen das Gefühl des Besonderen.

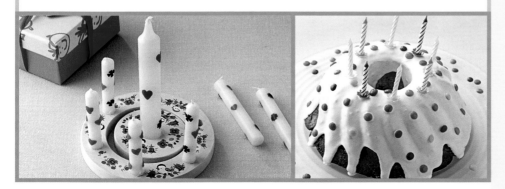

## Geburtstag feiern – aber wie?

Zwischen dem einjährigen »Baby« und dem angehenden Kindergartenkind liegen Welten. Deshalb werden Sie die drei ersten Geburtstage unterschiedlich feiern. Setzen Sie weder sich noch Ihr Kind unter Druck: Geburtstage sollen Ihnen beiden Freude machen!

→ Den **1. Geburtstag** erlebt Ihr Kind noch nicht bewusst mit. Es wird sich freuen, wenn Sie sich Zeit nehmen, wenn die Kerze brennt, wenn Sie ihm ein Ständchen bringen, wenn es an diesem Tag im Mittelpunkt steht und die Stimmung fröhlich ist. Doch überfordern Sie es nicht mit zu vielen Gästen und einem übervollen Tagesprogramm. Genießen Sie den 1. Geburtstag als Jahrestag einer glücklichen Geburt. Entscheiden Sie selber, ob Sie lieber allein als Familie feiern oder ob die Großeltern willkommen sind oder vielleicht die Paten. Es sollten Gäste sein, denen Ihr Kind wichtig ist und die Verständnis für das junge Familienleben mitbringen. Begrenzen Sie die Besuchszeit auf 2 Stunden oder verbinden Sie sie mit einem Spaziergang. Der 1. Geburtstag ist ein kleiner Probelauf für die nächsten Jahre: welcher Kuchen, welche Kerze, welches Lied? Sind Sie zufrieden, dann weiter so. Andernfalls machen Sie es das nächste Mal besser.

→ Den **2. Geburtstag** nimmt Ihr Kind bewusster wahr. Auch wenn es sich noch nicht erinnern kann, so wird es von der Vorfreude auf seinen Festtag ganz aufgeregt sein. Erzählen Sie ihm vorher immer wieder, dass sein Geburtstag etwas Besonderes ist, schildern Sie, was da passiert und freuen Sie sich mit ihm. An der Gästeauswahl ändert sich nicht allzu viel – immer noch ist Kinderparty kein Thema. Aber vielleicht laden Sie eine Freundin aus der Krabbelgruppe mit Kind ein. Das Feiern mit vertrauten Menschen tut Ihrem Kind nämlich gut. Es nimmt aktiv am Geschehen teil. Zu hohe Erwartungen, fremde Gesichter und eine gestresste Mutter dagegen machen Ihr Kind unsicher und quengelig. Jetzt hat es sicher schon die ersten Lieblingsgerichte und auch der Geburtstagskuchen wird bewusst wahrgenommen.

→ Der **3. Geburtstag** steht auf der Schwelle zwischen intimer Familienfeier und echtem Kindergeburtstag. Viele Kinder haben schon Spielkameraden, entwickeln gemeinsame Aktivitäten und fühlen sich in Gesellschaft anderer Kinder wohl. In diesem Fall sollten Sie seine kleinen Freunde einladen – aber höchstens für 2–3 Stunden. Wenn deren Mütter mitkommen, machen Sie klar, dass es kein Mütter-Kaffeeklatsch ist, sondern wirklich die Kinder im Mittelpunkt stehen. Ist Ihr Kind noch nicht soweit, genießen Sie den letzten »ruhigen« Geburtstag. Denn ist es im Kindergarten, sollte es auch seine Freunde einladen dürfen.

## Das macht schon den Kleinsten Spaß

→ **Im Frühling** Bei gutem Wetter ist ein Picknick ideal. Erkunden Sie den Platz vorher, packen Sie Geburtstagskuchen, Obst, Saftschorle und Kaffee oder Tee in Thermoskannen ein. Vielleicht steuern die Gäste auch etwas bei, um Sie zu entlasten. Praktisch sind z. B. Muffins oder Schnecken (s. Seite 94). Auf die Picknickdecke werden Wiesenblumen gelegt, die Kerze kommt in ein leeres Schraubglas. Ein Ball, Seifenblasen, Windräder sind die Sensation! Wenn Sie drinnen feiern, sorgen Sie für genug Platz, damit Sie mit dem Geburtstagskind spielen können: Bauklötzchen, Duplo, Autos sind der Hit!

→ **Im Sommer** Wasser ist die größte Attraktion. Stellen Sie im Garten ein Planschbecken auf, Schiffchen, Gießkanne und Eimer sorgen für Beschäftigung. Wer keinen Garten hat, weiß vielleicht eine kleine Wiese mit Bach oder feiert bei Großeltern oder Freunden. Wichtig: Getränke (s. Seite 82) und eine wasserdichte Picknickdecke. Verzichten Sie auf alles Schokoladige – dafür gibt es ein kleines Eis für jeden aus dem Kiosk oder ganz viele frische Beeren. Einen Besuch im Zoo lieben schon die Kleinen – besonders den Streichelzoo.

→ **Im Herbst** Sammeln macht jetzt besonders viel Spaß: Kastanien, Eicheln, Bucheckern und schöne Blätter – alle Schätze in einer Sammelkiste nach Hause tragen und in Ruhe bewundern. Oder in einem Säckchen verstecken, tasten und raten, was das wohl ist. Mit Gummistiefeln durch Pfützen patschen, durch Blätter rauschen nach Herzenslust. Und dann zu Hause duftende Bratäpfel (s. Seite 163) oder Waffeln zu Kinderpunsch (s. Seite 87 und 160) genießen oder heiße Maroni rösten und knabbern.

→ **Im Winter** Mit Luftballons und Papierfliegern lässt sich gut im Zimmer spielen. Schätze zu verstecken und wiederzufinden ist ein Riesenspaß. Am liebsten sind Kindern aber Musik und Gesang, Reime und Pantomime. Verzichten Sie auf CDs, singen Sie lieber selbst und üben Sie für den Geburtstag ein neues Fingerspiel! Die Augen lassen sich Kleinkinder meist ungern verbinden. Doch vielleicht können Sie die frühe Dunkelheit für einen Laternenspaziergang vor dem Abendbrot nutzen. Und wenn Schnee liegt, sind Rodeln oder Schneemannbauen wunderbar. Heiße Getränke in der Thermoskanne und Schokokekse als Notverpflegung mitnehmen.

### Geschenke: unvergesslich oder Alptraum

Das Problem ist heute meist: zu viele Geschenke und die zu früh. Wir erfüllen uns damit oft Kindheitsträume und verlieren das Kind aus dem Auge. Beschränken Sie sich auf wenige Dinge, mit denen das Geburtstagskind wirklich etwas anfangen kann und sprechen Sie sich mit den Schenkenden ab (ohne sie zu bevormunden). Zum 1. Geburtstag kann das ein Rutschauto sein, ein besonders schöner Ball, ein Kreisel oder ein Hinterherzieh-Tier. Beim 2. Geburtstag ist vielleicht die Schaukel dran oder eine kleine Rutsche. Und beim 3. eine Schubkarre oder ein kleiner Wagen. Verbitten Sie sich alles, was Krach macht und technisches Spielzeug – das kommt noch früh genug. Übrigens: Oft ist das Auspacken des Päckchens der größte Spaß – egal, was drin ist. Doch schon von Anfang an sollte Ihr Kind lernen, sich zu bedanken.

### Genießen ohne Bauchweh

Zu süß, zu salzig, zu fettig, zu sprudelig, ungewohnt und zu viel – das führt zu **Übelkeit und Magendrücken.** Halten Sie Maß – Sie tun Ihrem Kind mit Esslawinen keinen Gefallen.

→ Kleinkinder haben noch **kein Sitzfleisch.** Decken Sie den Tisch schön, aber erwarten Sie nicht, dass Ihr Kind nach dem Essen auch nur eine Minute sitzenbleibt. Das heißt aber nicht essen aus der Hand und trinken aus der Flasche nonstop. Nur bei Tisch gibt's was!

→ Begrenzen Sie schwer verdauliche Schokolade oder klebrige Gummibärchen. Kinder lieben trockene Kuchen (s. Seite 157), Muffins, Kekse und Waffeln – einfach, aber gut. **Obst** in Schnitzen, **Beeren** aus der Hand sind immer richtig. Als Käfer oder Igel dekoriert noch einmal so gerne!

→ Ihr Kind hat einen **kleinen Magen:** Schneiden Sie den Kuchen in kleine Stücke, bevorzugen Sie Mini-Pizzen, Cocktailwürstchen und Kirschtomaten. Ihr Kind liebt das!

→ Kinder mögen einfach Brot – backen Sie **Mini-Brötchen** oder kaufen Sie Brotkonfekt oder Grissini. Schneiden Sie altbackene Laugenbrezeln in dünne Taler und rösten sie in etwas Olivenöl in der Pfanne. Zur Feier des Tages dürfen es auch Weißbrot und Laugengebäck sein!

# Kinderwaffeln aus dem Becher

blitzschnell | kinderleicht
**20 Min.**
*pro Stück ca. 225 kcal*
*6 g Eiweiß · 12 g Fett · 23 g Kohlenhydrate*

**ZUTATEN FÜR
12 WAFFELN**

1 leerer 200-g-Becher
(von Joghurt oder
Sahne) zum Abmessen
ca. 60 g Möhre oder
Apfel · 2 Becher Mehl,
am besten Vollkorn
(250 g) · ½ Becher
Haferflocken (50 g)
1 TL Backpulver
½ Becher gehackte
Mandeln oder Nüsse
(65 g) · 4 EL Butter
(90 g) · ¼ Becher Roh-
zucker (50 g) · 3 Eier
1 ½ Becher Milch
(300 ml) · Puderzucker
zum Bestäuben
Butter fürs Waffeleisen

**ZUBEREITUNG**

**1.** Möhre oder Apfel waschen, schälen und raspeln. 1 Becher Raspel abmessen. Mehl, Flocken, Backpulver und Mandeln mischen.

**2.** Die Butter mit dem Zucker cremig rühren, abwechselnd die Eier, den Mehl-Mix und die Milch unterrühren. Möhren- oder Apfelraspel unterheben.

**3.** Das Waffeleisen dünn mit Butter einpinseln, erhitzen. 2–3 EL Teig in die Mitte setzen, Eisen zusammendrücken, die Waffeln goldgelb backen und herausnehmen. Nach Geschmack leicht mit Puderzucker überstäuben.

**Austausch-Tipps** Der Teig gelingt auch mit normalem Mehl und Zucker – er ist dann aber nicht so reich an wertvollen Nährstoffen. Sie können die Nüsse durch eingeweichte Trockenfrüchte, z. B. getrocknete Aprikosen, ersetzen. Wer Milchprodukte nicht verträgt, ersetzt die Milch durch Apfelsaft oder Mineralwasser und die Butter durch Margarine.

# Marmorkuchen aus dem Glas

zum Mitnehmen | einfach
**15 Min. + 1 Std. Backen**
*pro Glas ca. 455 kcal*
*8 g Eiweiß · 25 g Fett · 50 g Kohlenhydrate*

**ZUTATEN FÜR
8 TWIST-OFF-
GLÄSER (250 ml)**

300 g Mehl
1 Päckchen Backpulver
180 g weiche Butter
oder Margarine
150 g Zucker oder Voll-
rohrzucker · 4 Eier
60 ml Mineralwasser
1–2 EL Kakaopulver
50 g Raspelschokolade
(oder zerkleinerte
Schokoladenreste)
2–3 EL Milch · 1 Päck-
chen Vanillezucker
Butter und Semmel-
brösel für die Form
Puderzucker
zum Bestäuben

**ZUBEREITUNG**

**1.** Backofen auf 200° vorheizen. Die Gläser fetten und mit Semmelbröseln ausstreuen.

**2.** Mehl und Backpulver mischen. Die Butter mit dem Zucker cremig rühren. Die Eier einzeln unterrühren. Mehl und Mineralwasser zur Eiermasse rühren.

**3.** Eine Teighälfte mit Kakao und Schokolade verrühren. Eventuell noch 2–3 EL Milch hinzufügen. Die andere Teighälfte mit Vanillezucker verrühren. Den hellen Teig gleichmäßig auf die Gläser verteilen, den dunklen darüber füllen. Mit einer Fleischgabel oder mit Holzstäbchen kreisförmige Ringe durch den Teig ziehen.

**4.** Gläser ohne Deckel im Ofen (unten) ca. 20 Min. backen. Mit einem Holzspieß die Garprobe machen (s. Seite 173). Die Kuchen nach Belieben mit Puderzucker bestäuben.

**Praxis-Tipp** Glatte, leicht konische Gläser mit weiter Öffnung nehmen.

# Baby-Pizzen

gut vorzubereiten | aus der Hand
**30 Min. + 30 Min. Ruhen + 12 Min. Backen pro Blech**

*pro Stück ca. 100 kcal*
*4 g Eiweiß · 4 g Fett · 12 g Kohlenhydrate*

ZUTATEN FÜR
**16 STÜCK**

250 g Mehl (am besten
Type 1040)
1 Päckchen Trockenhefe
1 kleiner Apfel
1 kleines Glas
Frühkarotten (125 g)
2–3 EL Tomatenmark
Salz · 1 TL Curry-
pulver oder Oregano
120 g Mozzarella
50 g Gemüse (Zucchini-
würfel, Mais-
körner, Erbsen)
3–4 EL Raps- oder Olivenöl

**ZUBEREITUNG**

**1.** Das Mehl mit der Trockenhefe mischen. Den Apfel waschen, mit Schale im Blitzhacker raspeln, mit ca. 100 ml lauwarmem Wasser mischen und mit dem Mehlmix zu einem elastischen Teig kneten (Küchen-maschine). An einem warmen Ort ca. 30 Min. gehen lassen, bis sich sein Volumen verdoppelt.

**2.** Die Frühkarotten mit dem Tomatenmark mischen, mit Salz und Curry oder Oregano würzen. Den Mozza-rella fein würfeln. Den Backofen auf 220° vorheizen.

**3.** Backbleche mit Backpapier auslegen. Den Teig mit bemehlten Händen nochmals durchkneten, dabei salzen, zur Rolle formen und in 16 Portionen teilen. Jede Portion zur Kugel formen, flach drücken und aufs Blech legen. Mit Karottencreme bestreichen, mit Gemüse und Mozzarella bestreuen.

**4.** Das Blech direkt auf den Ofenboden schieben und die Pizzen ca. 12 Min. backen. Dann mit Öl beträufeln.

**Tuning-Tipp** Nach dem Backen 1 dünne Scheibe Salami auf jede Pizza legen.

**Praxis-Tipp** Dunkle Bleche backen heißer: eher auf der untersten Schiene backen.

**Austausch-Tipps** Statt Apfel 1 Möhre in den Teig raspeln und 2–3 EL gehackte Nüsse unterkneten. Statt Frühkarotten Tomatenpüree (Tetrapak) verwenden.

Für **Zwiebelkuchen** den Teig ausrollen und ein Back-blech damit auslegen. 800 g Zwiebeln schälen, mit der Küchenmaschine in Ringe hobeln und in 2 EL Butter 5 Min. dünsten, mit 100 g rohen Schinkenwürfeln mi-schen. 3 Eier mit 300 g saurer Sahne (10 %), Salz und Pfeffer mischen, unter die Zwiebeln ziehen und die Masse auf dem Teig verteilen. Bei 180° (Umluft 160°) im Ofen (Mitte) 30 Min. backen

Für einen pikanten **Pizzakuchen** die doppelte Teig-menge ohne Apfel, aber mit 50 g gehackten getrock-neten Tomaten und 100 g gehackten Oliven (schwarz oder grün), 100 g fein gewürfeltem luftgetrocknetem Schinken sowie 1–2 TL getrockneten italienischen Kräutern verkneten, auf dem Blech ausrollen und mit 100 g geriebenem Parmesan bestreuen. Mit 100 ml Olivenöl beträufeln, im Backofen (unten) bei 180° (Umluft 160°) backen.

# OSTERN UND WEIHNACHTEN FEIERN

## Vorbereitungen

→ **Eier färben** Kaufen Sie rechtzeitig Natur-Eierfarben, solange Auswahl ist. Sie sind unbedenklicher als die synthetischen, färben aber zarter. Nehmen Sie deshalb weiße Eier (vor Ostern auch bald Mangelware). Vor allem können Sie die Eier in einem kochen und färben – nicht länger als 8 Min., sonst wird das Ei sehr trocken. Verzichten Sie ausnahmsweise aufs Abschrecken und reiben Sie die Eier nach dem Trocknen mit etwas Öl dünn ein, damit sie glänzen. Sie können aber die Eier auch normal kochen und dann mit ebenfalls lebensmittelechten Pastellfarben anmalen.

→ **Ostergras** wächst am besten aus Samen für Katzengras oder Gerste: Über Nacht einweichen, in eine Schale mit Erde streuen und täglich wässern. Beobachten Sie, wie das Gras wächst (braucht ca. 10 Tage) und Ostern näher rückt.

## Das Osterkörbchen

Sobald Ihr Kind sicher gehen kann, hat es Spaß, die Eier zu suchen. Verstecken Sie beim ersten Mal ein kleines, handliches Körbchen mit Ostergras und einem Plüsch-Häschen. Das verschwindet nach Ostern, um jedes Jahr wieder gefunden zu werden. Ins Körbchen kommt dann alles, was der Osterhase versteckt hat.

→ **Süße Ostersachen** Weniger ist mehr und Bio-Schokolade ist nicht gesünder als normale. Natürlich gehören zu Ostern süße Eier – aber erstehen Sie lieber einzelne, besondere und machen Sie Naschzeiten nach dem Essen aus – statt Nachtisch. Es kann auch nicht essbare Überraschungen geben wie Seife, Waschlappen oder Luftballon in Hasenform, Bälle, Kreisel. Und natürlich Bücher.

## Das Osterfrühstück

Kleine Kinder sind meist vor den Eltern wach. Deshalb sollten Sie alles am Vortag vorbereiten. Ist Ihr Baby unter 1 Jahr alt, können Sie Ihr Essen unabhängig planen – es bekommt die gewohnte Verpflegung. Ein älteres Kind sollte mit Ihnen frühstücken, vorher das Fläschchen bekommen.

→ Für **Osterzopf** – auch als Nest oder Häschen zu backen – kneten Sie am Vorabend einen Hefeteig aus 400 g Mehl, 1 Päckchen Trockenhefe, 50 g Zucker, 100 g zerlassener, abgekühlter Butter, 2 Eiern, 1 Portion Safran, 1 Prise Salz und nach Belieben 1 Tasse gehackten Nüssen und 1 Tasse Trockenfrüchten. Im Kühlschrank über Nacht gehen lassen. Am nächsten Tag durchkneten, den Zopf formen oder aus je 2 Kugeln und 2 Ohren Häschen zusammensetzen. 1 Ei mit 2 EL Milch verrühren, auf die Hasen streichen, Rosinenaugen und Mandelschnurrhaare einsetzen. Im Ofen bei 180° backen. Der Zopf braucht ca. 40 Min., die Häschen 15 Min. Tolle Brotaufstriche finden Sie auf Seite 19 und 89, Karotin-Muffins auf Seite 94.

## Das Ostermenü

Das Menü wird österlich mit zusätzlich 1 Tasse Kerbel und Sauerampfer für die Suppe und Lammkeule statt Pute (s. Seite 155). Für Ihr Kind sollte das Osteressen relativ früh und kindgerecht sein. Oder Sie verzichten aufs Mittagessen, geben Ihrem Kind mittags sein Extra-Essen und trinken nachmittags groß Kaffee, vor allem, wenn die Großfamilie oder Freunde anrücken. Reichen Sie zum Osterzopf eine Schale Erdbeeren und Sahne und den Becherkuchen mit Apfel (s. Seite 150). Sie selber können abends, wenn Ihr Kind schläft, vielleicht in Ruhe eine Quiche (s. Seite 136) genießen. Am Ostermontag ist meist mehr Zeit für ein genüssliches Mittagessen. Wichtig: Besprechen Sie mit Partner und Familie/Freunden, wie Sie Ostern verbringen möchten. Sonst treffen unterschiedliche Traditionen, unausgesprochene Erwartungen und Wünsche aufeinander und es gibt Konflikte. Vergessen Sie nicht, dass Ihr Kind zwischendurch seinen Schlaf braucht, sonst wird es quengelig.

## Stress vermeiden

→ **Einkaufen** Nehmen Sie sich Zeit, schreiben Sie eine Liste – dabei das Mittagessen am 24. nicht vergessen – und gehen Sie spätestens am 23. ohne Baby einkaufen oder lassen sich die Lebensmittel liefern – das machen viele Supermärkte. Vielleicht können Sie auch vorkochen und einfrieren – ein Erbsen-Schaumsüppchen (s. Seite 21) oder eine Quiche (s. Seite 136). Denken Sie an frisches Obst und Salat, das tut zwischen den Süßigkeiten gut.

→ **Familienfeiern** Mit Kind sollten Sie sich überlegen, wie Sie das handhaben möchten. In den kommenden Jahren entwickeln Sie den Rahmen für Ihr Weihnachtsfest – je zuverlässiger er ist, desto weniger Konflikte entstehen: Kinder lieben die Traditionen, gegen die sie dann später als Jugendliche rebellieren. Aber das ist noch lang hin …

## Heilig Abend mit Kind

Denken Sie ans **Mittagessen am 24.** mittags – am besten ein Blitzgericht (s. Seite 118–119), das vielleicht zur Tradition wird. Der Heilige Abend beginnt für Kleinkinder früh – viele Kirchen halten Gottesdienste für die Kleinsten ab 15 Uhr, damit die Bescherung nicht in den Abend geht. Machen Sie es sich beim Essen einfach: Antipasti oder Fischspezialitäten, dazu frisch aufgebackenes Baguette und ein Salat. Wichtig: der festlich gedeckte Tisch. Essen Sie mit Ihrem Kind – es wird beeindruckt sein vom Kerzenschein und der Stimmung. Wenn Besuch kommt, ist Raclette eine gute Lösung – noch besser, wenn Sie auf Ihrem Gerät auch obenauf braten können. Der Essensduft verfliegt allerdings nicht so schnell.

## Die Weihnachtstage

→ **Erster Weihnachtstag** Wandeln Sie das Taufmenü (s. Seite 155) ab: statt Gurkensuppe eventuell Feldsalat mit Krabben servieren. Sind Sie nur zu dritt, können Sie am zweiten Feiertag den Rest Pute klein schneiden, mit gebratenen Champignons in Sauce aufwärmen und mit Spätzle servieren. Schmeckt aber auch als kalter Aufschnitt mit einer Sauce aus pürierten Avocados mit Zitronensaft, Salz, Pfeffer und Schmand. Oder probieren Sie Entenbrust (s. Seite 126). In großer Runde essen Sie um 18 Uhr nach englischer Art; vormittags ein Brunch, fürs Kind mittags sein Essen.

→ **Zweiter Weihnachtstag** Laden Sie eine Patin, die Großeltern, Freunde zum Brunch ein – aber nicht mehr als drei Gäste. Oder machen Sie selber einen Besuch. Planen Sie unbedingt einen Spaziergang ein, egal wie das Wetter ist. Verbinden Sie ihn mit einem Ziel – die Krippe in der Kirche anschauen, die Vögel im Wald füttern oder Schaufensterbummeln.

## Süßes nicht zur Selbstbedienung

Kein Kleinkind kann selber entscheiden, wie viel Süßes ihm bekommt, deshalb den süßen Teller nicht in Reichweite aufstellen. Ebenfalls mit alkoholisch gefüllten Pralinen oder Likörgläsern aufpassen. Nachmittags entweder Kuchen oder Süßes genießen. Oder ein paar Süßigkeiten – vielleicht die selbst gebackenen Kekse – in den Christbaum hängen: Nach jeder Mahlzeit darf eine Leckerei abgeschnitten werden. Und wenn die Oma Süßigkeiten mitbringt? Versuchen Sie das im Vorfeld zu verhindern, bitten Sie lieber um einen Kuchen – ansonsten müssen Sie das Süße unauffällig verschwinden lassen und verbacken (s. Seite 156 und 160).

→ Wenn der **Süßhunger riesengroß** ist, mal **Bratapfel** zum Abendessen zubereiten: entweder pur oder das Kerngehäuse entfernen und das Innere mit gehackten Datteln oder Nüssen füllen, im Ofen bei 180° (Umluft 160°) ca. 15 Min. braten.

Sind Sie noch nicht so fit in Küche und Keller? Keine Sorge: Fachgerechter **Umgang mit Lebensmitteln** ist **keine Hexerei.** Aber Sie sollten sich informieren: über Vorratshaltung, Haltbarkeit, **empfindliche Inhaltsstoffe,** Hygiene, gesunde Garmethoden und schonende Verarbeitung... Denn mit dem richtigen

# Küchen-Know-how

können Sie Ihre Familie **gesund** versorgen und zugleich Ihren **Geldbeutel** und Ihre Nerven schonen. Wir helfen Ihnen, **Pannen** zu vermeiden und **Zeit** zu sparen. Die Küche ist das **Kommunikationszentrum** der Familie, wenn Sie sie mit **Leben** füllen. Und je sicherer Sie sind, desto mehr **Freude** werden Sie dabei haben.

## Sitzordnung im Kühl-Gefrierschrank

→ **Einfrieren** für den langen Vorrat: Muttermilch und Babybrei halten sich dort bis zu 3 Monate, Brot, reine Gemüse- und Obstmixe 6 Monate. Wichtig: möglichst dichte Verpackung, sonst gibt es den (unschädlichen) »Gefrierbrand«.

→ **Im Kühlschrank** Je höher, desto wärmer. Vor dem Verdampfer (Rückwand) und über dem Gemüsefach sollte alles lagern, was Kälte braucht: Aufschnitt, Fisch, Essensreste. Oben und in der Tür ist es am wärmsten. Ideal für Butter, Eier und Milchprodukte.

→ **Unten das Gemüsefach,** damit es nicht zu kalt und trocken lagert. Moderne Geräte haben ein Kellerfach, das auch die Feuchtigkeit reguliert – sehr praktisch.

# Hygiene – Kampf den schädlichen Keimen

→ **Sauberkeit ist die beste Vorbeugung** gegen die kleinen Tierchen, die Lebensmittel verderben lassen und uns – schlimmstenfalls – krank machen. In der Regel brauchen Sie dazu nur heißes Wasser und Seifenlauge – und am besten glatte Oberflächen. Keime lieben Feuchtigkeit und Wärme und brauchen Nährboden wie Essensreste und Schmutz, auf denen sie sich ausbreiten können. Natürlich ist ein Neugeborenes noch sehr empfindlich. Aber jeder Haushalt hat seine ganz persönliche Bakterienkultur, mit der alle Mitglieder zurechtkommen. Ihr Kind wächst dort hinein. Ziehen Sie es nicht keimfrei auf – das schwächt sein Immunsystem. Achten Sie deshalb auf ganz normale Sauberkeit – ohne Chemie – in der Küche. Das bekommt den Lebensmitteln ebenso gut wie Ihrem Kind.

→ **Sterilisieren** (genau genommen Pasteurisieren) Durch Erhitzen unter 100° werden die meisten Keime abgetötet. Bis zum 8. Monat Babyflaschen und -sauger entweder im Vaporisator desinfizieren oder 10 Min. in Wasser kochen. Vorher gut reinigen! Oder im Schnellkochtopf bei höchster Stufe 20 Min. mit Wasser sterilisieren (s. Seite 53).

→ **Spülmaschine** Mit 65° und Spülmittel wäscht sie fast keimfrei. Im Normalfall reicht das 55°-Sparprogramm, für Babyflaschen und Sauger vor dem 6. Monat lieber 65° wählen.

→ **Küchenwäsche** sollten Sie bei mindestens 60° waschen. Spültücher täglich wechseln – oder Wegwerftücher benutzen. Küchentücher und Topflappen 2-mal die Woche wechseln. Bügeln tötet Keime zuverlässig ab.

→ **Kühlschrank** Einmal im Monat den Kühlschrank putzen und das Innere mit Essigreiniger oder einer ausgedrückten Zitronenhälfte abreiben und nachwischen. Spezielle Aktivkohle-Luftreiniger bekämpfen Gerüche.

→ **Brotkasten** Einmal pro Woche mit Essigreiniger auswischen und Vorräte kontrollieren. Altbackenes Brot in Scheiben an einem luftigen Platz trocknen und zu Bröseln reiben.

→ **Küchenschrank** Trockene Vorräte in dicht schließenden Boxen oder in Schraubgläsern aufbewahren. Ab und zu aussortieren. Dosen grundsätzlich nicht im Kühlschrank lagern – sie sind steril und brauchen keine Kühlung. Kartoffeln, Zwiebeln und Knoblauch dunkel, kühl und trocken aufbewahren. Praktisch sind Schwebekörbe, die in mehreren Etagen Platz bieten oder Vorratswägen.

## Was schadet Lebensmitteln und uns?

## Was kann ich – außer Händewaschen – tun?

**Austrocknen** Das Wasser in Lebensmitteln verdunstet, dadurch werden sie hart und zäh. Nicht schädlich.

→ **Verpacken** Sie das Lebensmittel luftundurchlässig, z. B. in einen Kunststoffbehälter oder mit Folie oder Deckel.

**Faulen/Gären** Vorgang, bei dem Zucker und Eiweiß im Lebensmittel durch Bakterien, Hefen oder Schimmelpilze zersetzt werden. Dabei entstehen übelriechende Stoffe.

→ Schnittflächen mit **Frischhaltefolie** abdecken, saubere Behälter verwenden. Möglichst schnell kühlen. Überreife Obststücke aussortieren (s. Seite 168).

**Schimmel** Weiße oder farbige Flecken auf Lebensmitteln sind Schimmelpilze. Diese bilden gesundheitsschädliche Giftstoffe. Sie verbreiten sich über die Luft durch Sporen, die sich auf der Oberfläche von Lebensmitteln festsetzen. Sie wachsen auf und innerhalb von feuchten Lebensmitteln. Es gibt auch erwünschte Schimmelpilze, vor allem bei Edelpilzkäse.

→ Lebensmittel **abdecken,** um den Schimmelsporen keine Angriffsfläche zu bieten. Schimmelpilze brauchen Sauerstoff. Verpacken Sie Lebensmittel **luftdicht,** z. B. durch Vakuumieren. **Kälte** mag Schimmel auch nicht so gerne: Der Kühlschrank beugt Schimmel vor, verhindert ihn aber nicht.

**Mehlmotten** Im Lebensmittel sind entweder Falter oder Maden zu erkennen. Häufig werden Getreide und Getreideprodukte, Nüsse, Mandeln, Rosinen, Schokolade und Gewürze befallen, vor allem bei Wärme. Durch die Tiere wird das Lebensmittel verschmutzt. Im Prinzip harmlos, selten können Hautreizungen, Allergien und Darmerkrankungen entstehen.

→ Lebensmittel in dicht **verschließbaren Gefäßen** lagern. Produkte können auch schon beim Händler befallen sein, daher regelmäßig Vorräte kontrollieren. Pheromon-Mottenfallen verhindern die Verbreitung. Befallene Lebensmittel können Sie 24 Std. einfrieren oder im Backofen auf über 80° erhitzen und danach durchsieben. Garen zerstört Motten.

**Fruchtfliegen** Die Tiere sind 2–4 mm lang und kommen häufig auf Obst und Gemüse, Essig, Bier und Wein vor. Sie verunreinigen das Lebensmittel und tragen zu deren Verderb bei.

→ **Verhindern** Sie, dass Fruchtfliegen sich auf gärende und zuckrige Lebensmittel setzen können. Obst und Gemüse auf überreife oder faulende Stellen kontrollieren.

**Salmonellen** gehören zu den drei gefährlichsten Bakterien und kommen vor allem bei rohem Geflügel, Eiern, Fleisch und Fisch vor. Lebend können sie bei gesunden Personen Fieber, Kopfschmerzen, Durchfall und Erbrechen auslösen. Für Kleinkinder sind sie gefährlich (s. Seite 15).

→ Sie werden bei **Temperaturen ab 70°** abgetötet. Kein rohes Geflügel oder Ei verzehren. Rohkost in der Küche nicht mit rohem Geflügel (oder Auftauwasser) in Berührung bringen. Gerichte nicht zu lange warm halten!

**Listerien** Bakterien, die in roher Milch, Eiern und Fleisch vorkommen können. Nur in der Schwangerschaft gefährlich, da sie das ungeborene Kind infizieren können (s. Seite 15).

→ Sie halten Kälte aus und vermehren sich bei 20–30°. Durch mindestens **10-minütiges Erhitzen bei 70°** werden sie abgetötet. Bei höheren Temperaturen reicht auch eine kürzere Zeit.

**Toxoplasmose** Die Erreger leben in Katzenkot, kommen aber über Tierfutter auch ins Fleisch. Mit Antikörpern ist man immun – deshalb zu Beginn der Schwangerschaft überprüfen lassen. Nur in der Schwangerschaft gefährlich (s. Seite 15).

→ Keime werden durch **Tiefgefrieren, Pökeln, Reifung und Hitze** – mindestens 10 Min. bei 70° – zerstört. Bei höheren Temperaturen reicht auch eine kürzere Zeit. Nach der Reinigung vom Katzenklo die Hände gründlich waschen.

**EHEC**-Bakterien erzeugen Übelkeit und Erbrechen. Sie treten in rohem oder ungenügend erhitztem Rindfleisch, Milch oder Milchprodukten auf. Auch kann eine Infektion durch direkten Kontakt mit kleinsten Kotspuren erfolgen (s. Seite 15).

→ Auf rohes Rindfleisch, Rohmilch und -produkte in der Kinderernährung im 1. Jahr verzichten. **Erhitzen** zerstört die Bakterien. Nach jedem Toilettengang oder Reinigung vom Katzenklo die Hände gründlich waschen.

# TRICKS UND TIPPS ZU PFLANZLICHEN LEBENSMITTELN

## So bleiben Obst und Gemüse frisch

→ Es gibt Gemüse und Obst, das **nicht im Kühlschrank** gelagert werden sollte: Ananas, Aubergine, Avocado, Banane, Gurke, grüne Bohnen, Kartoffeln, Kürbis, Mango, Melone, Paprika, Papaya, Tomaten, Zucchini, Zitrusfrüchte. Alle anderen lieben das Gemüse- oder Kellerfach mit einer Temperatur von ca. 8°. Viele Früchte scheiden beim Reifen Ethylen aus. Das kann bei empfindlichem Obst und Gemüse die **Reifung beschleunigen. Ethylen-Ausscheider** sind Apfel, Physalis, Passionsfrucht, auch Birne, Melonen und Pfirsich: Diese am besten luftig und getrennt lagern. **Empfindlich auf Ethylen** reagieren Kiwi, alle Kohlsorten, Honigmelone, Mango, Apfel, Birne, Banane, Gurke, Tomate: Sollen sie schnell nachreifen, dicht daneben lagern, sonst getrennt halten. Bei Früchten, die **nicht nachreifen** können, bringt das nichts. Sie verderben höchstens schneller: Ananas, Beeren (außer Heidelbeeren), Kirschen, Trauben, Zitrusfrüchte, Aubergine, Gurke, Paprika.

→ **Kräuter** nie wie Blumen ins Wasser stellen: Sie bauen dann Nährstoffe ab und welken auch wie Blumen! Statt dessen einfach in Boxen im Kühlschrank lagern: dann bleiben sie bis zu 5 Tagen knackig.

→ Von Knollen- und Wurzelgemüse, das in der Erde wächst (z. B. Möhren, Radieschen) das **Grün entfernen:** Es zieht sonst Nährstoffe und Flüssigkeit aus dem essbaren Teil, macht ihn schlaff und zäh.

## Schälen, pellen oder nur waschen?

→ Die Pflanze schützt sich mit Schale und Außenblättern vor UV-Licht und anderen schädlichen Einflüssen. Deshalb sind ihre Schutzstoffe dort konzentriert. Diese Schutzstoffe, die → Bioaktivstoffe oder sekundären Pflanzeninhaltsstoffe, tun auch dem menschlichen Körper gut. Deshalb so viel Schale und derbe Außenblätter **dran lassen,** wie Ihr Kind kauen kann. Allerdings sind auch Schadstoffe dort konzentriert. Die sind am besten durch **Waschen und kräftiges Nachreiben** zu reduzieren. Zu harte Haut oder Schale ist am schonendsten mit einem Kippschäler zu entfernen.

## Licht und Luft nagen am Nährwert

→ Die meisten **Vitamine** werden durch Licht, Luft und Wärme angegriffen. Geschältes und zerkleinertes Gemüse und Obst hat eine viel größere Angriffsfläche; deshalb erst kurz vor dem Essen oder dem Kochen schälen und zerkleinern. Wenn Sie unbedingt etwas vorbereiten müssen, das zerkleinerte Gemüse in einer Box dicht verschließen und im Kühlschrank zwischenlagern. Noch besser ist Vakuumieren, also die Luft entfernen. Wenn es geschmacklich passt, Rohkost mit Zitronensaft beträufeln: Auch das schützt vor Abbau.

→ **Mineralstoffe** sind stabil, können aber von viel Flüssigkeit ausgeschwemmt werden. Deshalb Kartoffeln oder Gemüse nie lange im Wasser stehen lassen und alle Garflüssigkeit mit verwenden. Blanchieren, das kurze Erhitzen von Gemüse in viel kochendem Wasser, raubt Gemüse viele Mineralstoffe: lieber kurz dämpfen oder dünsten (s. unten).

## Dünsten, dämpfen oder was?

→ **Dünsten** ist Garen im eigenen Saft: Zu Beginn wird etwas Fett zugegeben, damit nichts anbrennt. Dann gibt das zerkleinerte Gemüse Saft ab – eventuell noch etwas Flüssigkeit zugeben – und gart bei schwacher Hitze. Gedünstetes Gemüse schmeckt besonders aromatisch und mild. Blattgemüse wie Spinat, Pak-choi oder Mangold lässt man eher in einer Pfanne zusammenfallen – im Grund auch ein Kurzzeit-Dünsten.

→ Festes, voluminöses Gemüse wie Blumenkohl, Brokkoli, Rosenkohl oder Kohlrabi, aber auch Kartoffeln, werden häufig in Wasser **gekocht**. Eine schonende Alternative ist **Dämpfen** – Garen mit Heißdampf – entweder in einem flexiblen Dämpfeinsatz in einem Topf mit kochendem Wasser oder in einem Elektro-Dämpfer. Vorteile: Er hat eine Zeitschaltuhr und stellt sich selbst aus. Und das Dämpfwasser wird aufgefangen und kann für eine Sauce verwendet werden. Gedämpftes Gemüse gart ganz ohne Fett. Beim Kochen und Dämpfen immer den Deckel auflegen, sonst verdampft die Flüssigkeit und das Gemüse brennt an.

→ Eine Alternative ist das **Garen im Wok:** Kleingeschnittenes Gemüse wird bei starker Hitze nur kurz gebraten – ohne Deckel. Es bleibt dabei knackig. Wenn es klein genug ist, schafft das auch Ihr Kleinkind.

## Kochen oder Quellen?

→ Es gibt eine Gemüseart, die in Wasser kochen muss: **getrocknete Hülsenfrüchte** wie Linsen, Bohnen, Erbsen, Kichererbsen. Der Grund: Sie müssen die Flüssigkeit, die sie beim Trocknen verloren haben, wieder aufsaugen. Sie sollten erst nach dem Garen gesalzen werden, sie bleiben sonst hart. Am besten, Sie bemessen die Flüssigkeit so, dass sie am Ende völlig vom Gemüse aufgenommen wird: Dann gibt es keine Nährstoffverluste. Am besten mit dem Messbecher abmessen: auf 1 Teil Hülsenfrüchte 2 ½–3 Teile Wasser.

→ Bei **Reis und Getreideprodukten** wie Couscous und Bulgur ist es ähnlich: Sie müssen nur einmal aufkochen und können dann bei schwacher Hitze quellen. Auf 1 Teil Reis knapp die doppelte Menge Flüssigkeit rechnen. Ähnlich ist es bei anderen Getreideprodukten. Nur Maisgrieß braucht die 4-fache Menge Flüssigkeit! Wichtig: den Topf geschlossen halten, sonst verdampft zu viel Flüssigkeit.

→ So richtig in Wasser schwimmen müssen eigentlich nur **Nudeln.**

## Mikrowelle: zum Auftauen und Aufwärmen

→ Sämtliche Studien konnten **keine Veränderungen** bei normalem Gebrauch feststellen. Die Mikrowelle gart ebenso schonend wie ein Topf – vorausgesetzt, man hält die Garzeiten exakt ein. Eine Minute zu viel und das Gemüse wird zu weich. Außerdem verteilt sich die Hitze ungleichmäßig – deshalb gut mischen und probieren, damit Ihr Kind sich nicht verbrennt. Ob Sie nun im Topf oder in der Mikrowelle kochen, bleibt sich gleich. Aber wenn es darum geht, Reste portionsweise aufzuwärmen, ist die Mikrowelle unschlagbar.

→ Schützen Sie den Teller durch eine Haube oder Folie vor dem Austrocknen. Auch tiefgefrorene Gerichte oder Reste sind im Nu schonend aufgetaut und warm. Am besten in Tiefkühlboxen, die auch für die Mikrowelle geeignet sind.

## Instantprodukte: nur pur!

→ **Getreide** wie Reis, Couscous oder Bulgur, aber auch Schrot, wird zunehmend vorgedämpft angeboten. Natürlich sind Vitamine und Ballaststoffe durch das Verfahren etwas reduziert. Trotzdem sind diese Beilagen ideal für die Familienküche – wenn sie nicht gewürzt, aromatisiert und mit tausend Zutaten angereichert wurden. Bevorzugen Sie Vollkorn – vorgegart ist es nämlich viel weicher und einfach zu kauen.

→ **Instant-Kartoffelpüree und -klöße** sind noch stärker bearbeitet und enthalten Schwefel, was nicht jeder gut verträgt. Wenn Ihre Familie damit klarkommt – okay. Aber es ist so einfach, Püree aus frischen Kartoffeln selber zu stampfen. Es kommt auf die tägliche Kost an – die schafft Gewohnheiten und wirkt sich aus.

**Kurz & klein** Ein Blitzhacker sollte mindestens 600 Watt haben. Knoblauch & Zwiebeln nicht hacken, sie werden bitter.

**Handarbeit** Dieses Messer kann schneiden und wiegen: super für kleine Kräutermengen, Zwiebeln und Knoblauch.

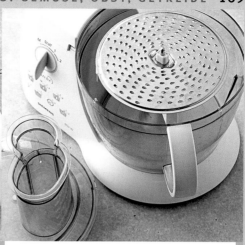

**Raspel & Scheiben** Für Puffer und Gratins aus Kartoffeln und Wurzelgemüse lohnt sich eine größere Küchenmaschine.

**Vielzweck-Presse** Zerdrückt außer Knoblauch auch frischen Ingwer oder kleine Mengen weicher Nüsse.

**Duftprobe** Nüsse und Samen schmecken frischer, wenn sie in einer beschichteten Pfanne ohne Fett geröstet werden.

**Zauberzwiebel** Zwiebel am Wurzelansatz sternförmig einschneiden, dann hauchdünn auf der Reibe hobeln.

**Spritzschutz** Cremige Gemüsesaucen blubbern, Puffer spritzen: Das lässt sich mit dem Spritzschutz verhindern.

**Sanft & pur** Im heißen Dampf gart Gemüse besonders knackig. Ideal ist eine Zeitschaltuhr, die verhindert Übergaren.

**Blitzschnell** Instant-Getreidebeilagen nur mit Flüssigkeit und Würze etwa 4 Min. bei 800 Watt aufkochen, 10 Min. quellen lassen.

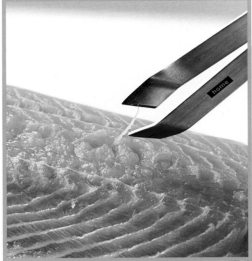

Gräten lassen sich mit den Fingern gut ertasten. Dann mit einer Pinzette herausziehen: je frischer der Fisch, desto schwieriger. Aus gegartem Fisch lassen sich die Gräten viel einfacher entfernen, sind aber nicht mehr so leicht zu erkennen.

*Fisch ist ein Schnellgericht. Einfach würzen und in einer Pfanne mit Sauce oder angedünstetem Gemüse zugedeckt nur noch einige Min. ziehen lassen (s. Seite 66). Dabei muss die Sauce nicht mehr richtig kochen. Im Backofen ist es wichtig, den Fisch vor dem Austrocknen zu schützen: entweder mit Kräuterhaube oder mit Alufolie abdecken.*

## Tipps für Fisch & Co.

Alles, was aus dem Meer kommt, enthält viel Jod, Fluor und → Omega-3-Fettsäuren – Nährstoffe, die knapp sind. Süßwasserfische wie Forelle und Karpfen haben davon nicht so viel zu bieten. Aber alle Fische sind reich an leicht verdaulichem Eiweiß. Trotzdem sollten Babys im 1. Jahr noch keinen Fisch essen wegen der Allergiegefahr (s. Seite 144). Im Laufe des 2. Jahres können Sie dann Ihr Kind langsam an Fisch, Krabben oder sogar Muscheln gewöhnen. Vielleicht ein Grund für Sie, sich mit Fisch vertraut zu machen.

### → Frische ist wichtig
Fisch besteht aus leicht verdaulichem Eiweiß, das sich schnell zersetzt. Deshalb einmal aufgetauten Fisch nicht wieder einfrieren. Vertrauen Sie Ihrer Nase: Frischer Fisch riecht nur nach Meer (und nicht nach Fisch!) und hat ein festes Fleisch: Wenn man mit dem Daumen hineindrückt, bleibt keine Delle zurück. Kaufen Sie möglichst mit Kühltasche ein und bewahren Sie den Fisch so kalt wie möglich auf: am besten vor dem Verdampfer des Kühlschranks. Spätestens am nächsten Tag zubereiten. Tiefgefrorener Fisch wird auf hoher See fangfrisch eingefroren und ist deshalb ebenfalls empfehlenswert.

### → Die drei S sind out
Säubern, säuern, salzen hieß früher die Regel im Umgang mit Fisch. Dadurch wird auch nicht mehr ganz so frischer Fisch fester und riecht besser. Wirklich frischer Fisch braucht diese Prozedur nicht – er wird nur wenn nötig gewaschen, dann gewürzt und verarbeitet. Fertig.

### → Gräten
Sie sind für Kleinkinder gefährlich. Wählen Sie Fische mit wenigen und dicken Gräten wie Lachsarten, Zander und Schellfisch. Thunfisch, Seelachs und Seeteufel (teuer!) haben kaum Gräten, Weißfische, Hecht, Karpfen eher viele. Bei tiefgefrorenen Filets macht sich Qualität auch im Preis bemerkbar: Grätenfrei ist etwas teurer. Ganz sicher sind Sie mit Fischklößchen (s. Seite 102): Durchs Pürieren werden zarte Gräten zerkleinert, größere entfernt. Sonst: Fisch auf dem Kinderteller zerlegen und dabei prüfen.

### → Sicherer Fang
Ein Drittel aller Fische kommt aus Farmen (s. auch Seite 84). Aus Süßwasserhaltung Forelle, Saibling, Karpfen, Tilapia, Zander und aus Farmen in der See Lachs, Heilbutt, Wolfsbarsch, Dorade und Steinbutt. Je kälter das Fanggebiet, desto mehr Omega-3-Fettsäuren haben diese Fische: Ihr Blut muss auch bei tiefen Temperaturen dünnflüssig bleiben. Bei Hochseefischen auf das Siegel → »Marine Stewardship Council (MSC)«, bei Thunfisch zusätzlich auf das → Delfinschutzsiegel achten.

### → Fischstäbchen
Ein Fischstäbchen enthält zwar nur knapp 20 g Fisch – aber das ist besser als nichts. Zum »Üben« von Fisch gut geeignet – nach dem Braten auf Küchenpapier das Fett abtropfen lassen.

### → Fisch aus der Dose
Thunfisch ist kindgerecht: grätenfrei, mild und als Brotbelag oder in Salaten gut zu verwerten. Bevorzugen Sie Thunfisch naturell. Hering ist ebenfalls eine sichere Sache und bei Kindern in Tomatensauce beliebt. Auch Sardinen sind eine gesunde Wahl. Fischkonserven sind eine gute Alternative zu Wurst und liefern neben Jod und Fluor auch Eisen. Sie sind durch das Sterilisieren automatisch gar.

### → Sushi
Für Kleinkinder ist roher Fisch noch nicht so empfehlenswert. Es gibt aber auch vegetarische Sushi-Varianten.

### → Räucherfisch
Durch das Räuchern wird der Fisch haltbarer gemacht. Vorher wird er eingesalzen. Deshalb nur in Maßen verwenden – oder pürieren und mit Quark oder Avocadomus strecken. Zweijährige dürfen schon mal davon probieren.

### → Marinaden
Matjes wird roh eingesalzen, Graved Lachs roh gesalzen und gezuckert – marinierter Fisch ist also eigentlich roh und reift durch die Lagerung. Auch hier gilt: Auf den Salzgehalt achten und gegen Ende des 2. Jahres probieren lassen.

### → Lebertran (Fischfett) wurde Kindern früher im Winter zur Vitamin-D-Versorgung gegeben. Heute gibt's D-Fluoretten (s. Seite 174).

## Welches Fleisch wofür?

Fleisch unterscheidet sich nicht nur von Tier zu Tier, sondern ist auch in den Teilstücken unterschiedlich. Grundsätzlich sind Geflügel und Schwein relativ zart und nicht so lange haltbar. Rind, Lamm und Wild sollten dagegen abhängen: ihr Fleisch reift durch die Lagerung. Fleisch besteht vor allem aus Muskelfasern und Bindegewebe. Je höher der Muskelanteil, desto kürzer ist die Garzeit, je mehr Bindegewebe, desto länger braucht das Fleisch.

→ **Kurzbraten** Zartes Fleisch mit hohem Muskelanteil eignet sich am besten, vor allem Teile aus dem Rücken und der Keule von Schnitzel über Kotelett bis zum Filet. Ist das Fleisch sehr mager wie Hühnerbrust oder Schweinelummer, dann die Hitze niedrig lassen oder das Teil panieren.

→ **Grillen** Das Fleisch sollte nicht nur zart, sondern auch hitzefest und saftig, also etwas fetter sein. Stiel und Halskotelett vom Schwein oder Lammkoteletts oder Steaks aus Rücken (Roastbeef und Filet) und Keule vom Rind sind ideal.

→ **Schmoren** ist langes Garen bei hoher Temperatur: Rouladen, Gulasch und Sauerbraten werden geschmort. Schulter vom Schwein, vor allem aber Hals, Schulter, Teile der Keule und Beinscheibe vom Rind sind ideal zum Schmoren.

→ **Braten im Ofen** bei hohen Temperaturen ist ideal für durchwachsene Stücke aus Halsgrat und Keule und für Rollbraten. Bei **niedriger Temperatur** von 80°–100° werden vor allem zarte, magere Teile butterweich: Putenbrust, Filets und magere Rückenteile. Fett brät bei diesen Temperaturen nicht aus – deshalb sind durchwachsene Teile nicht so gut geeignet.

→ **Kochen** ist für Suppen ideal: Beinscheibe oder Brust vom Rind eignen sich. Oder gepökelte Teile wie Kasseler oder das badische Schäufele.

### Hackfleisch frisch verarbeiten!

Das Hackfleisch sollte möglichst am selben Tag eingekauft und verarbeitet werden. Es gibt die **Hackfleischverordnung**, die vorschreibt, dass Hackfleisch nur an dem Tag verkauft werden darf, an dem es durch den Wolf gedreht wurde. Es muss bis zur Zubereitung im Kühlschrank aufbewahrt werden und sollte auch im Haushalt innerhalb von 24 Stunden gegart werden. Grund: Die durchs Zerkleinern große Oberfläche bietet eine ideale Vermehrungsmöglichkeit für Keime.

## Tricks und Tipps für die Fleischküche

Lassen Sie sich vom Metzger beraten. Rind und Lamm sollten abgehangen (eher dunkelrot) sein, Schweinefleisch hell, aber nicht wässrig, Kalbfleisch nicht zu blass. Für Schmorgerichte und zum Grillen darf Fleisch durchwachsen sein. Bei Geflügel können Sie kaum etwas falsch machen.

→ Waschen schwemmt Nährstoffe aus und spült Keime ins Gewebe. Deshalb ein appetitliches Stück Fleisch vor der Zubereitung **nicht waschen.** Durch das Anbraten wird die Oberfläche keimfrei – im Inneren ist es das sowieso. Außerdem spritzt das Stück dann beim Anbraten.

→ Fleisch in jedem Fall **vor dem Garen salzen!** Reiben Sie es rundherum mit Salz und Gewürzen ein und verarbeiten es zügig weiter. Erst bei langem Stehen zieht das Salz Wasser aus dem Gewebe.

→ Nach dem Braten – egal ob Steak oder Rollbraten – das Fleisch **in Alufolie wickeln** und **ruhen lassen,** während Sie die Sauce zubereiten. Eventuell den Ofen auf 60° stellen: Das Fleisch bleibt warm und gart nicht weiter. Die Temperatur breitet sich gleichmäßig aus, der Saft bleibt im Fleisch.

→ Machen Sie die **Daumenprobe:** Fleisch ist gar, wenn es sich anfühlt wie Ihr Daumenballen bei flach ausgestreckter Hand. Für Braten ein Bratenthermometer benutzen: Das gibt Gewissheit.

→ Für **Sauce zu Kurzgebratenem** überschüssiges Fett aus der Pfanne gießen. Im Fond 1–2 EL Tomatenmark anrösten, dann mit Instantbrühe aufgießen und einkochen lassen, mit Sahne abrunden. Schmeckt auch mit einigen Löffeln Tomatenmus oder Karottenbrei (Gläschen).

## Das Weiße vom Ei

Eiweiß lässt sich zu Schnee schlagen. Das macht Teige luftig und locker. Wichtig: Es darf kein Fett im Eiweiß, an der Schüssel oder den Rührbesen sein. Sonst fällt der Schnee zusammen wie Seifenblasen. Deshalb Schüssel und Rührgerät säubern und vorkühlen. Und: Es darf kein Eigelb ins Eiweiß gelangen, denn das enthält ebenfalls Fett. Das Eiweiß schlagen, bis es so fest ist, dass ein Schnitt mit dem Messer sichtbar bleibt. 1 Spritzer Zitronensaft festigt den Schnee. Steht Eischnee länger, setzt sich Eiweiß wieder ab. Dann einfach noch mal schlagen. Je frischer das Ei, desto steifer der Schnee: Bis zum 9. Tag werden Eier als »extrafrisch« gekennzeichnet. Je älter das Ei, desto flacher der Dotter.

## Milch & Co.

Milch ist Grundsubstanz sehr unterschiedlicher Produkte von Joghurt bis Käse. Sie macht die Küche vielseitig und tut Ihrem Kind gut.

→ **Frisch, H oder →ESL?** Frischmilch ist pasteurisiert und einige Tage haltbar, H-Milch bei Zimmertemperatur 30 Tage und die neue haltbare Frischmilch (ESL) im Kühlschrank 15–45 Tage. Alle sind für Kleinkinder geeignet und enthalten gleich viel Kalzium. Entscheiden Sie nach Geschmack und Einkaufsmöglichkeit. Und der Fettgehalt? Ist Ihr Kind eher dünn, nehmen Sie 3,5 %, sonst 1,5 % Fett.

→ **Joghurt** Versuchen Sie auf Joghurtsorten mit →Aromastoffen zu verzichten. Fruchtsüße – in der Regel Fructosesirup – ist nicht gesünder als Zucker. Je weniger sauer der Joghurt, desto weniger Zucker brauchen Sie – deshalb möglichst frisch verwenden: Joghurt wird beim Lagern saurer. → Probiotische Joghurts förderr eine gesunde Darmflora stärker als «normale» – aber nur, wenn man sie regelmäßig isst. Nach Antibiotika 14 Tage lang »kuren«.

→ **Buttermilch und Molke** Die eine fällt beim Buttern an und enthält besonders viel Kalzium und sehr wenig Fett, die andere entsteht bei der Käserei und ist ebenfalls fettarm und reich an verdauungsförderndem Milchzucker. Leider werden beide meist mit viel Süße und Aroma versetzt.

→ **Quark** entsteht durch Säuern der Milch, ist reich an Eiweiß, hat aber nicht so viel Kalzium wie Joghurt. Er ist eine tolle Grundlage für Dips, Brotaufstrich und Desserts. Magerquark mit Mineralwasser cremig schlagen.

→ **Fett i. Tr.** bedeutet Fett in Trockenmasse. Denn jeder Käse wird mit der Zeit trockener und ändert seine Zusammensetzung. Deshalb wird der Fettgehalt auf die Käsemasse ganz ohne Flüssigkeit umgerechnet. In Wirklichkeit hat das Käsestück nur halb so viel Fett wie Fett i. Tr. Bei Frischkäse sogar nur ein Viertel!

→ **Perfekter Schmelz** Hartkäse wie Emmentaler oder Bergkäse sind nicht nur wegen ihres würzigen Aromas perfekt für Gratins und Aufläufe: Gerieben schmelzen sie leicht – am besten zuvor kühlen, dann lassen sie sich besser reiben. Bevorzugen Sie eine Fettstufe von etwa 40 % – Magerkäse schmelzen schlecht.

→ **Lagern** Sie Käse am besten im Gemüsefach oder in der Tür des Kühlschranks. Frischhaltefolie schützt ihn vor dem Austrocknen. Damit er sein Aroma optimal entfaltet, 1 Stunde vor dem Essen herausnehmen. Frischkäse und Quark immer gut kühlen, Schmelzkäse ist auch bei Zimmertemperatur haltbar.

## Backen ist Erfahrungssache

**→ Der Backofen** Jeder Ofen backt anders – messen Sie mit einem Ofenthermometer einmal nach: Öfen können bis zu 30° von der angezeigten Temperatur abweichen. Ein ganz normaler Backofen mit Ober- und Unterhitze ist am günstigsten. Bei Umluft müssen Sie die Temperatur um 20° reduzieren – hier trocknet das Gebäck schneller aus.

**→ Die Form** Je dunkler und schwerer das Blech oder die Form, desto schneller bäckt der Inhalt – die Temperatur eventuell um 10° reduzieren. Leisten Sie sich eine beschichtete, kratzfeste Napfkuchen- und Springform. Für Muffins sind Silikonförmchen ideal – die können Sie auch in ein schlichtes Muffinsblech stellen. Fürs Blech am besten Backpapier benutzen.

**→ Zu dunkel** Wird die Oberfläche zu dunkel, Alufolie oder Backpapier locker auf den Kuchen legen. Wird das Gebäck unten zu dunkel, eine Schiene höher schieben. Notfalls die Kruste nach dem Erkalten mit einer feinen Reibe abraspeln, aprikotieren (s. unten) und mit Guss überziehen.

**→ Gar?** Für die Garprobe ein Holzspießchen in den Kuchen stecken: Bleibt kein Teig hängen, ist der Kuchen durch. Bei Keksen funktioniert das nicht – Sie müssen sich auf den Augenschein verlassen. Zu nasser Teig wird glitschig und gart auch bei verlängerter Backzeit nicht durch.

**→ Hefeteig geht nicht** Teig mit 1 EL Honig verkneten und im Backofen auf niedrigster Stufe 15 Min. gehen lassen. Tut sich nichts, 1 Packung Trockenhefe mit warmem Wasser und 1 TL Zucker anrühren und unterkneten.

**→ Mürbeteigboden** vor dem Belegen mit einer Gabel einstechen. Bei sehr saftigem Belag gemahlene Nüsse oder Semmelbrösel drunter streuen.

**→ Teigkonsistenz** Ist der Teig zu fest, mit Wasser besprühen und kneten. Zu weich? Das kann an weichem Fett liegen – kurz ins Tiefkühlfach legen. Zu nass? Etwas Mehl oder Instant-Haferflocken einarbeiten.

**→ Zucker aromatisieren** Vanillezucker selber machen: 1 Vanilleschote mit Zucker in ein Schraubglas geben und mindestens 2 Wochen ziehen lassen. Funktioniert auch mit Zitronen- und Orangenschale.

### Selber machen!

Das Backen zieht (nicht nur) Kinder magisch an: der Duft, die Süße, das Kneten. Noch ist Ihr Kind nicht so geschickt und Küchenmaschinen sind langweilig und gefährlich. Deshalb am besten mit Hefeteig beginnen, den auch schon kleine Hände bearbeiten und formen können. Er muss noch nicht mal süß sein!

## Superdeko, die toll schmeckt

**→** Kuchen und Gebäck sollen nicht nur toll aussehen, sondern auch gut tun. Grundsätzlich gilt: Weniger ist mehr und **je natürlicher die Dekomaterialien,** desto besser.

**→** Egal, wie Sie den Kuchen überziehen: Zunächst wird **aprikotiert,** d. h. mit Konfitüre, z. B. aus Aprikosen, eingepinselt. Vorher durch ein Sieb streichen oder gleich Quitten- oder Apfelgelee nehmen. Darauf Kokosflocken, geröstete Buchweizenkörner oder Nüsse streuen. Alternativ **Schokoglasur** (1 Teil Kokosfett + 4 Teile Kuvertüre) oder **Zuckerguss** (1–2 EL kochendes Wasser auf 100 g Puderzucker) darüber verteilen. Oder eine Fondantdecke darüber legen (s. Seite 157).

**→** Sie können die **Verzierung** auch **gleich mitbacken:** Die Form erst fetten, dann den Boden mit geschälten Mandeln oder Pinienkernen auslegen oder mit hellen Sesamsamen ausstreuen. Schokokuchen wird glänzend dunkel, wenn Sie die gebutterte Form mit Kakaopulver dünn ausstreuen. Vorsicht mit Zucker und Trockenfrüchten: Sie verbrennen schnell.

**→ Dekorationen** wie Trockenfrüchte (Cranberrys, Bananenchips oder Aprikosen), Gummibärchen oder Schokolinsen nachträglich mit cremigem Honig auf das Gebäck kleben.

# VITAMINE

| Vita-mine | Natürliche Quellen | Funktionen im Körper | Schwangere und Stillende | Baby und Kleinkind | Gut zu wissen |
|---|---|---|---|---|---|
| A bzw. Vorstufe Beta-Karotin | gelbes & grünes Gemüse (Möhren, Spinat, Brokkoli, Grünkohl), Käse, Ei, Leber, Aprikose, Kaki | Teil des Sehpurpurs, Erhaltung der Haut, als Beta-Karotin Schutz der Zellwand | Schwangerschaft: erhöhter Bedarf. Aber bei Überdosierung bis 3. Monat Gefahr für Fetus: Vorsicht mit Leber und Algen, Bio-Leberwurst bevorzugen. Im 2./3. Trimester wichtig für Lungenfunktion. Wer länger als 4 Monate stillt, hat erhöhten Bedarf. | Babys und Kleinkinder speichern wenig Vitamin A. Bei Fieber steigen die Ausscheidung und der Bedarf. Viel karotinreiches Gemüse geben – ab und zu etwas Leberwurst, am besten Bio. | Vitamin A und Beta-Karotine sind vor allem aus gekochten Lebensmitteln gut verfügbar (z. B. Tomatenmark und Möhrensaft). Sie werden mit etwas Fett (z. B. 1 EL Öl im Möhrensalat) besonders gut aufgenommen. |
| D | fetter Seefisch, Eigelb, Pilze, Fleisch; wird in der Haut von UV-Strahlen gebildet | Bildung von Knochen und Knorpel | Während der Schwangerschaft und der Stillzeit besteht kein erhöhter Bedarf an Vitamin D. | Im 1. Jahr ist zusätzliche Gabe wichtig (D-Fluoretten; 400–500 i. E.). Danach genügt viel Aufenthalt im Freien. Im 2. Winter gibt's eventuell eine zusätzliche Gabe (s. o.). | Cremen Sie Ihr Kind nicht mit übertrieben hohem Lichtschutzfaktor ein, wenn es im Freien ist. Das schränkt die Vitamin-D-Bildung nämlich erheblich ein. |
| E | pflanzliche Fette (Öl, Margarine), in Getreide, Nüssen, Mandeln, Leinsamen, Weizenkeimen, Hülsenfrüchten, Hering, Makrele | Schützt andere Vitamine, z. B. Vitamin A und C und ungesättigte Fettsäuren vor Abbau; schützt Zellen und Leber | Durch den erhöhten Stoffwechselumsatz steigt auch der Bedarf an Vitamin E. Gute Versorgung schlägt sich in der Muttermilch nieder. | Neugeborene verfügen über einen geringen Vitamin-E-Speicher. Muttermilch und Säuglingsnahrung versorgen ausreichend. | Sonnenblumenöl ist ein guter Vitamin-E-Lieferant. Öl an einem dunklen, kühlen Ort aufbewahren, Vitamin E ist sehr licht- und hitzeempfindlich. |
| K | grünes Gemüse (Spinat, Grünkohl, Blumenkohl), Leber; wird auch im Dickdarm gebildet | Blutgerinnung, Knochenbildung | Die zusätzliche Einnahme von Vitamin K während Schwangerschaft und Stillzeit kann helfen, die Versorgung des Babys zu sichern. | Neugeborene können Vitamin K noch nicht selbst bilden, deshalb bekommen sie eine Spritze mit Vitamin K. Stillbabys bekommen bei U 2 und U 3 noch eine Gabe. Säuglingsmilchnahrung ist damit angereichert. | Vitamin K ist fettlöslich. Geben Sie deshalb etwas Fett oder Öl zum Essen, um es in der Nahrung verfügbar zu machen. Bedarf steigt durch Antibiotika. |
| $B_1$ | Vollkorngetreide (Hafer), Sprossen, Schweinefleisch, Hülsenfrüchte, Austern, Sonnenblumenkerne, Sesam, Hefeflocken | Nervenzellen, Muskeln, Energiestoffwechsel | Für Schwangere ist der Bedarf an Vitamin $B_1$ erhöht. Ebenso für Stillende, damit die Muttermilch ausreichend Vitamin $B_1$ enthält. | Kein erhöhter Bedarf | Es wird zum Kohlenhydratabbau benötigt. Eine kohlenhydrat- bzw. zuckerreiche Ernährung verbraucht viel Vitamin $B_1$. Sulfide (Nahrungs- oder Arzneizusätze) inaktivieren Vitamin $B_1$. |
| $B_2$ | Milch und Milchprodukte, Quark, Käse, Ei | Regelt den Stoffwechsel von Eiweiß, Fett und Kohlenhydraten | Die wünschenswerte Zufuhr von Vitamin $B_2$ ist leicht erhöht. | Die Versorgung ist ausreichend, erst ab 12 Jahren kann sie unter Umständen knapp sein. | Bei Milchunverträglichkeit ist Hefe, z. B. als Flocken im Reformhaus erhältlich, eine gute Vitamin-$B_2$-Quelle. |
| $B_6$ | Vollkorngetreide, Weizenkeime, Soja, Fleisch, Seefisch, Banane, Kohl, Lauch, Paprika | Regelt Eiweißstoffwechsel, wichtig für Wachstum, Nerven, rote Blutkörperchen, Gewebshormone | Schwangere und Stillende haben durch Zellneubildung einen erhöhten Bedarf an Vitamin $B_6$. | Durch Muttermilch ausreichend versorgt, Säuglingsmilchnahrung ist angereichert. Erhöhter Bedarf in allen späteren Wachstumsphasen von Kindern. | Antibiotika und andere Arzneimittel können die Aufnahme behindern. Es muss laufend aufgenommen werden, da es wasserlöslich ist und deshalb vom Körper kaum gespeichert werden kann. |
| $B_{12}$ | Milch, Sauermilchprodukte, Fleisch, Ei, Käse, Lachs, milchsaures Gemüse (durch Mikroorganismen). Kommt nur in Lebensmitteln tierischen Ursprungs vor. | Zellaufbau, Blutbildung | Erhöhter Bedarf durch Zellwachstum | Gute Versorgung durch Muttermilch und später durch die Beikost. Aber bei Mangel bei der Mutter schon vor der Geburt schwere Schäden möglich. | Problematisch bei veganer (rein pflanzlicher) Ernährung. Um schwere Mangelzustände zu vermeiden, sollten sich Veganer vom Hausarzt beraten lassen. |
| Niacin | Vollkorngetreide, Hülsenfrüchte, Fleisch, Seefisch, Pilze, Kartoffeln | Regelt Energieumsatz im Körper | Durch Zellwachstum und Milchbildung steigt der Bedarf etwas – kein Problem. | Babys und Kleinkinder haben keinen erhöhten Bedarf an Niacin. | Bei schwerem Durchfall kann der Bedarf erhöht sein. |
| Folsäure | Frischgemüse: rote Bete, Kohl, Spinat, Fenchel, Kopfsalat, Lauch, Sellerie; Leber; Mungobohnen, Kichererbsen; Bäckerhefe; Frischobst: Orange, Erdbeeren, Kirschen | Wichtig für Blutbildung, Zellteilung | Folsäuremangel im 1. Trimester kann zu → Neuralrohrdefekten beim Kind führen. Auch Stillende haben Mehrbedarf. Viel rohes Obst und Gemüse mit Folsäure hilft. | Kleinkinder haben in der Wachstumsphase einen erhöhten Bedarf an Folsäure. | Das Wachstumsvitamin. Es ist sehr licht- und hitzeempfindlich, deshalb regelmäßig rohes Obst und Gemüse essen. Mit Folsäure angereichertes Salz nehmen – es ist gelb. |
| Pantothensäure | Leber, Hefe, Eigelb, Vollkorngetreide, Melone, Brokkoli, Pilze | Regelt Stoffwechsel von Fett, Eiweiß, Kohlenhydraten; Haarwuchs, Hautwachstum | Kein erhöhter Bedarf | Babys und Kleinkinder werden über die Nahrung ausreichend versorgt. | Da sie in fast allen Lebensmitteln vorkommt, ist ein Mangel praktisch ausgeschlossen, außer bei genereller Unterernährung. |
| Biotin | Leber, Trockenhefe, Eigelb, Sprossen, Soja | Regelt Stoffwechsel von Fett, Eiweiß, Kohlenhydraten | Kein erhöhter Bedarf | Kein erhöhter Bedarf | Biotinmangel ist sehr selten. Kann durch den Genuss von rohem Eiweiß, das Biotin bindet, auftreten. |
| C | Gemüse: Kohl, Spinat, Paprika, Brokkoli, Fenchel, Mangold; Obst: Zitrusfrüchte, Beeren, Fruchtsäfte | Wichtig für Zellstoffwechsel, Bindegewebsbildung, Verbesserung der Eisenaufnahme, Immunabwehr | Schwangere und Stillende haben einen erhöhten Bedarf. | Neugeborene werden mit der Muttermilch ausreichend mit Vitamin C versorgt. Im Alter von 6–12 Monaten ist Beikost mit Gemüse und Obst (Saft) wichtig. | Vitamin C ist empfindlich gegen Licht, Hitze und Sauerstoff. Obst und Gemüse deshalb kühl, dunkel und kurz lagern. Vitamin C wird in der Lebensmittelproduktion oft als Antioxidans eingesetzt. |

# MINERALSTOFFE UND SPURENELEMENTE

| Mineral-stoffe | Natürliches Vorkommen | Funktionen im Körper | Schwangere und Stillende | Baby und Kleinkind | Gut zu wissen |
|---|---|---|---|---|---|
| **Natrium** | Kochsalz (Natrium-chlorid), Backpulver, salzige Lebensmittel wie Brot, Käse, Wurst | Regelt Zelldruck, Auf-nahme von Zucker und Aminosäuren, Erregbar-keit der Muskeln und der Nerven | Der Mehrbedarf ist einfach zu decken. Keine salzarme Kost – vor allem nicht bei Gestose (s. Seite 12)! | Muttermilch, Säuglingsnahrung und später Beikost decken den Bedarf. Im 1. Jahr nicht salzen. Ab 10. Monat ist leicht gesalzene Familienkost okay. | Durch Schwitzen verliert der Körper viel Natrium. Nach dem Sport oder im Hochsommer deshalb etwas kräftiger salzen. |
| **Chlorid** | Kochsalz, Backpulver, salzige Lebensmittel wie Brot, Käse, Wurst | Wichtig für den Säure-Basen-Haushalt, Bestandteil der Salzsäure im Magen | Chlorid wird mit Natrium zusammen in Form von Kochsalz aufgenommen. | Das Verhältnis von Natrium und Kalium zu Chlorid ist wichtig. Muttermilch stellt sie dem Säugling in optimalem Verhältnis zur Verfügung. | Chlorid ist negativ geladen, während Natrium und Kalium positiv sind. Zusammen sind alle 3 für den Elektrolyt-haushalt wichtig. |
| **Kalium** | Kartoffeln, Gemüse, Obst, Hülsenfrüchte, Getreide (Vollkorn), Nüsse und Samen | Regelt Zelldruck zusam-men mit Natrium, Erreg-barkeit der Nerven und der Muskeln, Säure-Basen-Haushalt, Eiweißbildung, Energiestoffwechsel | Es besteht nur ein leichter Mehrbedarf, der mit der normalen Kost gedeckt wird. | Während des Wachstums ist das Kalium wichtig für die Zellen. | Kalium ist vor allem in pflanz-lichen Lebensmitteln und wirkt leicht entwässernd. Wird beim Kochen ausge-schwemmt, deshalb lieber dünsten. |
| **Kalzium** | Milch und Milchproduk-te, Käse, Sesamsamen, Nüsse, Hülsenfrüchte, grünes Blattgemüse, einige Mineralwässer | Aufbau von Knochen und Zähnen, Blutgerinnung, Herztätigkeit, Energie-stoffwechsel, Nerven-tätigkeit | Eine Verteilung von mehreren kalziumreichen Mahlzeiten über den Tag ist vorteilhaft für die Aufnahme. | Säuglinge haben mit Muttermilch oder Säuglingsnahrung eine optimale Kalziumquelle. Später sind fettarme Milch und Milchprodukte ideal. | Die Kalziumaufnahme wird durch eine gute Vitamin-D-Versorgung gesteigert. Oxal-säure (Spinat, Sauerampfer, Rhabarber) und Phytat in Vollkorn binden Kalzium. |
| **Phosphor** | Käse, Fleisch, Wurst, Nüsse, Getreide, Hefe, Fertiggerichte, Erfri-schungsgetränke | Bestandteil von Zellmem-branen, Knochen, Zähnen, Körpereiweiß; wichtig für Energiestoffwechsel, Nerventätigkeit | Ein Zuschlag von 100 mg für Schwangere und 200 mg für Stillende pro Tag werden empfohlen. | Phosphat hilft bei der Mineralisierung des Skeletts und ist in allen Lebens-mitteln enthalten. | Zu viel Phosphor wurde für Hyperaktivität (ADHS) verant-wortlich gemacht – das konnte nie bestätigt werden. Auch der Ruf als Kalziumräuber ist unbegründet. |
| **Magnesium** | Getreide (Vollkorn), Reis, Krustentiere, Hülsen-früchte, Gemüse, Kar-toffeln, Kakao, Nüsse und Samen | Bestandteil von Knochen und Muskeln, wichtig für Energie- und Eiweißstoff-wechsel, Muskelaktionen, Immunkräfte | In der Schwangerschaft aus-reichend. In der Stillzeit ist eine zusätzliche Zufuhr pro Tag mit der Nahrung nötig. | Säuglinge und Kleinkinder sind in der Regel gut mit Magnesium versorgt. | Krämpfe in Unterschenkel und Füßen können auf Magnesiummangel hinweisen. Pflanzliche Lebensmittel und magnesiumreiches Mineral-wasser (> 100 mg/l) bevor-zugen. |

## Spurenelemente

| | | | | | |
|---|---|---|---|---|---|
| **Eisen** | Fleisch, Innereien, Vollkorngetreide (Hirse), Hülsenfrüchte, Sesam-samen, Aprikosen, Spinat, Kopfsalat, Kresse, Gartenkräuter | Wichtig für Blutbildung, Sauerstoffversorgung, Immunreaktion | In der Schwangerschaft ist der Eisenbedarf auf 30 mg/Tag verdoppelt. Mit der Nahrung ist das nicht zu schaffen. In der Stillzeit werden noch 20 mg/Tag benötigt. | Säuglinge haben bis zum 4. Monat eigene Eisenspeicher, die sie aufbrau-chen können. Mit dem Mittagsbrei mit Fleisch wird der steigende Bedarf gedeckt. Eine gute Eisenversorgung ist in der Wachstumsphase sehr wichtig. | Dunkles Fleisch wie Rind oder Lamm enthält mehr Eisen als helles wie Geflügel und Schwein. Bei vegetarischer Ernährung viel Sesam, Man-deln, Nüsse und Samen essen und dazu Vitamin-C-reiches Obst oder Gemüse. |
| **Jod** | Trinkwasser, Seefisch, jodiertes Speisesalz, Algen | Bestandteil des Schild-drüsenhormons | Jod ist in der Schwangerschaft wichtig zur Vorbeugung von Kropf beim Neugeborenen und für ausrei-chend Jod in der Muttermilch. | Bei adäquater Jodversorgung der Mutter wird der Bedarf des Säuglings mit der Muttermilch abgedeckt. Säuglings-anfangsnahrungen bieten genügend Jod. | Europa ist Jodmangelgebiet. Deshalb Jodsalz nutzen und Brot verwenden, das mit Jodsalz gebacken wird. |
| **Fluorid** | Trinkwasser, Fisch, Fleisch, fluoridiertes Salz, Zahnpasta | Härtung des Zahnschmel-zes, stärkt Haare, Nägel, Haut, Bindegewebe und Bänder | Fluorid kann über fluoridiertes Salz aufgenommen werden. | Säuglinge erhalten Fluoridtabletten zur Stärkung der Zähne und Knochen. Später kann angereicherte Zahnpasta zum Kariesschutz beitragen. | Fluoridiertes Salz nehmen. Fluor-Zahnpasta benutzen. |
| **Selen** | Fisch, Fleisch, Soja-bohnen, Getreide (Vollkorn), Kokosnuss | Bestandteil von ent-giftenden Enzymen, → antioxidativer Schutz | Zufuhr kein Problem. Der Anteil des Selens in der Muttermilch nimmt mit der Stilldauer zu. | Säuglinge haben eigene Speicher, er-halten über die Muttermilch eine auf sie abgestimmte Menge. Mit der Beikost steigt das Angebot weiter an. | Strikte Veganer haben ein erhöhtes Risiko, an Selen-mangel zu leiden. |
| **Zink** | Fisch, Schalentiere, Fleisch, Milch & Milch-produkte, Getreide (Vollkorn), Nüsse und Samen, Eigelb | Eiweiß- und Kohlenhydrat-stoffwechsel, Immun-system, Insulinproduktion, Stabilisierung der Zell-wände, Wundheilung | In Schwangerschaft und Stillzeit steigt der Zinkbedarf an. | Zink ist während des Wachstums wichtig. Muttermilch/Säuglingsnahrung und Beikost tragen zu einer steigenden Versorgung bei. | Eine fettreiche Ernährung hemmt die Zinkaufnahme. Vegetarier sollten viele Nüsse und Kerne essen. |

# GLOSSAR

### ACRYLAMID
A. wird durch starkes Erhitzen von Kartoffel- und Getreideprodukten gebildet. Feuchtigkeit verhindert das: Beim Kochen und Dampfgaren entsteht es nicht. Im Tierversuch ist es Krebs erregend und Erbgut schädigend, die Wirkung auf den Menschen ist noch unklar. Je trockener ein Lebensmittel ist und je dunkler die Kruste, desto mehr A. hat sie. Was tun? »Vergolden statt verkohlen« ist die Devise. Das gilt auch für Toastbrot, Pizza, Kuchen und Kekse. Besonders belastete Produkte wie Pommes, Chips, Cerealien, Knäckebrot und Kekse nicht zu häufig essen.

### ANTIOXIDANTIEN
A. »entwaffnen« aggressive Substanzen (freie Radikale), die z. B. in Zigarettenrauch, Abgasen oder Pestiziden enthalten sind und unsere Körperzellen schädigen können. Das schützt vor Krebs, Herzinfarkt und vorzeitiger Alterung. A. sind z. B. die → Vitamine A, C und E, einige Mineralstoffe (Eisen, Zink, Kupfer, Mangan, Selen) und die große Gruppe der → sekundären Pflanzenstoffe. Die beste »Waffe«: 5 Portionen Obst und Gemüse am Tag (www.5amtag.de).

### AROMASTOFFE
Es gibt drei Arten: 1. Natürliche A. aus natürlichen Grundprodukten wie Vanillearoma aus Vanilleschoten, aber auch Erdbeeraroma aus Holzspänen. 2. Naturidentische, im Labor dem natürlichen Vorbild nachgebaute wie Vanillin. 3. Künstliche, im Labor erfundene. Die zugesetzten Aromen schmecken sehr intensiv und typisch. Je öfter wir Lebensmittel mit Aromen und Geschmacksverstärkern essen, desto stärker werden die Geschmacksnerven darauf gepolt und wir finden »normales«, selbstgekochtes Essen ohne Aromadoping schließlich zu lasch. Sie können minderwertige Qualität der Lebensmittel übertünchen

### BENZPYRENE
B. können beim Backen, Braten, Grillen und Räuchern entstehen, kommen aber auch in Autoabgasen und Zigaretten vor. Besonders viele B. entstehen beim Pökeln und Räuchern von Fisch und Fleisch. Der Genuss von zu vielen gepökelten, geräucherten Fleischwaren scheint das Krebsrisiko zu erhöhen, daher diese in Maßen verzehren.

### BERBERITZE
Die kleinen roten Beeren schmecken süßsauer und sind sehr reich an Vitamin C. B. besitzen antiseptische und entgiftende Wirkung und werden bei Magen-Darm-Störungen, Leber- und Gallenleiden eingesetzt. Sie wirken als Sud magenstärkend und gegen Durchfall.

### BIFIDUS-FAKTOR
Muttermilch enthält neben der → Laktose andere Kohlenhydrate, die der Bifidusflora des Säuglings als Nahrung dienen. Die Bifidusbakterien besiedeln den Darm und schaffen ein saures Milieu, das andere krankheitsverursachende Bakterien im Wachstum hemmt und so den Ausbruch einer Infektion verhindert.

### BIO
Die Begriffe »Bio« und »Öko« sind durch die EU-Öko-Verordnung geschützt. Produkte, die diese Bezeichnung tragen, werden nach den Richtlinien der Verordnung erzeugt, verarbeitet und kontrolliert. Gekennzeichnet sind sie mit dem Bio-Siegel und einer vorgeschriebenen Kontrollstellennummer (in Deutschland: DE-0XX-Öko-Kontrollstelle). Vorsicht bei schwammigen Begriffen wie »alternative Haltung«, »naturnah«, »integrierter oder kontrollierter Anbau« (www.bio-siegel.de).

### BIOAKTIVSTOFFE
Das sind pflanzliche Inhaltsstoffe, die eine positive Wirkung auf unsere Gesundheit haben. Dazu gehören auch die → sekundären Pflanzenstoffe. Daneben haben die Ballaststoffe eine besondere Rolle in der Gruppe der B. Sie wirken sättigend, sorgen für eine gesunde Darmflora und binden schädliche Substanzen.
B. kommen auch in fermentierten Lebensmitteln vor wie Sauermilchprodukten oder Sauerkraut.

### BIOGENE AMINE
Sie entstehen beim Ab- oder Umbau eiweißhaltiger Lebensmittel. Da dies vorwiegend durch Mikroorganismen passiert, werden die Amine als biogen bezeichnet. Eine zu hohe Zufuhr kann bei empfindlichen Menschen zu Kopfschmerzen, Hautreizungen, Atemnot, Magen-Darm-Beschwerden, Schwitzen, einem trockenen Gefühl im Mund sowie zu Blutdruckveränderungen führen. Lebensmittel mit einem hohen Gehalt an b. A. sind: gereifte bzw. fermentierte Lebensmittel wie Sauerkraut, Bier, Wein, Käse, Wurst und Schokolade.

### BIOLOGISCHE WERTIGKEIT
Sie ist ein Bewertungsmaßstab für die Qualität eines Nahrungsproteins (→ Eiweiß). Sie ist umso höher, je ähnlicher das Nahrungsprotein dem Körperprotein in seiner Aminosäurenzusammensetzung ist. Als Referenzwert dient Vollei, dessen b. W. mit 100 bestimmt wurde. Durch geschickte Kombination können Nahrungsmittel mit einer relativ geringen b. W. aufgewertet werden. Ideale Kombinationen: Kartoffeln und Ei wie im Bauernomelett, Getreide und Milch wie beim Käsebrot oder Müsli, Hülsenfrüchte und Getreide wie bei Tortilla mit Roten Bohnen oder Spätzle mit Linsen.

| Lebensmittel | Biologische Wertigkeit |
|---|---|
| Vollei | 100 |
| Kuhmilch | 88 |
| Thunfisch | 92 |
| Kartoffeln | 98–100 |
| Soja | 84–86 |
| Käse | 85 |
| Reis | 81 |
| Bohnen | 72 |
| Roggenmehl | 76–83 |
| Rindfleisch | 92 |
| 64 % Kartoffel + 36 % Ei | 136 |
| 25 % Weizen + 75 % Milch | 125 |

### BIO-SIEGEL → Bio

### BMI
BMI bedeutet Body Mass Index (engl. Körpermassenindex). Er stellt das Verhältnis vom Körpergewicht zur Größe dar und wird zur Beurteilung des Körpergewichtes herangezogen. Berechnet wird er folgendermaßen: $BMI = kg/m^2$, also Gewicht in kg geteilt durch Körpergröße im Quadrat. Der so ermittelte Wert wird mit Normalwerten verglichen. Unterhalb eines Grenzwertes besteht Untergewicht, darüber Übergewicht. Bei Kindern muss man Wachstumsschübe, also das Alter, einkalkulieren. Auf den Kurven auf Seite 146/147 können Sie nachsehen, ob das Gewicht Ihres Kindes im richtigen Bereich liegt.
Beispiel: Ihr Kind wiegt bei 85 cm 12 kg:

$$BMI = \frac{12}{0{,}85 \times 0{,}85 \ (= 0{,}7225)} = 16{,}61$$

Wenn Ihr Kind gerade 2 Jahre alt ist, liegt es

mit dem BMI von 16,6 fast in der idealen Mitte. Sehr kleinwüchsige Kinder haben einen relativ hohen BMI, ohne zwangsläufig übergewichtig zu sein.

## BORRETSCHÖL

Das Öl wird aus den Samen der Borretschpflanze gewonnen. Es kann äußerlich und innerlich angewendet werden und ist reich an → Gamma-Linolensäure.

## BOTULISMUS → Seite 54

## BRAUNE FETTZELLEN

Das braune Fettgewebe kann Wärme produzieren und kommt nur beim Baby vor. Es hat die Funktion, den Säugling aktiv vor Kälte zu schützen und ist auf die Schultern, den Aortenbogen, die Schilddrüse und die Nierengegend beschränkt. Die bräunliche Farbe entsteht durch die zahlreichen Mitochondrien, die sich in den Zellen befinden.

## CASEIN

C. ist ein Milcheiweiß und der Hauptbestandteil von Milch und Käse.

## CHININ

Ch. wird aus der Rinde des Chinarindenbaums gewonnen. Es schmeckt bitter, hat fiebersenkende und schmerzstillende Eigenschaften und wird z. B. zur Behandlung von Malaria eingesetzt. Tonic Water und Bitter Lemon haben ihren Bittergeschmack durch Ch. Schwangere sollten solche Getränke meiden, da Ch. anregend auf die Gebärmuttermuskulatur wirkt und so Wehen fördern kann. Ch.haltige Lebensmittel müssen gekennzeichnet werden.

## CONVENIENCE FOOD

Als C. F. (convenience = engl.: Bequemlichkeit) bezeichnet man solche Nahrungsmittel, die fast fertig zubereitet sind, so dass der Verbraucher sie mit wenigen Handgriffen fertig stellen und verzehren kann – z. B. Tiefkühlpizza oder fertige Nudelsaucen, die man nur noch erwärmen muss. Auf deutsch: Fertig- oder Halbfertigprodukte.

## DELFINSCHUTZSIEGEL

In den 90er-Jahren begann die Gesellschaft zur Rettung der Delfine das internationale Thunfisch-Kontrollprogramm des amerikanischen Earth Island Instituts auch in Deutschland umzusetzen. Hiernach verpflichten sich deutsche Importeure und Händler, nur Thunfisch anzubieten, der nicht mit Treibnetzen oder durch Umkreisen mit so genannten Ringwaden gefangen wurde (www.delphinschutz.org).

## DIABETES MELLITUS TYP 1

Typ-1-Diabetes wurde früher auch juveniler D. genannt, da er hauptsächlich im Kindes- und Jugendalter auftritt. Ausgelöst durch eine Autoimmunerkrankung versagen die insulinproduzierenden Zellen der Bauchspeicheldrüse. Das Insulin ist wichtig für die Regulation des Blutzuckerspiegels nach den Mahlzeiten: Es schleust Zucker aus dem Blut in die Zellen. Symptome des D. sind neben einem hohen Blutzuckerspiegel ein starkes Durstempfinden, vermehrtes Wasserlassen, Heißhunger, Juckreiz, Müdigkeit und Anfälligkeit für Infektionen. Da der Körper das Insulin zur Blutzuckerregulation nicht mehr selbst herstellen kann, muss es injiziert werden. Eine gute Einstellung des Blutzuckerspiegels ist nicht nur für Leistungsfähigkeit und Wohlbefinden wichtig, sondern beugt auch Folgeerkrankungen vor.

## DIABETES MELLITUS TYP 2

Er tritt meist erst im Alter auf und wird durch Übergewicht begünstigt. Wegen einer unausgeglichenen Stoffwechsellage benötigt der Körper immer mehr Insulin, um den Zucker aus dem Blut zu verwerten (Insulinresistenz). Die insulinproduzierenden Zellen der Bauchspeicheldrüse ermüden dabei langsam. Oft hilft eine Gewichtsreduktion. Schwangerschaftsdiabetes (s. Seite 12) entspricht dem Typ 2.

## EHEC → Seite 15 und 166/167

## EIWEISS

E. (Protein) gehört zu den drei energieliefernden Grundbausteinen unserer Ernährung. Aus ihm sind unsere Zellen, die Erbinformation, Hormone und → Enzyme aufgebaut. Es besteht aus 20 verschiedenen Aminosäuren, von denen 9 lebensnotwendig sind, d. h., mit der Nahrung zugeführt werden müssen. Bei Kindern sollten 12–15 % der Nahrungsenergie aus Eiweiß stammen. Tierisches E. ist in Fleisch, Fisch, Ei und Milchprodukten, pflanzliches in Getreide, Nüssen und Samen, Pilzen und Hülsenfrüchten enthalten. Ideal ist eine Kombination aus beiden (→ biologische Wertigkeit).

## ELIMINATIONSDIÄT

Sie dient in der allergologischen Diagnostik zur Überprüfung des Verdachts, ob eine Lebensmittelallergie vorliegt. Bei einer E. werden Stoffe, die verdächtigt werden, z. B. eine Lebensmittelallergie oder -unverträglichkeit hervorzurufen, Schritt für Schritt eliminiert bzw. weggelassen. Im Säuglingsalter wird bei Milchersatz eine reine Ernährung mit → hydrolysierter Säuglingsnahrung auf Aminosäurenbasis empfohlen. Besteht dagegen ein Verdacht gegen ein konkretes Lebensmittel, wird eine spezifische E. eingesetzt. Zur endgültigen Bestätigung des Vorliegens einer Lebensmittelallergie wird ein → Provokationstest gemacht. Da Lebensmittelallergien, die im Säuglings- oder Kleinkindalter auftreten, meist im frühen Kindesalter wieder verschwinden, sollte jährlich ein Provokationstest durchgeführt werden.

## ENERGIE, GRUNDBAUSTEINE
→ Eiweiß, → Fett, → Kohlenhydrate

## ENZYME

E. sind Biokatalysatoren, die aus → Eiweiß aufgebaut sind. Sie beschleunigen chemische Reaktionen, ohne das Ergebnis der Reaktion zu verändern. Im menschlichen Organismus spielen sie eine wichtige Rolle, indem sie z. B. die Verdauung unterstützen und im Stoffwechsel jeder einzelnen Zelle helfen. Über die Nahrung aufgenommene E. werden wie alle Eiweiße im Magen in ihre Bestandteile gespalten.

## ERNÄHRUNGSBERATUNG

Ernährungsfachkräfte vermitteln grundlegendes Wissen zum Thema Ernährung. Bei ernährungsbedingten Krankheiten, Allergien und Unverträglichkeiten hilft die E. bei der Auswahl der richtigen Lebensmittel. Krankenkassen übernehmen nach ärztlicher Verschreibung in bestimmten Fällen die Kosten für Einzel- oder Gruppenberatungen bei anerkannten, niedergelassenen Ernährungsberatern. Informationen über Beratungsstellen in Ihrer Nähe erhalten Sie unter www.dge.de, www.quetheb.de oder www.vdoe.de und über Ihre Krankenkasse.

## ESL-VERFAHREN (engl. Extended Shelf Life = verlängerte Restlaufzeit) Das E.-V. ist eine neue Methode, Milch haltbar zu machen. Im Handel erkennt man ESL-Milch an den Bezeichnungen »Die Längerfrische« oder »Längerhaltbare Milch«. Das Verfahren verläuft ähnlich wie das Pasteurisieren (s. Seite 166) nur bei niedrigeren Temperaturen. Die Milch wird erst auf 80°, dann durch Einspritzen von Dampf kurz auf ca. 125° erhitzt. Entscheidende Vorteile: Die Milch behält ihren vollen Geschmack und fast alle Nährstoffe, ist aber trotzdem 15–45 Tage haltbar.

## ESSENTIELLE FETTSÄUREN
→ Fettsäuren

## EU-HERKUNFTSSIEGEL

Die E.-H. schützen regionale Spezialitäten je nach Eigenschaft als »geschützte Ursprungsbezeichnung«, »geschützte geografische Angabe« oder »garantiert traditionelle Spezialität«. Alle Produkte, die im Register der EU eingetragen sind, sind damit vor Nachahmung geschützt (www.geo-schutz.de).

## FENCHEL

F. wird als Gemüse, Gewürz und als Heilpflanze verwendet. Er enthält zahlreiche ätherische Öle und liefert Kalium, Kalzium, Magnesium und Vitamin C. Fenchelknollen werden als Salat oder Gemüse gegessen, Fenchelsamen z. B. zusammen mit Anis als Brotgewürz verwendet oder als Tee genossen. F. wirkt beruhigend auf Magen und Darm, indem er Krämpfe löst und die Darmbewegung anregt. Außerdem fördert er die Milchbildung.

## FETT

F. ist einer der drei energieliefernden Ernährungsbausteine. Und zwar der kalorienreichste: Fett liefert mehr als doppelt so viele Kalorien wie Eiweiß oder Kohlenhydrate. Es dient als Energiereserve, ist Träger der fettlöslichen → Vitamine A, D, E, K und liefert lebensnotwendige essentielle → Fettsäuren. Der Fettanteil in der Nahrung sollte bei Kindern etwas höher als bei Erwachsenen sein und 30–35 % der Gesamtkalorien betragen. Fett besteht aus je 1 Glycerinmolekül und 3 Fettsäuren.

## FETTSÄUREN

Sie werden nach Anzahl und Lage der Doppelbindungen im Molekül als gesättigte oder einfach bzw. mehrfach ungesättigte F. bezeichnet. Gesättigte F. haben keine Doppelbindung, einfach ungesättigte F. haben eine und mehrfach ungesättigte F. haben mehrere Doppelbindungen. Fast alle mehrfach ungesättigten F. kann unser Körper nicht selber herstellen – sie sind essentiell. Man unterscheidet anhand ihres Aufbaus → Omega-3-F. (Linolensäure, Eicosapentaensäure, Docosahexaensäure) und → Omega-6-F. (Linolsäure, Arachidonsäure). Sie werden in Zellmembranen eingebaut und sind für verschiedene Stoffwechselprozesse wichtig. Sie sind z. B. Vorstufen der Eicosanoide, der Gewebshormone, die u. a. den Cholesterinspiegel, die Immunfunktion und die Regulation des Blutdrucks beeinflussen. Für den Säugling ist eine gute Zufuhr wichtig. Die Omega-F. werden in der Zeit vor der Geburt und bis zum 2. Lebensjahr verstärkt in die Nervenzellen des Gehirns und der Netzhaut des Auges eingebaut

und haben Einfluss auf die Entwicklung von Intelligenz und Sehvermögen. Beide F. sind in Muttermilch enthalten. Säuglingsanfangsnahrungen enthalten sie ebenfalls in einem für den Säugling günstigen Verhältnis. Wichtig ist das Verhältnis von → Omega-3-F. zu → Omega-6-F. in der Nahrung.

## FUNCTIONAL FOOD

F. F. bezeichnet Lebensmittel, die eine positive gesundheitliche Wirkung auf den Körper haben sollen. Der funktionelle Inhaltsstoff kann entweder natürlich im Lebensmittel vorkommen oder zugesetzt sein wie in → pro- und prebiotischen Produkten oder in mit → Antioxidantien, → Omega-3-Fettsäuren oder Kräuterauszügen angereicherten Produkten.
Die behauptete Wirkung muss in Studien eindeutig nachgewiesen worden sein.

## GAMMA-LINOLENSÄURE

GLS ist eine mehrfach ungesättigte → Omega-6-Fettsäure und Vorstufe von Gewebshormonen. Sie kann zur Behandlung von Neurodermitis eingesetzt werden, da sie die ekzematösen Hautveränderungen lindern kann. Sie kommt z. B. in → Borretschöl vor und wird als Nahrungsergänzung angeboten.

## GESTOSE → Seite 12

## GEWICHTSKURVE FÜR KINDER
→ Seite 146/147

## GLUTAMAT

G. ist ein Geschmacksverstärker. Bei empfindlichen Menschen kann die Aufnahme von G. zum »China-Restaurant-Syndrom« führen. Dieses kann sich durch Herzrasen, Gesichtsrötung, Kopfschmerz und Benommenheit äußern.

## GLUTEN

So wird ein bestimmtes Getreideprotein bezeichnet, das in Weizen, Roggen, Gerste und in Hafer als Verunreinigung enthalten ist. Gegen dieses Eiweiß besteht bei einigen Menschen eine Unverträglichkeit (→ Zöliakie, s. Seite 145). Bei dieser Erkrankung muss auf alle Lebensmittel verzichtet werden, die Bestandteile der oben genannten Getreidearten enthalten.

## HEFEN

H. sind einzellige Pilze, die aufgrund ihrer Eigenschaften in der Lebensmittelherstellung Verwendung finden. So unterscheidet man z. B. Wein-, Bier- und Brothefe. H. ver-

stoffwechseln den im Produkt enthaltenen Zucker zu Kohlendioxid und Wasser. So werden sie im Weizenbrot als Backtriebmittel eingesetzt. Als Bierhefe sind sie Vitamin-B-reich und werden als Nahrungsergänzung verwendet.

## HISTAMIN

H. ist ein → biogenes Amin und entsteht durch bestimmte Reaktionen von Eiweißbestandteilen in der Nahrung. Es löst bei dagegen empfindlichen Menschen eine Pseudoallergie aus.

## HYDROLISIERTE SÄUGLINGSNAHRUNG

Säuglinge mit einer vom Arzt diagnostizierten Kuhmilchallergie müssen h. S. bekommen. Das Kuhmilcheiweiß dieser Nahrung wird in seine Bestandteile, die einzelnen Aminosäuren aufgespalten und verliert dadurch seine allergene Wirkung. Stark h. S.en werden auch als so genannte bilanzierte Diäten (Semielementardiäten) bezeichnet, sind nur in Apotheken erhältlich, teurer als HA-Nahrungen und aufgrund der starken Eiweißspaltung etwas bitterer. Stark h. S.en unterscheiden sich stark in ihrem Gehalt an → Laktose und in der Zusammensetzung der mittelkettigen Fette (Triglyceride). Produkte, welche wenig bzw. keine Laktose und einen hohen Anteil an Fett in Form mittelkettiger Triglyceride enthalten, können besonders für die Ernährung von Säuglingen von Vorteil sein, die als Folge einer starken Allergie zusätzlich an einem Reizdarm leiden. Der Kinderarzt wird Ihnen die richtige Nahrung empfehlen. Säuglinge stören sich erstaunlicherweise nicht am Bittergeschmack.

## IMMUNGLOBULINE (IG)

Zur Abwehr von Erregern hat der menschliche Körper verschiedene Schutzmechanismen entwickelt. Überwindet ein Erreger (= Antigen) doch einmal die erste Abwehrlinie des Körpers und gelangt ins Blut, so fangen ihn dort von speziellen Zellen gebildete Antikörper ab, die so genannten I. Sie binden sich an die Oberfläche des Antigens und verhindern so eine weitere Reaktion mit den Körperzellen. Zusätzlich sorgen die I. dafür, dass das Antigen, nachdem es unschädlich gemacht ist, beseitigt wird. Um auf die Vielfalt der Erreger gut vorbereitet zu sein, produziert der Körper verschiedene Klassen von I.

## IMMUNGLOBULIN A (IGA)

Es hat seinen Wirkungsbereich vor allem im Bereich der Schleimhäute, z. B. in Nase, Rachen und Darm. Dort fangen sie potentielle Krankheitserreger ab. IgA geht in die Muttermilch über und wird so auf den Säugling übertragen. Der Nachweis von IgA im Blut ist kein Beweis für eine Sensibilisierung – er zeigt nur, dass sich der Körper mit Erregern auseinandergesetzt hat.

## IMMUNGLOBULIN E (IGE)

Es wird vom Körper ausgeschüttet bei Allergien und Wurminfektionen. Es befindet sich hauptsächlich in Haut und Schleimhäuten und kann dort nach Kontakt mit einem Allergen allergische Reaktionen auslösen. In diesem Fall regt es die Zellen an, → Histamin auszuschütten, das dann für die Schwellung und Rötung verantwortlich ist. Ein positiver IgE-Test ist ein deutlicher Hinweis auf eine Allergie.

## IMMUNGLOBULIN G (IGG)

Es macht den größten Teil der Antikörper im menschlichen Organismus aus. Es wird nach Erstkontakt mit einem Erreger zeitverzögert gebildet, um bei einem zweiten Angriff sofort reagieren zu können. Bei einem IgG-Test können diese Antikörper im Blut nachgewiesen werden. Dabei kann man feststellen, ob eine Infektion schon einmal durchgemacht wurde oder ob ein Impfschutz wirksam ist. Der Test sagt allerdings nichts über eine bestehende (Nahrungsmittel-)Allergie aus.

## INFEKTIONSSCHUTZGESETZ (IFSG)

Das I. ist im Januar 2001 in Kraft getreten und regelt die Verhütung und Bekämpfung von Infektionskrankheiten. Es dient dazu, übertragbaren Krankheiten vorzubeugen, Infektionen frühzeitig zu erkennen und eine Weiterverbreitung zu verhindern. Dabei legt es fest, welche Krankheiten einer Meldepflicht unterliegen. Weitere Informationen finden Sie bei www.rki.de unter dem Stichpunkt Infektionsschutz.

## INULIN

I. ist ein Mehrfachzucker mit hohem Ballaststoffgehalt. Er ist für den menschlichen Verdauungstrakt kaum zu verdauen und wird erst durch die Darmbakterien abgebaut, fördert also die Darmflora. I. senkt den Cholesterinspiegel und regt die Nierenausscheidung an. I. ist in Schwarzwurzeln und Artischocken enthalten.

## KIESELSÄURE

K. dient in der Natur Pflanzen und Tieren hauptsächlich als Stützgerüst ihrer Zellwände. Sie liefert dem Körper wichtiges Silizium, das zur Stärkung von Haut, Haaren und Bindegewebe beiträgt. K. ist enthalten in Vollkorn – vor allem Hirse –, Kartoffeln, ballaststoffreichem Gemüse und Bambussprossen.

## KOHLENHYDRATE

Einer der drei energieliefernden Grundbausteine unserer Ernährung. Sie sollten in Form von stärkehaltigen Lebensmitteln mehr als die Hälfte der täglich benötigten Energie liefern. Diese komplexen K., d. h., Mehrfachzucker, sind vor allem in pflanzlichen Nahrungsmitteln wie Getreide, Gemüse, Obst und Kartoffeln enthalten. Diese Lebensmittel liefern zudem reichlich Vitamine, Mineralstoffe, Ballast- und → Bioaktivstoffe. Der größte Teil der K. sollte als Vollkornprodukte gegessen werden (s. auch Seite 82, Empfehlungen der Ernährungspyramide). Höchstens 10 % der Energie sollten in Form von Zucker oder Weißmehlprodukten verzehrt werden, weil sonst die → Nährstoffdichte der Nahrung leidet.

## LAKTASE

Das Enzym (→ Enzyme) wird in der Dünndarmschleimhaut gebildet. Es spaltet den Milchzucker (→ Laktose) in Glukose und Galaktose. Fehlt L., sind starke Blähungen, krampfartige Bauchschmerzen und wässrigschäumender oder sauer riechender Durchfall die Folge (→ Laktose). In zweiter Linie tritt der L.mangel als Begleiterscheinung bei verschiedenen Magen- und Darmerkrankungen auf. Die Symptome sind bei beiden Formen gleich.

## LAKTOFERRIN

Ein Protein mit antimikrobieller Wirkung. Es ist hauptsächlich in Muttermilch, Tränenflüssigkeit und Speichel enthalten. Indem es Bakterien abtötet, dient es der ersten Abwehr des Körpers.

## LAKTOSE (MILCHZUCKER)

L. stellt für den Säugling in den ersten Lebensmonaten in der Muttermilch das einzige Nahrungskohlenhydrat dar. In seltenen Fällen kann sich in den ersten Lebenswochen eine L.unverträglichkeit herausstellen. Die Ursache für diese Unverträglichkeit ist das Fehlen oder die verminderte Aktivität von → Laktase im Darm. Ein gestillter Säugling muss deshalb leider abgestillt werden und l.freie Säuglingsnahrung erhalten. Bei L.intoleranz müssen l.haltige Lebensmittel wie Milch, Joghurt, Frischkäse oder Molke vermieden werden. Ausnahmen sind Hart-, Schnitt-, Weichkäse und Sauermilchprodukte, die praktisch l.frei sind (www.libase.de).

## LEBENSMITTELHYGIENEVERORDNUNG (LMHV)

In ihr ist festgelegt, welche Maßnahmen bei der Lebensmittelherstellung, -verarbeitung und beim Inverkehrbringen von Lebensmitteln ergriffen werden müssen, um den Verbraucher vor krankmachenden Mikroorganismen, Rückständen und Schadstoffen zu schützen (http://bundesrecht.juris.de/lmhv/).

## LEZITHIN

Die fettähnliche Substanz befindet sich in allen menschlichen und tierischen Zellen, vor allem im Nervengewebe, ist aber auch in Eidotter und Samen von Hülsenfrüchten enthalten. Die Lebensmittelindustrie verwendet L. als Emulgator.

## LINOLSÄURE → Fettsäuren

## LISTERIEN → Seite 15 und 166/167

## LYKOPIN

L. gehört zu der Gruppe der Karotinoide. Es kommt vor allem in Tomaten (20 mg/kg) sowie in Grapefruits, Hagebutten, Pfifferlingen und Guaven vor. Es entfaltet im menschlichen Organismus ausgeprägte → antioxidative und zellschützende Eigenschaften.

## MARINE STEWARDSHIP COUNCIL (MSC)

Der MSC hat es sich zur Aufgabe gemacht, Fischbestände weltweit zu sichern. Er belohnt umweltgerechtes Fischereimanagement mit dem blauen Ökolabel. Das Logo gibt dem Verbraucher die Gewissheit, dass das entsprechende Erzeugnis aus einer verantwortlich geführten Fischerei stammt und nicht zum Problem des Überfischens beiträgt (www.msc.org/html/content).

## MEKONIUM

M., auch Kindspech genannt, ist der erste Stuhl des Neugeborenen. Er ist kein echtes Verdauungsprodukt, da er aus Haaren, Galle, toten Zellen und Darmabschilferungen besteht. In der Regel geht das M. 1–2 Tage nach der Geburt ab, angeregt durch das Trinken der Vormilch.

## MORBUS CROHN

Bei M. C. handelt es sich um eine entzündliche, in Schüben verlaufende Darmerkrankung, die mit Durchfall und krampfartigen Schmerzen einhergeht. Es können alle Bereiche des Dünn- und Dickdarms betroffen sein oder, wie in den meisten Fällen, der Übergangsbereich vom Dünndarm in den

Dickdarm. Durch die andauernden Durchfälle kommt es zum Gewichtsverlust. Die Krankheit macht eine medikamentöse Therapie notwendig, die die Symptome abmildert und die Zeit zwischen den Schüben verlängert. Möglicherweise ist nach längerer Krankheit eine Operation nötig. Eine spezielle Diät für entzündliche Darmerkrankungen gibt es noch nicht. Empfohlen wird eine leichte Vollkost und die Vermeidung von Weißmehlprodukten und Zucker.

## NÄHRSTOFFDICHTE

Die N. gibt an, wie viel Nährstoff, also → Vitamine, Mineralstoffe und essentielle → Fettsäuren ein Lebensmittel pro Kalorie enthält. Je höher die N., desto wertvoller ist ein Lebensmittel. Die N. kann auch auf einen einzelnen Nährstoff bezogen werden. Eine hohe Dichte haben alle naturbelassenen Lebensmittel wie Vollkornprodukte, Obst, Gemüse und Kartoffeln, während stark verarbeitete Produkte wie Weißbrot, Süßigkeiten oder Pommes frites eine niedrige N. haben. Deshalb spricht man von »leeren Kalorien«.

## NEURALROHRDEFEKT

Hierbei handelt es sich um unterschiedlich ausgeprägte Fehlbildungen, die in den ersten 28 Tagen der Schwangerschaft manifestiert werden. Ausgelöst durch Folsäuremangel entstehen Fehler bei der Zellvermehrung. Betroffen sein können Gehirn, Rückenmark und Wirbelsäule des Kindes. Durch eine erhöhte Folsäurezufuhr bei bestehendem Schwangerschaftswunsch, d. h., vor der Empfängnis, kann das Risiko erheblich gesenkt werden.

## NITRAT

N. ist im Grundwasser und in Gemüse zu finden. N.reich sind Spinat, Blattsalate, Rucola, Fenchel, rote Bete und Kohlrabi. Freilandware ist n.ärmer als Treibhausware, denn Sonne baut N. ab. An sich unbedenklich, kann N. durch Bakterien und Wärme zum gesundheitsschädlichen Nitrit umgewandelt werden. Für Babys ist das giftig, sie können es nicht abbauen. Deshalb in den ersten 4 Lebensmonaten kein n.reiches Gemüse oder Wasser geben. Säuglings- und Kindernahrung darf höchstens 250 mg Nitrat/kg enthalten. 1 l Trinkwasser sollte maximal 25 mg enthalten. Bei Mineralwasser zeigt der Hinweis »geeignet für die Zubereitung von Säuglingsnahrung« einen N.gehalt von höchstens 10 mg/l an. Bei Salat die besonders n.reichen Stiele und Blattrippen entfernen. Auch die äußeren Salat-

blätter sind eher n.reich, andererseits enthalten gerade diese Blätter viele → sekundäre Pflanzenstoffe. Da Wärme die Umwandlung zu Nitrit fördert, Gemüse nicht zu lange und zu warm lagern, Aufwärmen und Warmhalten n.reichen Gemüses vermeiden. Nitrat und Nitrit sind durch Pökelsalz auch in Fleisch und Wurstwaren (Wiener, Kasseler, Räucherspeck etc.) enthalten. Bei starker Hitze kann Nitrit mit natürlich vorkommenden Aminen (Eiweißstoffe, z. B. aus Wurst oder Käse) zu Nitrosaminen reagieren – und die sind Krebs erregend. Deshalb Gepökeltes nicht grillen oder braten, nicht warm halten oder aufwärmen, mit Vitamin-C-reichem Gemüse (z. B. Paprika oder Rosenkohl) oder Obst (z. B. Zitronen- oder Orangensaft) kombinieren: Vitamin C hemmt die Nitrosaminbildung.

## OMEGA-3-FETTSÄUREN

→ Fettsäuren. Sie sind wichtig zur Bildung von Botenstoffen und für das Immunsystem, außerdem verbessern sie die Fließeigenschaften des Blutes und helfen so, Arteriosklerose und Herz-Kreislauf-Erkrankungen vorzubeugen. Sie können bei Neurodermitis positiv wirken. Da sie in der Ernährung eher zu kurz kommen, bevorzugt Kaltwasserfische (z. B. Hering, Makrele, Lachs) essen, pflanzliche Fette wie Lein-, Raps- und Walnussöl und Nüsse verwenden.

## OMEGA-6-FETTSÄUREN

→ Fettsäuren. Diese sind vor allem in pflanzlichen Ölen wie Maiskeim-, Sonnenblumen- und Distelöl enthalten. Eine zu hohe Zufuhr kann ungünstige Wirkungen hervorrufen, weil sie eher Entzündungen fördern und → Omega-3-Fettsäuren verdrängen. Die Deutsche Gesellschaft für Ernährung (DGE) empfiehlt, Omega-6- und Omega-3-Fettsäuren im Verhältnis 5 : 1 mit der Nahrung aufzunehmen. Um einer zu hohen Zufuhr von Omega-6-Fettsäuren entgegen zu wirken, auf Distelöl verzichten und den Verzehr von Sonnenblumen- und Maiskeimöl reduzieren. Empfehlenswert sind nach wie vor Oliven- und Sojaöl.

## OXYTOCIN → Seite 28

## PERZENTIL

P.e geben Werte an, unterhalb derer ein bestimmter prozentualer Anteil aller Fälle der Verteilung liegen. Wird der → BMI eines Kindes als Perzentil ausgedrückt, bedeutet dies, dass der BMI in Bezug auf den BMI der Altersgenossen angegeben wird. Ein BMI auf dem 20. Perzentil bedeutet beispielsweise, dass 20 % der Kinder mit gleichem

Alter und selbem Geschlecht einen gleich großen oder kleineren BMI haben (80 % allerdings haben einen größeren). Die Perzentil-Kurve umfasst also immer alle Fälle, die jeweils unter ihr liegen.

## PHOSPHAT

P. oder Phosphor ist ein Mineralstoff, der für die Energieversorgung der Zellen zentrale Bedeutung hat. Zusammen mit Kalzium ist er wichtiger Bestandteil von Knochen und Zähnen und kommt praktisch in allen Lebensmitteln vor. Besonders reich sind eiweißreiche Lebensmittel wie Milch und Milchprodukte, Fleisch und Fisch.

## PREBIOTISCH

Prebiotische Produkte zählen zu → Functional Food. Sie enthalten, wie der Name schon sagt, zugesetzte Prebiotika. Das sind → Ballaststoffe wie Oligofruktose und Inulin. Prebiotika sind unverdaulich und beeinflussen im Dickdarm das Wachstum und die Aktivität der → Probiotika, also der positiven Darmbakterien. Sie scheinen bei regelmäßigem Verzehr die Darmflora positiv zu beeinflussen. In der Muttermilch haben Oligosaccharide diese Eigenschaft. In Säuglingsnahrung werden Frukto-Oligosaccharide (FOS)und Galakto-Oligosaccharide (GOS) eingesetzt, wirken dort ebenfalls als → Bifidus-Faktor und erhöhen die Immunabwehr.

## PROBIOTISCH

Probiotische Produkte zählen zu → Functional Food. Im Handel erhältlich sind vor allem Joghurts und andere Milchprodukte. Ihnen werden speziell gezüchtete, probiotische (»pro bios« = griech.: für das Leben) Milchsäurebakterien, z. B. Lakto- oder Bifidobakterien zugegeben. Im Unterschied zu herkömmlichen Milchsäurebakterien (die z. B. in jedem Joghurt sind) sollen die probiotischen die Magen-Darm-Passage besser überstehen, sich in größerer Zahl im Dickdarm ansiedeln und so die Darmflora stärker unterstützen – aber nur, solange man sie isst.

## PROLAKTIN → Seite 28

## PROVOKATIONSTEST

Mittels des P. werden Art und Schwere einer bekannten Allergie untersucht. Die wahrscheinlich allergieverursachende Substanz wird unter medizinischer Überwachung verabreicht und deren Wirkung im Verlauf beobachtet.

## QS-SIEGEL

Das Q. wurde 2001 ins Leben gerufen. QS steht für Qualitätssicherung und zwar über alle Produktionsstufen in der Lebensmittelkette vom Tierfutter über Zucht-, Mast- und Schlachtbetriebe bis hin zum Handel. Angeschlossene Betriebe unterwerfen sich freiwillig einer externen Kontrolle (www.q-s.info).

## ROTÖL

R. wird aus den gelben Pflanzenblüten des Johanniskrauts gewonnen und mit Öl gemischt. Der Name Rotöl lässt sich auf die intensive rote Farbe des Öls zurückführen. Es wirkt wundheilend und beruhigend und wird äußerlich und innerlich angewendet.

## SALMONELLEN → Seite 15 und 166/167

## SCHWANGERSCHAFTSDIABETES
→ Seite 12

## SEKUNDÄRE PFLANZENSTOFFE

Sie werden im sekundären Stoffwechsel der Pflanzen gebildet und dienen ihr als Abwehrstoffe, Farbstoffe oder Wachstumsregulatoren. So wie die Pflanze können sie auch uns schützen – in Obst und Gemüse. Sie wirken z. B. Herz-Kreislauf-Erkrankungen, Infektionen und Krebs entgegen und stärken das Immunsystem. Die wichtigsten Gruppen: Karotinoide, die z. B. als Beta-Karotin oder → Lykopin für die kräftigen Farben von Kürbis, Möhren oder Tomaten sorgen, Polyphenole, die z. B. in Äpfeln, Zwiebeln oder Beeren enthalten sind, Glukosinolate, die vor allem in Kohl, Kresse und Senf vorkommen, Sulfide, die z. B. in Zwiebeln, Knoblauch und Lauch vorkommen. Obwohl vieles noch unerforscht ist und z. B. keine konkreten Zufuhrempfehlungen gegeben werden können, ist klar: Wer viel Obst und Gemüse isst, nimmt (neben → Vitaminen, Mineral- und Ballaststoffen) eine gute Mischung von s. P. auf. Und das tut gut!

## SIEGEL

Gütesiegel garantieren geprüfte Qualität. Sie werden in Deutschland durch die unabhängige Institution RAL (Deutsches Institut für Gütesicherung und Kennzeichnung e. V.) zugelassen. Es gibt unzählige deutsche und europäische Siegel, die z. B. Bioqualität oder deutsche Herkunft bezeugen.

## STILLFREUNDLICHES KRANKENHAUS

WHO und Unicef zertifizieren s. K. nach bestimmten Anforderungen. Daran erkennen Sie ein s. K.: Infos und Tipps zum Stillen schon für Schwangere (Geburtsvorberei-tung); die Möglichkeit, das Kind in den ersten 30 Minuten nach der Geburt anzulegen; kompetente Hilfe beim Anlegen nach der Entbindung; Zufütterungsverbot (auch Tee und Wasser) bei gesunden Neugeborenen; 24 Stunden Rooming-in; Keine Gummisauger oder Schnuller für gestillte Babys; guter Kontakt zu → Stillgruppen. Adressen finden Sie unter: www.stillfreundliches krankenhaus.de.

## STILLGRUPPE

Selbsthilfegruppen, die sich zum Ziel gemacht haben, das Stillen zu fördern. Durch das persönliche Gespräch mit stillerfahrenen Müttern und den Austausch mit anderen Eltern wird Hilfestellung beim Stillen und bei Alltagsproblemen geleistet. Häufig dienen Stillcafés als Kommunikationszentren. Darüber hinaus wird auch versucht, die Förderung des Stillens politisch durchzusetzen. Die bekannteste ist die La Leche Liga (www.lalecheliga.de).

## THEOBROMIN

T. ist ein dem Koffein verwandtes Alkaloid. Es kommt in Schokolade und Kakao vor (Getränk der Götter). Genauso wie das Koffein hat es eine anregende Wirkung, allerdings wirkt es deutlich schwächer.

## TOXOPLASMOSE → Seite 15 und 166/167

## TRYPTOPHAN

Es gehört zu der Gruppe der essentiellen Aminosäuren (→ Eiweiß) und ist eine Vorstufe des Botenstoffs Serotonin, der stimmungsaufhellend wirkt.

## VITAMINE

Sie wirken im Stoffwechsel als zündender Funke und Regulator. Es wird unterschieden zwischen den fettlöslichen Vitaminen A, E, D und K, die der Körper speichern kann. Die wasserlöslichen Vitamine C, $B_1$, $B_2$, $B_6$, Biotin, Pantothensäure und Folsäure müssen täglich zugeführt werden. Nur das wasserlösliche Vitamin $B_{12}$ kann etwas bevorratet werden (Seite 174).

## ZIMT

Z. ist ein Gewürz, das aus der Innenschicht der Rinde des Zimtbaumes gewonnen wird. Es wird gemahlen oder als Stangenzimt angeboten. Man unterscheidet nach der Herkunft den hochwertigen Ceylon-Zimt aus Sri Lanka und den geschmacksintensiveren Kassia-Zimt aus China. Die Verwendung von Kassia-Zimt kann problematisch sein, da er Cumarin enthält, einen → sekundären Pflanzenstoff, der in zu hohen Dosen Kopfschmerzen, Übelkeit, Schwindel und Benommenheit auslösen kann (s. Seite 14). Cumarin bzw. seine Abkömmlinge sind zudem Gegenspieler von Vitamin K und beeinflussen die Blutgerinnung. Ceylon-Zimt dagegen enthält kein Cumarin und kann bedenkenlos verwendet werden.

Aus den Blättern oder der Rinde des Zimtbaumes lässt sich auch ein ätherisches Öl gewinnen, das in der Schwangerschaft nicht angewendet werden darf, da es wehenauslösend wirken könnte.

## ZÖLIAKIE

Hierbei handelt es sich um eine Autoimmunerkrankung. Sie beruht auf einer lebenslangen Unverträglichkeit des Organismus gegenüber dem Klebereiweiß → Gluten. Ersatzprodukte sind Mais, Dinkel, Reis, Kartoffeln und Buchweizen. Bei Erwachsenen wird bei dieser Unverträglichkeit von einheimischer Sprue und bei Kindern von Z. gesprochen (s. Seite 145). Nach neuesten wissenschaftlichen Erkenntnissen kann eine Einführung von glutenhaltigen Getreidesorten zwischen dem 4. und dem 6. Monat das Risiko des Auftretens einer Z. vermindern. Allergien und Unverträglichkeiten entstehen vermutlich auch durch zu einseitige Kost, im Falle der Z. durch zu häufigen Verzehr von Weizen (z. B. von Nudeln, Weizenbrot etc.). Eine möglichst vielseitige Ernährung mit den verschiedenen Getreidesorten ist daher ratsam.

## ZWIEMILCH

Zwiemilchernährung bedeutet, das Baby sowohl zu stillen als auch mit der Flasche zu füttern. Sie wird angewendet, wenn das Baby nicht ausreichend zunimmt und noch zu klein für Beikost ist. Oder wenn die Mutter tagsüber berufstätig ist, nicht abpumpt und nur zu bestimmten Zeiten stillen kann. Legen Sie Ihr Baby dabei immer zuerst an der Brust an, dann das Fläschchen geben. Zum Zufüttern Premilch mit → pre- oder → probiotischen Inhaltsstoffen nehmen. Besteht bei dem Baby ein Allergierisiko, ist H.A.-Milch geeignet (s. Seite 52).

# SACHREGISTER

Wichtige Sachbegriffe in alphabetischer Reihenfolge. In **Fettdruck** sind die Seiten hervorgehoben, auf denen Sie die Hauptinformation finden sowie Stichpunkte mit mehreren Informationen.

# REZEPTREGISTER

Alle Rezepte nach Rezepttiteln und nach Hauptzutaten

## Rezepte für die Schwangerschaft

## Rezepte für die Stillzeit

## Rezepte für Beikost ab dem 5. Monat

## Rezepte für Zwei

# ADRESSEN, DIE WEITERHELFEN

## Ernährungsberatung

Bei folgenden Institutionen bekommen Sie Informationen über Ernährungsberatungsstellen in Ihrer Nähe:

**Deutsche Gesellschaft für Ernährung**
www.dge.de

**Institut Quetheb e. V.**
www.quetheb.de

**Verband der Oecotrophologen e. V. (VDOE)**
www.vdoe.de

## Weitere hilfreiche Adressen

**Arbeitsgemeinschaft allergiekrankes Kind**
www.aak.de

**Arbeitsgemeinschaft Freier Stillgruppen (AFS)**
www.afs-stillen.de

**Bund deutscher Hebammen e. V.**
www.bdh.de

**Deutsche Gesellschaft für Kinder- und Jugendmedizin e. V.**
www.dgkj.de

**Forschungsinstitut für Kinderernährung**
www.fke-do.de

**World Health Organization (WHO)**
www.who.int/childgrowth

# Kochlust pur

Koch- und Backvergnügen für alle und für jeden Anlass

ISBN 978-3-8338-0479-3
192 Seiten | 19,90 € [D]

ISBN 978-3-7742-7200-2
240 Seiten | 19,90 € [D]

ISBN 978-3-7742-6625-4
264 Seiten | 16,90 € [D]

ISBN 978-3-7742-6076-4
240 Seiten | 19,90 € [D]

Unsere umfassenden Standards:

Kochen und Backen – unsere beste Auswahl für Sie

Alltag und Feste – Rezepte, die man wirklich braucht

Kochen erleben – mit der GU-Gelinggarantie

Willkommen im Leben.

# IMPRESSUM

## Die Autorin

**Dagmar von Cramm** Die Freiburger Diplomökotrophologin ist in Funk und Fernsehen gefragte Ernährungsexpertin und begehrte Teilnehmerin wissenschaftlicher Symposien. In zahlreichen Büchern und Zeitungen veröffentlicht sie rund um das Thema gesunde Ernährung. Ihre Spezialgebiete sind Kochen für Kinder, abwechslungsreiche Familienküche und die vegetarische Genussküche. Dagmar von Cramm gewann zweimal den Journalistenpreis der Deutschen Gesellschaft für Ernährung und ist inzwischen Mitglied im Präsidium. (www.dagmarvoncramm.de)

**Titelfoto:** Hirse-Kürbis-Apfel-Brei (S. 60)

## Der Fotograf

**Jörn Rynio** arbeitet als Fotograf in Hamburg. Zu seinen Auftraggebern gehören nationale und internationale Zeitschriften, Buchverlage und Werbeagenturen. Alle Bilder rund ums Essen stammen aus seinem Studio. Tatkräftig unterstützt wurde Jörn Rynio dabei von den Foodstylisten **Petra Speckmann**, **Hermann Rottmann** und **Rainer Meidinger** sowie **Michaela Suchy** (Arrangements und Requisite).

## Bildnachweis

**aid infodienst, Klaus Arras:**
S. 83 o li, o re, m li, mm, m re, u li, u m, u re
**agrar-portal:** S. 44 u
**Gettyimages:** S. 2, 6 o re, 6 u li, 26, 27 2. v. li, 32, 33 o, 34 o, 35 re, 45 o, 48, 49 2. v. re, 50, 51, 53 mm, 59 re, 76 o, 77 re, 79 2. v. re, 81 re, 116 o, 117 o, 140, 142 o, 158 o, 159 re
**Anne Peisl:** S. 35 u
**Tom Roch:** S. 45 u li, 45 u re
**Stockfood:** 6 o li, 6 u re, 8, 9 2. v. li, 10 o, 15 u, 28 o, 78, 80 o, 80 u li, 84 li, 148, 149 re, 152 o, 153 u, 162, 164, 173 re
Alle anderen Fotos: **Jörn Rynio,** Hamburg

© 2007 GRÄFE UND UNZER VERLAG GmbH, München.
Alle Rechte vorbehalten. Nachdruck, auch auszugsweise, sowie Verbreitung durch Film, Funk, Fernsehen und Internet, durch fotomechanische Wiedergabe, Tonträger und Datenverarbeitungssysteme jeglicher Art nur mit schriftlicher Genehmigung des Verlags.

**Programmleitung:** Doris Birk

**Leitende Redakteurin:** Stefanie Wenzel

**Konzept und Redaktion:** Stefanie Poziombka

**Lektorat:** Adelheid Schmidt-Thomé

**Korrektorat:** Susanne Elbert

**Layout, Typographie und Umschlaggestaltung:** Sandra Gramisci und Claudia Ehrl für independent Medien-Design, München

**Herstellung:** Renate Hutt

**Satz:** Knipping Werbung GmbH, Berg/Starnberg

**Reproduktion:** Repro Ludwig, Zell am See

**Druck:** Firmengruppe APPL, aprinta druck, Wemding

**Bindung:** Conzella, Pfarrkirchen

**ISBN 978-3-8338-0649-0**

1. Auflage 2007

Ein Unternehmen der
GANSKE VERLAGSGRUPPE